Pflanzen essen

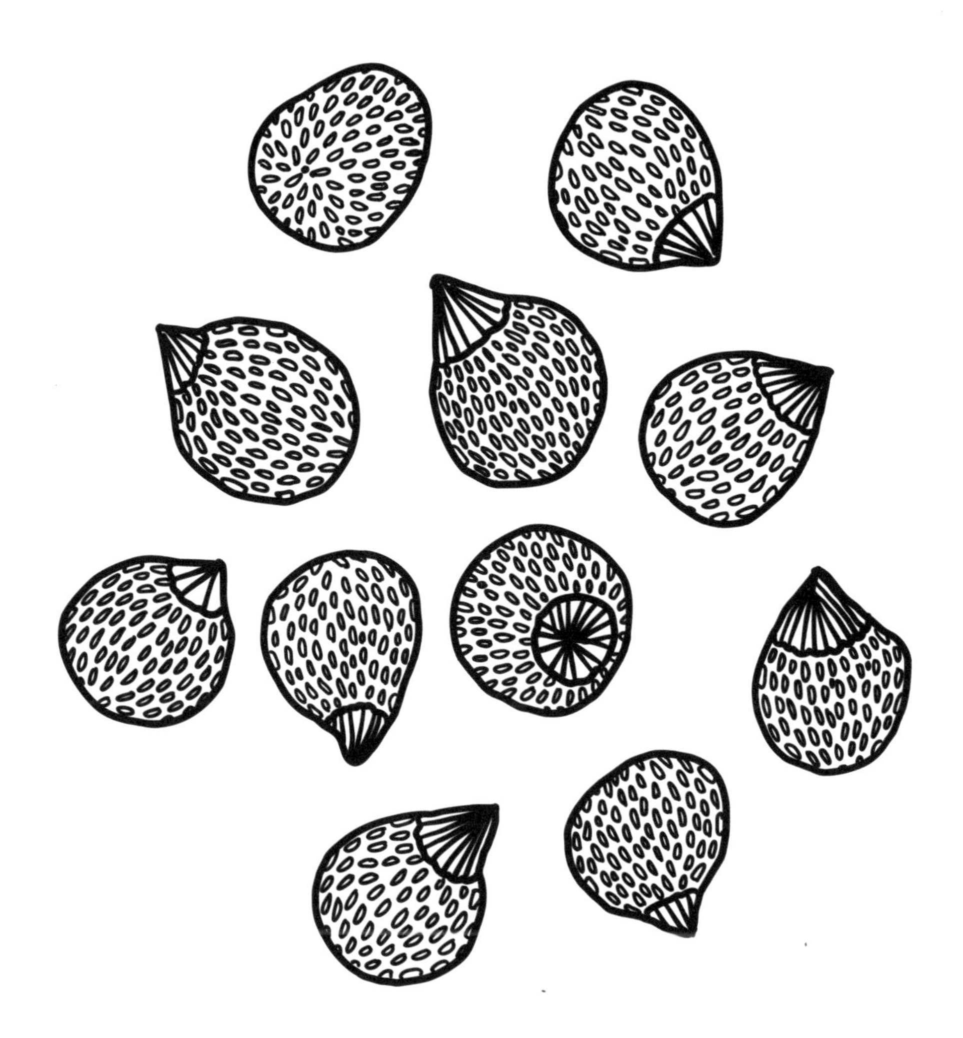

Pflanzen essen

70 nachhaltige Pflanzen, die unsere Zukunft retten

Mit über 150 Illustrationen

Kevin Hobbs und Artur Cisar-Erlach
Illustriert von Katie Kulla
Aus dem Englischen von Alexandra Titze-Grabec

Kunstmann

Inhalt

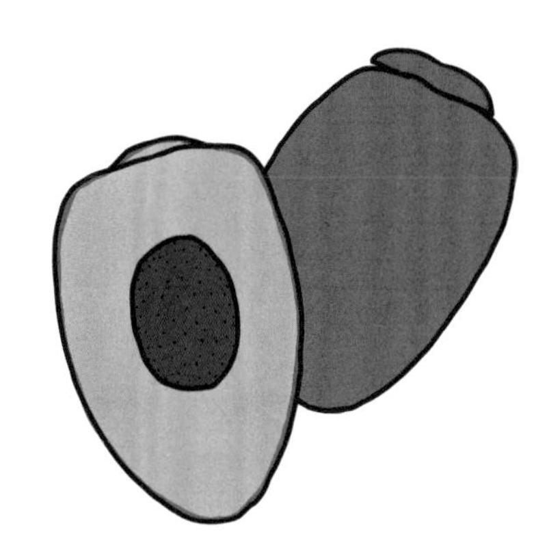

ESSEN FÜR EINE WELT IM WANDEL

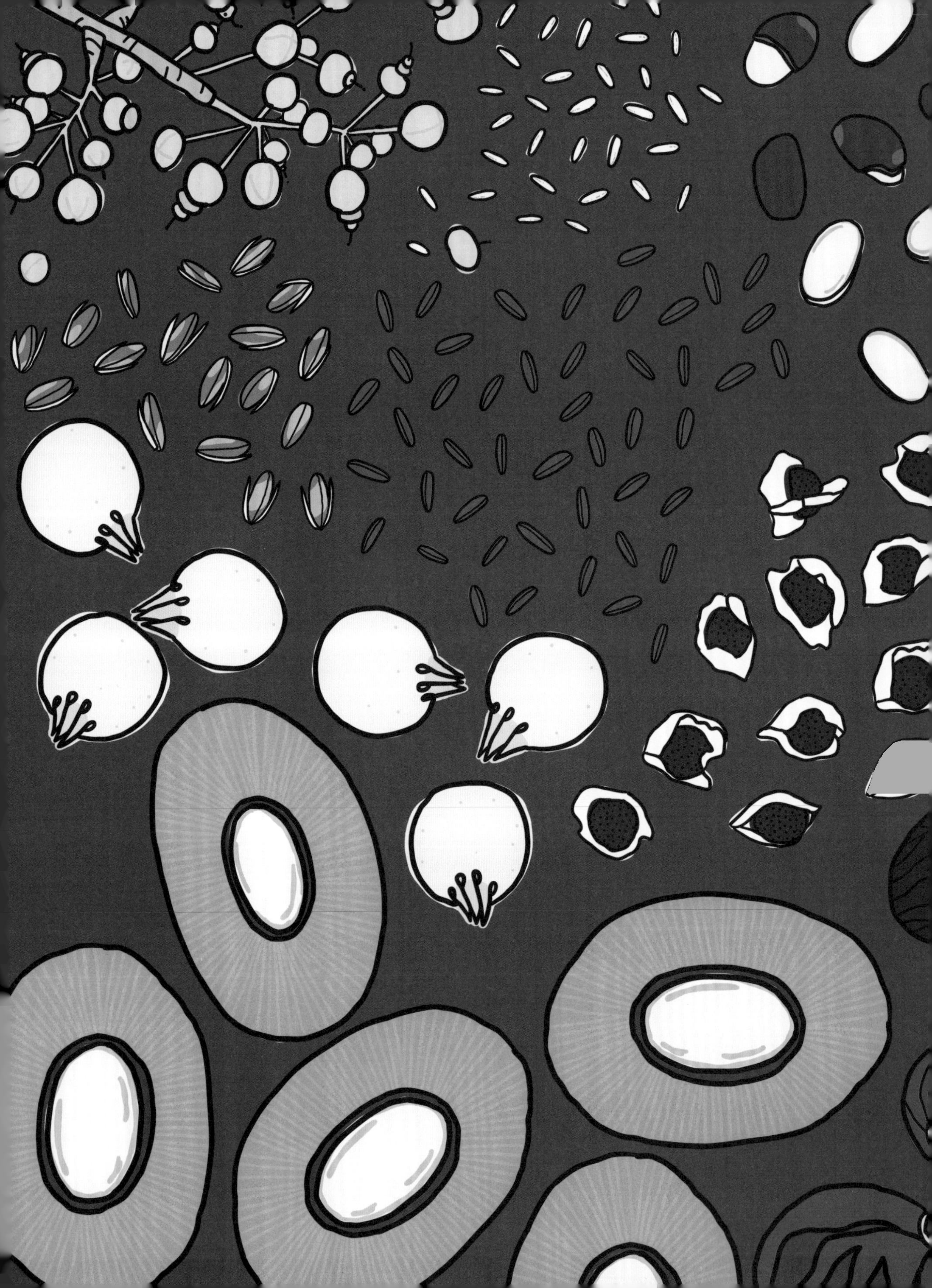

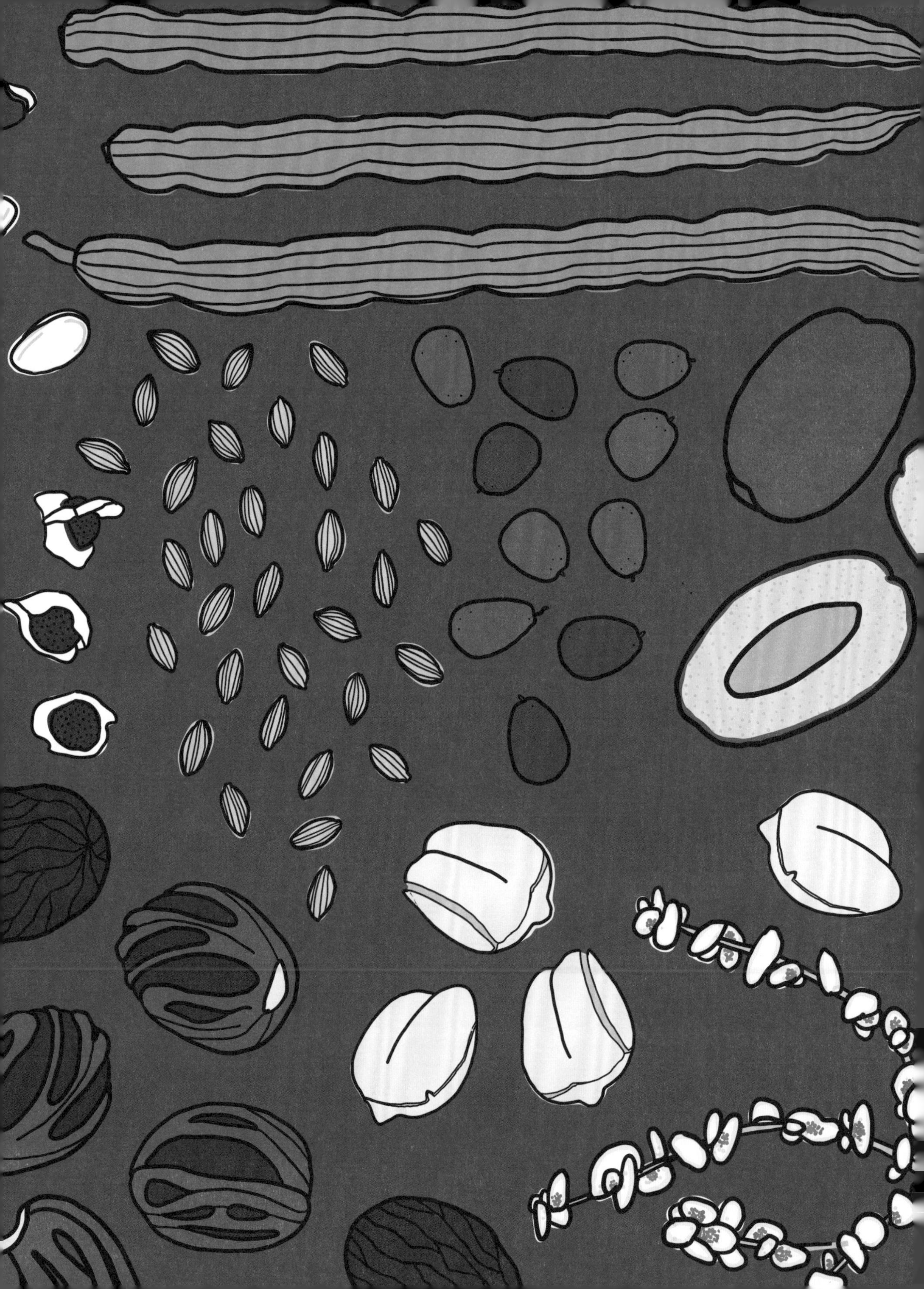

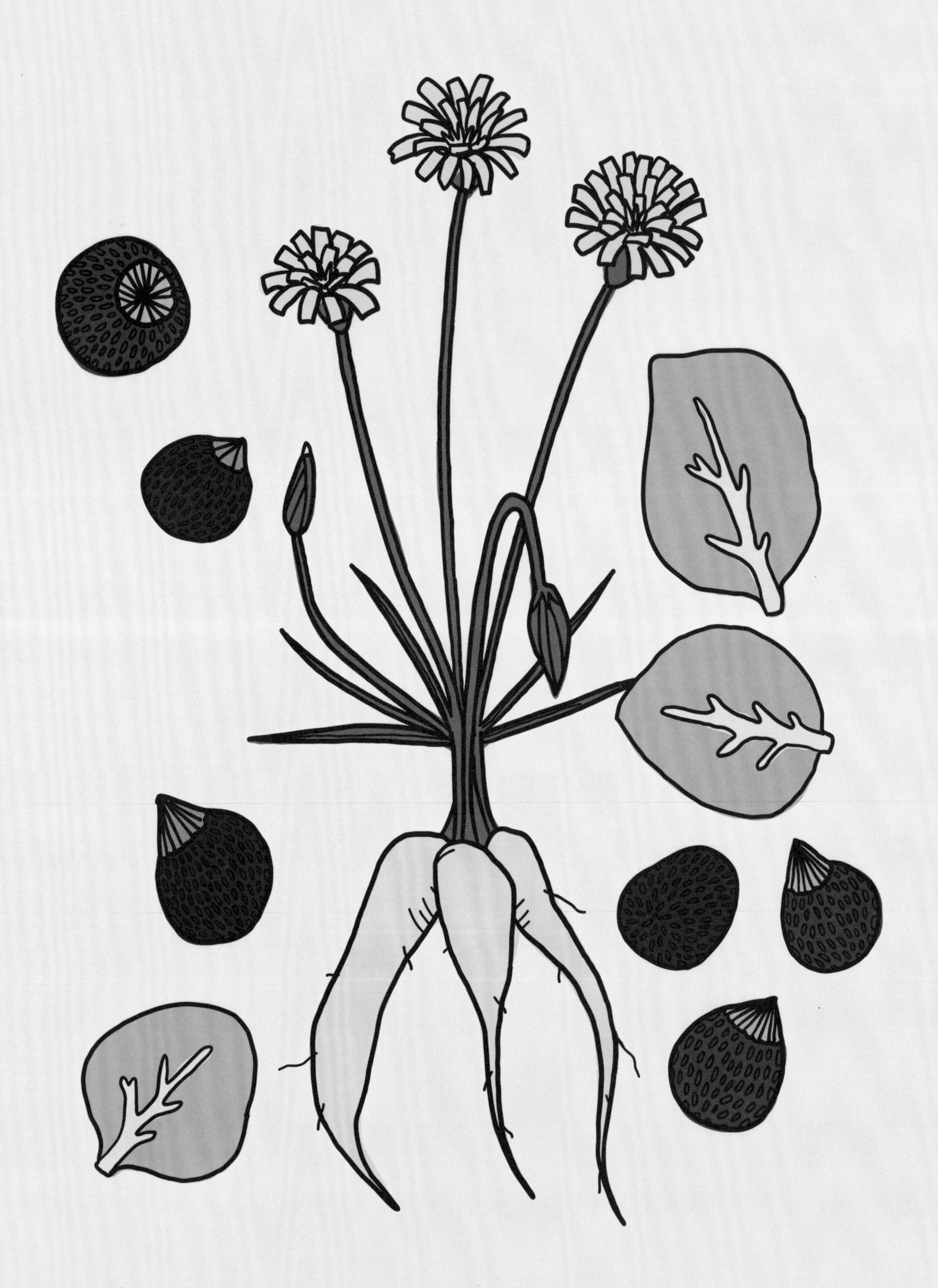

Einleitung

Pflanzen sind die Grundlage allen Lebens auf der Erde, sie liefern einer Vielzahl von Lebewesen, darunter auch den Menschen, Luft zum Atmen und Nahrung zum Essen. Sie gehören zu den wenigen Auserwählten, die durch den ausgeklügelten Prozess der Photosynthese Sonnenlicht direkt in Nahrung umwandeln können. Pflanzen sind – von der winzigsten Alge bis zum riesigen Mammutbaum – die Primärproduzenten der Nahrungspyramide.

Pflanzen hatten unendlich lange Zeit, um sich perfekt an die Eigenarten unseres Planeten anzupassen und sind damit ein wesentlicher Bestandteil jedes Ökosystems. In glühend heißen Wüsten und auf eisigen Gebirgszügen sind sie ebenso zu Hause wie in wogenden Ozeanen und sich ausdehnenden Städten. Tatsächlich haben die Pflanzen die Erde überhaupt erst bewohnbar gemacht. Indem sie sie physikalisch und chemisch verändert, zur Entstehung von Erdreich beigetragen und das Klima reguliert haben, ließen sie die Ökosysteme um sich herum aufblühen und formten die Erde schlussendlich zu der dunstverhangenen blaugrünen Kugel, die sie heute ist. Sie ist ein Paradies für vielfältiges Leben, einzigartig in unserem Sonnensystem und mit ziemlicher Wahrscheinlichkeit auch darüber hinaus.

Trotz ihrer immens wichtigen Bedeutung schenken wir Menschen Pflanzen allzu oft keine Aufmerksamkeit, weisen ihnen die Rolle einer dekorativen Kulisse oder sogar einer Plage zu. Wir ignorieren die unglaublichen Lösungen, die sie für viele der Probleme bieten könnten, vor die wir gestellt sind. Seien es nun die unzähligen Gefahren des Klimawandels, der drohende Verlust von Biodiversität oder ein zunehmend anfälliges Nahrungsmittelsystem: Pflanzen sind die Antwort.

Es gibt insgesamt mehr als 400 000 Pflanzenarten, von denen 300 000 höchstwahrscheinlich uneingeschränkt genießbar sind. Viele wurden jahrtausendelang verzehrt, im Laufe der Zeit jedoch einfach vergessen, während andere noch immer eine wichtige Rolle in indigenen Ernährungssystemen spielen. Zudem gibt es viele andere Pflanzen, deren breite Verwendung erst dank jüngster wissenschaftlicher Entwicklungen, innovativer Zuchtmethoden und neuer landwirtschaftlicher und verarbeitender Technologien möglich wurde.

Trotz all dieser Möglichkeiten und des überlieferten Wissens über die Vielfalt essbarer Pflanzen verlassen wir uns heute auf bloß drei, die den Hauptteil unserer Ernährung ausmachen. Wir bauen Reis, Mais und Weizen in immer mehr Platz verschlingenden Monokulturen an, die wir mit unglaublichen Mengen an Treibstoff, Düngemitteln und Pestiziden füttern, was einen enormen Ausstoß von Treibhausgasen zur Folge hat. Die Auswirkungen dessen sind eine rasch fortschreitende Bodendegradation und eine abnehmende Biodiversität, was uns selbst und unsere Lebensmittelversorgung anfällig für Klimawandel, Extremwetter, Naturkatastrophen, Schädlinge und Krankheiten werden lässt.

Nahrungsmittelproduktion, Boden, Wasser, Biodiversität und Klima hängen untrennbar miteinander zusammen, und davon hängen ihrerseits die Gesundheit, das Wohlergehen und das Einkommen von Bäuerinnen und Bauern sowie der Bevölkerung ab, die von ihnen, sowohl regional als auch international, versorgt wird. Es ist eine beispiellose globale Zusammenarbeit verschiedener Disziplinen wie Wissenschaft, Technologie, Maschinenbau, Logistik und Kommunikation vonnöten, wenn wir in Zukunft auch nur annähernd nachhaltig leben wollen. Dies ist umso herausfordernder, als es weltweit immer noch Diskriminierung, Armut, politische Unruhen und Kriege gibt. Ein gleichberechtigter Zugang zu Nahrung liegt für viele Menschen außer Reichweite; Ort und Zeitpunkt ihrer Geburt, der Mangel an sozialer Freiheit und ein von Naturkatastrophen und Konflikten geprägtes Leben stellen sie vor unüberwindbare Hindernisse.

Was kann ein einzelner Mensch also ausrichten? Wir als Autoren behaupten nicht, alle Antworten zu kennen, aber wir hoffen, mit diesem Buch Augen, Verstand und Herz für eine Vielfalt an Möglichkeiten öffnen zu können. Was noch vor Kurzem (vorsätzlich oder nicht) als abwegig galt, wird im Zeitalter digitaler Vernetzung und genaueren Hinterfragens immer weniger absurd. Wir treffen unsere Entscheidungen aufgrund unserer kulinarischen Vorlieben, unserer Neugier und gesundheitlicher Überlegungen, vor einem mitunter verwirrenden Hintergrund aus bisweilen widersprüchlichen Kosten- und Nutzenabwägungen: Fairtrade, Unterstützung lokaler und/oder internationaler Ökonomien, Initiativen zur Nachhaltigkeit, der Erhalt von Nutzpflanzen oder Traditionen, demgegenüber stehen die Ausbeutung von Arbeitskräften, Biopiraterie, Verlust von Lebensraum, Verschlechterung von Boden und Wasser, invasive Pflanzenarten und immense Transportwege für Nahrungsmittel. Die einander widersprechenden Meinungen von Fachleuten, insbesondere zu den Themen industrielle Landwirtschaft und gentechnische Veränderungen, machen es uns noch schwieriger, uns eigene Meinungen zu bilden.

Ob wir Konsument:innen, Köch:innen, Wissenschaftler:innen, Hersteller:innen oder Landwirt:innen sind, wir alle müssen offen für Veränderungen sein und umdenken, da das Bevölkerungswachstum und der Klimawandel nicht still stehen werden. Diejenigen unter uns, die das Glück haben, sich aussuchen zu können, wann, was und wie viel sie essen, sind es den Menschen in weniger glücklichen Lagen schuldig, wohlüberlegte Entscheidungen auf der Basis der besten und aktuellsten Informationen zu treffen. Die Gleichgültigkeit derer, die im Überfluss leben, wird dafür sorgen, dass sie mit den Erfahrungen derer, die wenig haben, schneller Bekanntschaft machen werden, als sie sich je hätten vorstellen können.

Begleiten Sie uns also auf eine Reise um die Welt und entdecken Sie mit uns essbare Pflanzen und eine Fülle an neuen Geschmacksrichtungen. Wir haben einen wahren Schatz an fantastischen Exemplaren, die unter oft abenteuerlichen Bedingungen gedeihen, auf allen sieben Kontinenten ausfindig gemacht.

Viele sind bereits hinlänglich als robuste essbare Pflanzen bekannt, wir wollen Ihnen jedoch auch einige Arten vorstellen, die außerhalb eines begrenzten Gebietes nur wenig bekannt sind.

Wir haben essbare Pflanzen entdeckt, die den widrigsten Bedingungen trotzen, von Hitze bis Frost, von Überflutungen bis Dürre. Einige wachsen nicht nur in massiv kontaminierten Böden, sondern sind auch in der Lage, diese zu reinigen und wiederherzustellen. Einige widerstehen (Lauf)-Feuern, während andere die Flammen bremsen. Wieder andere wehren Schädlinge und Krankheiten ab, gedeihen in Sumpfgebieten, filtern verschmutztes Wasser und machen unfruchtbar gewordene Böden wieder fruchtbar. Der Schatten von Solarpaneelen stört sie ebenso wenig wie Agroforstsysteme, sie wachsen problemlos auf einem exponierten Dach oder in vertikaler Landwirtschaft. Einige gedeihen sogar in der völligen Schwerelosigkeit des Weltraums, während wieder andere sich in simulierter Marserde ausnehmend wohlfühlen – was unsere Zukunft sichert, selbst auf anderen Planeten.

Das Erstaunlichste jedoch ist: Diese Pflanzen bewerkstelligen all das, während sie reichlich äußerst nährstoffreiche Früchte, Samen, Blätter, Blüten, Rinde, Stängel, Saft und/oder Wurzeln produzieren – ganz zu schweigen von der erstaunlichen Vielfalt an fantastischen Aromen und Texturen. Sie bieten aufregende neue kulinarische Möglichkeiten für Profi- und Amateur-Köchinnen und -Köche.

Uns als Autoren, die wir alles lieben, was grünt und blüht, haben die kulinarischen Verheißungen einiger dieser Pflanzen neue Möglichkeiten, Erfahrungen und Freundschaften eingebracht. Gehen Sie also auch einmal auf den nächsten Bauernmarkt, recherchieren Sie online und erweitern Sie Ihren Ess- und Pflanzenhorizont durch den Erwerb oder Anbau bislang unbekannter Nutzpflanzen. Bauen Sie so viele davon in Ihr Leben ein wie möglich und erfreuen Sie sich an den unglaublichen Aromen, die sie Ihnen bieten. Läuten wir eine neue Epoche essbarer Pflanzen ein! Sie wird uns bestens schmecken.

Die Symbole und ihre Bedeutung

Sie finden diese Symbole im gesamten Buch. Sie zeigen Ihnen die Eigenschaften jeder Pflanze an, entsprechend den Bedingungen in ihrem natürlichen Verbreitungsgebiet.

RESISTENT GEGEN TROCKENHEIT

RESISTENT GEGEN KRANKHEITEN

GLUTENFREI

WURZELN VERHINDERN BODENEROSION

ÜBERSTEHT FEUER

RESISTENT GEGEN FROST

RESISTENT GEGEN HITZE

RESISTENT GEGEN STARKE REGENFÄLLE

ENERGIESTOFFREICHE NAHRUNGSQUELLE

HOHER NÄHRSTOFFGEHALT

KANN ALS LEBENDER ZAUN GEZOGEN WERDEN

ERNTEGUT LANGE LAGERFÄHIG

TOLERIERT NÄHRSTOFFARME ERDE

BINDET STICKSTOFF IM BODEN

MEHRJÄHRIG (LEBT LÄNGER ALS 2 JAHRE)

TOLERIERT SCHADSTOFFBELASTETE BÖDEN

SCHNELL ERNTEREIF

SCHATTENVERTRÄGLICH

VERBESSERT DIE BODENQUALITÄT

TOLERIERT HOHEN SALZGEHALT IM BODEN

TOLERIERT HOHE NÄSSE/STAUNÄSSE

RESISTENT GEGEN WIND

ERNTE IM WINTER

Die Pflanzen

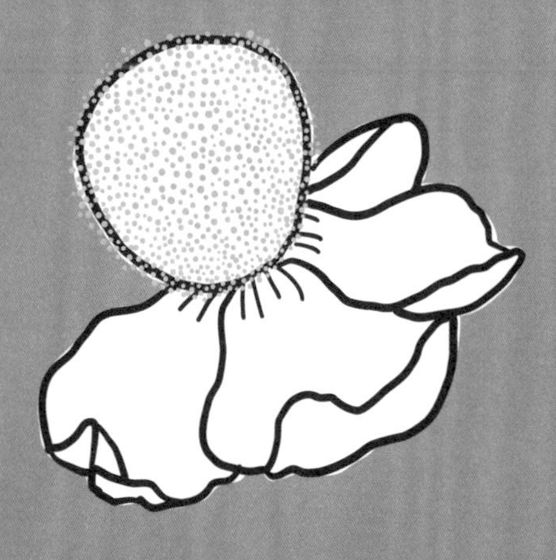

Gurganyan

Acacia colei (Fabaceae)

Akazien sind auf der ganzen Welt beliebt. Ihre leuchtend gelben (manchmal auch weißen, selten rosafarbenen), fröhlichen, flauschigen Blüten erhellen die kurzen Wintertage und gedeihen in wärmeren Klimazonen auch draußen. Die etwa 1350 Akazienarten sind in den subtropischen und gemäßigten Klimazonen der Welt beheimatet, unter anderem in Afrika, Asien und auf dem amerikanischen Doppelkontinent. Die meisten finden sich allerdings im australisch-pazifischen Raum. Seit mehr als 50 000 Jahren verwenden die indigenen Völker Australiens Akazien in allen Lebensbereichen: als Baumaterial, für Bekleidung, Waffen, Werkzeuge und als Heilmittel.

Die auch als Gurganyan bekannte *Acacia colei* ist ein gutes Beispiel für interkontinentale Zusammenarbeit. Im Laufe der vergangenen fünf Jahrzehnte wurde diese Spezies in Teilen Afrikas getestet, weiterentwickelt und als zuverlässige agroforstwirtschaftliche Kulturpflanze etabliert. Der niedrige, buschige Baum wird als Windschutz für andere Nutzpflanzen angebaut und bringt Büschel bohnenähnlicher Samenschoten hervor, die sich einfach ernten und per Hand verarbeiten lassen.

Perfekt angepasst an die schwierigen Bedingungen im trockenen Westen Australiens, ist die anspruchslose Gurganyan tatsächlich gar nicht zu überschätzen. Sie wächst in jeder Art von Erde, ob nährstoffarm, salzhaltig, sehr sauer oder basisch, und ihre Wurzeln reichern ausgelaugte Böden wieder mit Stickstoff an. Aus diesem Grund, und weil ihr weitverzweigtes Wurzelsystem den Boden stabilisiert, eignet sie sich ausgezeichnet für Renaturierungsprojekte. Die Gurganyan ist äußerst fruchtbar, sie trägt die ersten höchst nährstoffreichen Samen bereits zwei Jahre nach der Pflanzung und dann bis zu drei Mal pro Jahr.

Die reifen Samen lassen sich rösten und zu Mehl vermahlen, das in Australien als *wattleseed* bekannt ist. Die indigenen Völker backen daraus für gewöhnlich Kuchen oder Brot in der Glut des Feuers. Darüber hinaus bereiten sie damit Pfannkuchen, Kekse, süße Brötchen, Granola oder sogar Rührei zu. Außerdem findet *wattleseed* als Verdickungsmittel in Eintöpfen, Saucen und Eiscreme Verwendung. Die reifen Samen haben ein intensiv nussiges, erdiges Aroma, mit Anklängen an Schokolade und geröstete Kaffeebohnen, während die jungen grünen Samen geschmacklich an Erbsen erinnern.

AUCH BEKANNT ALS
Candelabra Wattle, Soap Wattle, Curly-podded Cole's Wattle

NATÜRLICHES VERBREITUNGSGEBIET
Westaustralien

EINGEBÜRGERT
Indien

WACHSTUMSBEDINGUNGEN
Gedeiht in subtropischen und tropischen Regionen an vollsonnigen Standorten mit Temperaturen von 8 bis 40 °C, in einer großen Vielzahl von Böden, wie rotbraunem steinigem Ton, tiefem Sand und sandigem rotem Lehm. Bevorzugt für gewöhnlich einen neutralen pH-Wert, ist jedoch auch unter basischen sowie sauren Bedingungen anzutreffen und toleriert auch leicht salzhaltige Böden. Lässt sich innerhalb des angegebenen Temperaturbereichs in allen, ausgenommen sehr feuchten Böden anpflanzen. Eine kurzlebige Spezies, die bis zu 10 Jahre alt wird und ab dem zweiten oder dritten Jahr trägt. Sobald sie sich eingewöhnt hat, hält die Gurganyan auch leichten Frost gut aus.

WO MAN SIE FINDET
Als *wattleseeds* in Lebensmittelgeschäften und auf einheimische Nahrungsmittel spezialisierten *Bush-Tucker*-Läden in ganz Australien und in Teilen Afrikas und im spezialisierten Online-Handel.

WIE MAN SIE ISST
Sie können die grünen Samen roh oder gekocht verzehren, die reifen Samen (eine ergiebige Proteinquelle) zu Mehl vermahlen in Brot oder anderen Backwaren; die gerösteten Samen lassen sich auch gut als Gewürz verwenden.

Afrikanischer Baobab

Adansonia digitata (Malvaceae)

AUCH BEKANNT ALS
Afrikanischer Affenbrotbaum, Baobab africano, Dhogwo, Mbuyu

NATÜRLICHES VERBREITUNGSGEBIET
Tropisches und südliches Afrika

EINGEBÜRGERT
Arabische Halbinsel, zahlreiche tropische und subtropische Regionen Afrikas, große Teile Asiens

WACHSTUMSBEDINGUNGEN
Unter verschiedenen Bedingungen; der Baobab bevorzugt jedoch fruchtbare, leicht saure, sandige Oberböden in jahreszeitlich feuchten Bedingungen in voller Sonne. Übersteht Dürreperioden, verträgt jedoch keinen Frost. Idealer Temperaturbereich zwischen 19 und 35 °C. Lässt sich leicht aus Samen ziehen, die Setzlinge können jedoch bis zu 23 Jahre benötigen, ehe sie das erste Mal blühen, also kommt oft veredeltes Pflanzgut zum Einsatz.

WO MAN SIE FINDET
Als Fruchtpulver in Naturkostläden und Supermärkten auf der ganzen Welt gut erhältlich.

WIE MAN SIE ISST
Stellen Sie aus dem erfrischend süßsauren Fruchtpulver (reich an Vitamin C und Mineralstoffen) warme und kalte Getränke her oder verwenden Sie es für Smoothies, Eiscreme und Backwaren.

Schon die bloße Erwähnung dieses legendären Baumes beschwört wohl für jeden das typische Bild des Afrikanischen Baobabs, *Adansonia digitata*, herauf – außer für die Bewohner Madagaskars und Nordwest-Australiens, die ihre eigenen Baobab-Arten haben. Erhebt sich dieser prähistorische Gigant vor der untergehenden Sonne der subsaharischen Savanne, reißt er nicht nur Gäste, sondern auch Einheimische zu Superlativen hin. Er kann nachweislich mindestens 1275 Jahre alt werden, was ihn zur weltweit ältesten der Blütenpflanzen (Angiospermen) macht, und dank seiner Vielseitigkeit wird er auf dem gesamten Kontinent als »Baum des Lebens« verehrt. Völker, die entlang des Sambesi leben, hängen dem überlieferten Glauben an, dass die Baobabs zu aufrecht und stolz gewesen wären, was die Götter erzürnte, die sie daraufhin ausrissen und verkehrt herum wieder in die Erde steckten, was ihr typisches Erscheinungsbild erklären soll. Es ist besorgniserregend, dass Baobabbäume heute in größerer Zahl sterben, als man es aufgrund ihres Alters erwarten würde. Viele sind der Ansicht, dass es sich dabei um eine durch den Klimawandel ausgelöste Verschiebung des Verbreitungsgebietes handelt, nicht um ein generelles Aussterben.

Der Baobab, im Grunde genommen eine riesige Sukkulente, verfügt über einen enormen tonnenförmigen Stamm, der während der Regenzeit Wasser speichern kann. Dies ermöglicht dem Baum, in der gnadenlosen Trockenzeit sehr nährstoffreiche Früchte (1) hervorzubringen. Er gedeiht in verschiedensten nährstoffarmen Böden, ist äußerst dürreresistent und übersteht, sobald er ausgewachsen ist, sogar Feuer. Er stabilisiert den Boden und erhöht dessen Fruchtbarkeit und Wasserverfügbarkeit. Damit ist er ein faszinierender Kandidat für die produktive Aufforstung von Trockengebieten.

Die selbsttrocknenden Früchte (2), die Samen, Blüten (3), jungen Blätter und Sprossen sind sowohl gekocht als auch roh essbar. Der Geschmack von Baobabfrüchten kann von birnenartiger Süße bis hin zu zitrusartiger Säure reichen. Typisch in Westafrika ist ein einfacher cremiger Saft, für den man die pulverisierte Frucht in Wasser oder Milch auflöst und nach Belieben mit Zucker vermischt. Die nach Mandeln schmeckenden Samen werden frisch, geröstet, zu Mehl oder Paste vermahlen, gekocht oder fermentiert genossen. Die leicht bitteren Blätter und Triebe werden entweder jung gesammelt und wie Spinat oder Spargel zubereitet, oder sie werden getrocknet, gemahlen und dann in Saucen, Breie oder Suppen eingerührt. Die Blüten, die manchmal überraschend unangenehm riechen, werden roh verspeist oder zu Saft oder Likör verarbeitet.

3
1
2

Paradieskörner

Aframomum melegueta (Zingiberaceae)

AUCH BEKANNT ALS
Guineapfeffer, Meleguetapfeffer, Malagettapfeffer, Awusa, Awisa, Dzekuli, Megbedogboe, Dzekuli, Wisa, Wisa pa Opokuo, Uotipisi, Atakui, Guinea Pepper, Guinea Grains

NATÜRLICHES VERBREITUNGSGEBIET
Westliches tropisches Afrika bis Angola

EINGEBÜRGERT
Französisch-Guyana, Guyana, Trinidad und Tobago, Windward Islands

WACHSTUMSBEDINGUNGEN
Schattige Waldböden in feuchter, fruchtbarer, leicht saurer Erde, toleriert auch leicht basische Böden, bei Tagestemperaturen zwischen 21 und 28 °C, obwohl man die Pflanze auch in Temperaturzonen findet, die etwas wärmer oder kühler sind. In kühlerem Klima kann sie als einjährige Sommerpflanze gezogen oder vor dem ersten Frost ausgegraben und im folgenden Frühling wieder ausgepflanzt werden.

WO MAN SIE FINDET
In Gewürzhandlungen weltweit.

WIE MAN SIE ISST
Versuchen Sie die Paradieskörner roh oder gekocht in beinahe allem, von Suppen über Vinaigrette und Mayonnaise bis hin zu Trockenmarinaden, Desserts und sogar Getränken.

Dieses Gewürz mit den vielen Namen ist außerhalb Afrikas weniger bekannt, dennoch versteckt es sich als Aromastoff in Bier oder Gin. Der Samen von *Aframomum melegueta* – einem Mitglied der Ingwer-Familie – überrascht mit einer einzigartigen Kombination von Aromen: eine Schärfe, die man gemeinhin mit seinem Verwandten assoziiert, und die Textur sowie den Geschmack von zerstoßenem Pfeffer. Die Pflanze ist in den tropischen Sumpfwäldern der Küste von Westafrika und weiter nach Osten im Landesinneren zu Hause, wo sie seit Jahrtausenden als geschätzte Zutat in der Küche und als Heilmittel für eine Vielzahl von Leiden gesammelt und angebaut wurde. Ihre schönen blassrosa bis violetten trompetenförmigen Blüten (1) zeigen sich auf Bodenniveau und werden von gelben oder roten Schoten (2) abgelöst, in denen sich die rotbraunen Samen (3) befinden.

Von den etwa fünfzig Arten werden zumindest vierzehn regelmäßig gehandelt und konsumiert, oft mit unbekannter Herkunft. Der Name »Melegueta Pfeffer« war im 15. Jahrhundert allgemein gebräuchlich, als portugiesische Handelsleute ein Monopol auf dessen Herkunft hatten und die Möglichkeiten dieses wertvollen Gewürzes erkannten. In einem frühen Beispiel von Rebranding änderten sie den Namen in *grãos-do-paraíso*, und diese »Paradieskörner« wurden in Europa als kostengünstigere Alternative zu schwarzem Pfeffer aus dem fernen Osten ein großer Erfolg. Seitdem herrscht Verwirrung, nicht nur was die umgangssprachlichen Bezeichnungen angeht, sondern auch aufgrund des anderen Gewürzen ähnlichen Erscheinungsbilds. Dies ließ zweifellos die Nachfrage sinken, wozu – im Fall von Großbritannien – auch Steuererhöhungen beitrugen. Schließlich wurde das Gewürz 1825 verboten, als die Regierung seine Verwendung in Alkohol als »verderblich« erachtete.

Um die neu erwachte Nachfrage befriedigen zu können, ist der Anbau heute wieder im Wachsen begriffen. Leider gehören die Paradieskörner unter den Agrarprodukten Afrikas immer noch zu den Stiefkindern. Wenn jemals ein unbekanntes Gewürz eine strahlende Zukunft verdient hat, dann dieses, das über das Potenzial verfügt, das Leben unzähliger afrikanischer Bäuer:innen zu verbessern. Die Pflanze verträgt Schatten und eignet sich deshalb auch als Unterpflanzung in bestehenden konventionellen Baumplantagen und als Element zukünftiger Agroforstsysteme. Sie wächst rasch, und die aromatischen Früchte können jedes Jahr geerntet werden.

Die Körner der Pflanze können sowohl gegart als auch roh verzehrt werden. Als Würzmittel sind sie eine

wichtige Zutat der westafrikanischen Pfeffersuppe, für die Rindfleisch, Hühnchen, Fisch oder Ziege zusammen mit Zwiebeln, Chilis, Ingwer, Knoblauch, Tomatenmark, Muskatnuss oder Erdnusspaste, Brühe und Salz gekocht werden. Kurz vor dem Anrichten wird die Würzmischung eingerührt, die aus Falscher Muskatnuss, Selimskörnern (einer lokalen schwarzen Pfefferart) und – dem Tüpfelchen auf dem i – Paradieskörnern besteht. Dieses Gewürz hat einen äußerst aromatischen, nussigen, zitrusartigen, leicht harzigen und ingwerähnlichen Geschmack, der an Kardamom und schwarzen Pfeffer erinnert. Ganz allgemein sind Paradieskörner eine großartige (vielleicht sogar besser und vielschichtiger schmeckende) Alternative zu schwarzem Pfeffer.

Flügeltang

Alaria esculenta (Alariaceae)

Bei Seetang handelt es sich um marine Makroalgen, »Meeresalgen«, die der taxonomischen Ordnung der Laminariales angehören, der Braunalgen, von denen dreißig Gattungen existieren. Sie gedeihen in nährstoffreichen, kühl-gemäßigten Klimazonen und den Polarregionen, wo sie oft ausgedehnte Wälder bilden. Sie sind im Meeresboden verankert und streben der Sonne entgegen, um Photosynthese zu betreiben, womit sie Küstenerosion verhindern und jedes Jahr Milliarden Tonnen an Kohlenstoffdioxid binden. Da sie die Sonneneinstrahlung benötigen, sind sie auf die flachen Küstengewässer angewiesen, wo sie einer Vielzahl tierischer Lebewesen als Lebensraum dienen.

Zwar sind alle Seetangarten essbar, jedoch nicht alle wohlschmeckend; unter den schmackhaften hat *Alaria esculenta* das Potenzial, zu den beliebtesten kulinarischen Seetangarten weltweit aufzuschließen. Obwohl als »neu« angepriesen, wird sie schon seit Jahrtausenden von den Bewohnern der gesamten Nordatlantikküste geerntet und verzehrt. Aufgrund ihrer Ähnlichkeit mit der weltweit am häufigsten verspeisten Seetangart, der berühmten japanischen *Undaria pinnatifida* (Wakame) wird sie häufig als »Atlantische Wakame« bezeichnet. Die wild wachsenden Wakame wurde lange Zeit mithilfe ineinander verdrehter Seile abgerissen und aus dem Wasser gezogen; heute schützt man die natürlichen Seetangwälder und impft Seile mit gezüchteten Sporen. Diese produktivere Technik wird, in Verbindung mit nachhaltigem Marketing, dem Flügeltang einen Platz unter den »normalen« frischen und verarbeiteten Gemüsearten im Lebensmittelhandel sichern.

Der Flügeltang, ein mehrjähriger Kaltwasser-Spezialist, wächst besonders schnell gegen Ende des Winters und zu Beginn des Frühlings, was ihn zu einem ausgezeichneten Wintergemüse macht. Auf langen Seilen gezüchtet, bietet er zahlreiche Möglichkeiten für eine Aquakultur im offenen Gewässer und bildet essbare, äußerst vielfältige Ökosysteme aus, die eine große Menge an Kohlenstoffdioxid binden können, ohne Ackerland zu besetzen oder Süßwasser zu benötigen.

Die Blätter des Flügeltangs können sowohl gekocht als auch roh verspeist werden. Vor allem die saftigen Frühjahrsblätter sind eine beliebte Zugabe zu Fleisch- und Fischbrühen des Volkes der Tschuktschen, der indigenen Bevölkerung der sibirischen Küstenregionen. Die Mittelrippe ist knackig, der Rest der Blätter hingegen besonders zart, weshalb sie sich perfekt für Suppen und Salate eignen. Der Geschmack reicht von süß, salzig und nussig bis zu einem natürlichen Umami. Spät in der Saison geerntete Blätter können gekocht, geröstet oder frittiert werden.

AUCH BEKANNT ALS
Essbarer Riementang, Atlantische Wakame, Irische Wakame, Dabberlocks, Badderlocks

NATÜRLICHES VERBREITUNGSGEBIET
Nordatlantik, Beringsee und Japanisches Meer

EINGEBÜRGERT
Wird voraussichtlich, je nach Klimawandel, entweder geringer werden oder sich ausbreiten

WACHSTUMSBEDINGUNGEN
Exponierte Felsküsten unterhalb des Gezeitenbereichs mit ca. 8 Meter Tiefe und exponierte stürmische Meere bis ca. 35 Meter Tiefe. In Aquakulturen wird Seetang auf mit Sporen geimpften Seilen gezüchtet.

WO MAN SIE FINDET
Im spezialisierten Lebensmittelhandel in Europa, Nordamerika und Asien.

WIE MAN SIE ISST
Verwenden Sie die frischen oder rehydrierten Blätter (reich an Vitaminen und Mineralstoffen wie Jod) roh in Salaten oder gekocht in kurzgebratenen Pfannengerichten und Suppen.

Erdbirne

Apios americana (Fabaceae)

AUCH BEKANNT ALS
Zimtwein, Hopniss, Hobbenis, Indian Potato, American Groundnut

NATÜRLICHES VERBREITUNGSGEBIET
Osten Nordamerikas

EINGEBÜRGERT
Japan, Südkorea, Frankreich, Deutschland, Italien

WACHSTUMSBEDINGUNGEN
Feuchte, basische bis neutrale Böden ohne Staunässe; toleriert leicht saure Bedingungen. Volle Sonne oder Halbschatten. Frosthart bis −20 °C. Lässt sich leicht in der Erde oder in Pflanzkübeln ziehen, mit Rankgittern für die wuchsfreudigen Ranken.

WO MAN SIE FINDET
Bei nordamerikanischen professionellen Foragern oder bei experimentierfreudigen Hobbygärtnern.

WIE MAN SIE ISST
Verwenden Sie die köstlichen protein- und kohlenhydratreichen Knollen genauso wie Kartoffeln.

Während ihrer gesamten überlieferten Geschichte, und zweifellos auch in den Jahrhunderten davor, waren die knolligen Wurzeln von *Apios americana* ein Grundnahrungsmittel der indigenen Völker im Osten Nordamerikas. Die in feuchten, licht bewaldeten Gebieten, oft neben Bächen und Flüssen, natürlich vorkommende Pflanze wurde traditionell als Nahrungsmittel gesammelt und manchmal auch auf wild belassenen Flächen in der Nähe von Siedlungen verpflanzt. Sie war eine Pflanze mit vielen Namen, zu denen sich noch mehr gesellten, als die europäischen Siedler kamen und sie von anderen Ländern wie Japan übernommen wurde. Oft wird sie mit dem Begriff »Erdnuss« bezeichnet, den jedoch zahlreiche Pflanzen tragen, nicht nur die uns bekannte Erdnuss, weshalb man sie besser Erdbirne nennt oder Hopniss, wie sie beim Volk der Lenape aus dem Nordosten der USA und Kanadas auf Unami heißt.

Die starkwüchsige, laubabwerfende Schlingpflanze aus der Familie der Leguminosen (Hülsenfrüchte) kann mehr als vier Meter lange Ranken (1) ausbilden, wenn sie sich um Nachbargewächse oder Rankgitter schlingt. Mitte bis Ende des Sommers erscheinen hübsche, duftende rotbraune wickenähnliche Blüten (2). Gut eingewachsene Pflanzen produzieren eine ganze Menge Wurzeln in Form perlschnurartiger Ketten aus fleischigen Knollen (3), die von der Größe einer Erdnuss bis zu der einer Avocado reichen können. Der kommerzielle Anbau findet in Japan, Südkorea und in kleinem Umfang in den USA statt, doch da jede Pflanze erst nach etwa drei Jahren Ertrag bringt, ist ihr Einsatz eingeschränkt. Sie gilt als brauchbare Nutzpflanze für agroforstwirtschaftliche Modelle.

Diese bemerkenswerte Pflanze, die sich allen möglichen klimatischen Gegebenheiten anpasst, erzeugt nicht nur ein Wurzelgemüse von beträchtlicher Größe, das reich an Kohlenhydraten und Proteinen ist, sondern verbessert durch die Bindung von Stickstoff auch den Boden. Da sie am zufriedensten ist, wenn sie sich an Pflanzen emporranken kann, ist sie die perfekte platzsparende Ergänzung jedes gemäßigten oder subtropischen Agroforstsystems.

Die jungen Triebe und Blüten der Erdbirne können sowohl gegart als auch roh verzehrt werden, die Knollen und Samen müssen jedoch gekocht werden. Viele indigene Völker Amerikas schälen und kochen die Knollen traditionellerweise wie Kartoffeln oder verwenden sie in herzhaften Eintöpfen. Der Geschmack verbindet die trockene, stärkebetonte Textur mehliger Kartoffeln mit der verblüffenden Süße von Süßkartoffeln, Erdnüssen oder Pastinaken. Ebenso köstlich ist es, Erdbirnen zu braten, zu backen, zu trocknen oder zu Mehl zu vermahlen. Die Samen lassen sich ähnlich wie Erbsen verarbeiten.

1
2
3

Agroforstwirtschaft

Bäume gehören zu den mächtigsten landlebenden Verbündeten des Menschen im Kampf gegen Klimawandel, Verlust von Biodiversität und Bodendegradation. Von Sonnenlicht, Wasser und Kohlenstoff mit Energie versorgt, bieten sie bereits jetzt zahlreiche Ökosystemleistungen, die ganz wesentlich für das Funktionieren unseres Planeten sind: Sie binden und speichern beispielsweise Treibhausgase, filtern Schadstoffe aus dem Wasser und aus der Luft, und sie wirken kühlend – ein Effekt, den wir in Städten und Dörfern am unmittelbarsten zu spüren bekommen. Im städtischen Bereich ist jeder Baum für sich genommen auch eine Biodiversitätsinsel, der unzähligen Spezies Lebensraum bietet.

Dennoch sind diese Effekte noch gar nichts im Vergleich zu dem Potenzial, das Bäume auf dem Feld entwickeln. Wenn sie in landwirtschaftliche Systeme integriert sind, bringen sie Nahrungsmittel in einer großen Bandbreite hervor, stabilisieren den Boden und reichern ihn an, speichern Feuchtigkeit, erhöhen die Biodiversität exponentiell und steigern die Widerstandskraft der Landwirtschaft bei Extremwetter.

Dieser als Agroforstwirtschaft bezeichnete Ansatz ist nicht nur das ultimative Nahrungsmittelproduktionssystem der Vergangenheit, sondern auch der Zukunft. In seiner einfachsten Form wurde es bereits in der Frühzeit der Menschheit praktiziert, als Obst- oder Nussbäume mit Wiesen kombiniert wurden, auf denen Tiere grasten, was den Nutzen eines einzelnen Stücks Land vervielfachte. Während die Bäume Düngung und die Tiere Schutz vor den Elementen erhielten, profitierten die Bäuerinnen und Bauern von Obst, Nüssen, Holz und verschiedenen tierischen Produkten. Agroforstwirtschaft lässt sich zudem mit Feldpflanzen kombinieren, wenn die Bäume in Reihen mit ausreichend Abstand gepflanzt werden, die eine normale landwirtschaftliche Bearbeitung dazwischen erlauben.

Dem Vorbild der vielschichtigen Struktur natürlicher Wälder folgend, lässt sich die Komplexität eines Agroforstsystems noch erhöhen, etwa durch die Einfügung einer Unterholzschicht, die essbare Beeren hervorbringt, und von Bäumen mit hohen Kronen. Das Ergebnis ist ein vielfältiges landwirtschaftliches System, das Pflanzensynergien und ökologische Prozesse nutzt, um ertragreiche, vielschichtige Wälder zu schaffen, die unseren gesamten Nahrungsmittel- und Materialbedarf decken, während sie gleichzeitig weitaus weniger Land beanspruchen als konventionelle Land- und Forstwirtschaft.

Aktuell wird weltweit eine Menge an Forschungsarbeit geleistet, um passende Pflanzen für jedes Klima, jeden Boden und jede agroforstwirtschaftliche Schicht zu ermitteln, und viele davon finden sich in diesem Buch. Die Idee der Agroforstwirtschaft lässt sich im kleinen und im großen Maßstab umsetzen. Schichten aus Obst- und Nussbäumen, Beerensträuchern und mehrjährigen Gemüsesorten können sowohl auf großen Feldern als auch in kleinen Gärten angepflanzt werden. Selbst Topfpflanzen lassen sich in Lagen arrangieren, auch auf diese Weise wird wenig Platz optimal genutzt. Versuchen Sie sich doch einmal selbst an dieser landbasierten Form der Lebensmittelproduktion, der die Zukunft gehört!

Im Schichtsystem werden für die obere Schicht jene Pflanzen eingesetzt, die am meisten Licht brauchen, während die in der Mitte mit Halbschatten auskommen und jene ganz unten sich mit vollem Schatten begnügen. Ein einfaches Agroforstsystem in gemäßigtem Klima könnte die folgenden Pflanzen umfassen:

OBERE SCHICHT
Obstbäume, wie Apfel, Kirsche oder Birne

MITTLERE SCHICHT
Beerensträucher, wie Johannisbeeren, Wintergrüne Ölweide (S. 75) und Himbeeren

UNTERE SCHICHT
Essbare Stauden, wie Funkien (S. 90), Straußenfarn (S. 72) und Gartenmelde (S. 76)

Große Klette

Arctium lappa (Asteraceae)

AUCH BEKANNT ALS
Butzenklette, Klette, Gobo, Ueong, Grote Klis, Bardane, Great Burdock

NATÜRLICHES VERBREITUNGSGEBIET
Eurasien

EINGEBÜRGERT
Vor allem in Ländern mit gemäßigtem Klima

WACHSTUMSBEDINGUNGEN
Eine Tieflandpflanze, die sich neben Bächen und Flüssen und in anderen gestörten Flächen findet. Gedeiht in vielen verschiedenen Klimazonen, in leichter bis schwerer, trockener bis feuchter Erde, bei voller Sonne oder im Schatten. Lässt sich leicht kultivieren, allerdings muss dafür Sorge getragen werden, dass sie sich nicht als Unkraut verbreitet. Dafür entfernen Sie am besten die blühenden Köpfe, ehe sich die Samen ausbilden.

WO MAN SIE FINDET
Die frischen Wurzeln gibt es in ganz Asien und bei wenigen spezialisierten Gemüseanbauern in Europa und Nordamerika. Klettenwurzeltee ist weltweit erhältlich.

WIE MAN SIE ISST
Sie können die frischen, in feine Streifen geschnittenen Wurzeln (eine ausgezeichnete Quelle für Ballaststoffe und Antioxidantien) in süßer Sojasauce schmoren, in Pfannengerichten, Suppen und Süßigkeiten verwenden, aber auch in der Pfanne oder im Ofen braten.

Von ihrem ursprünglichen Verbreitungsgebiet, Eurasien, hat sich *Arctium lappa* im Laufe der Jahrhunderte allmählich zu einer zirkumpolaren Pionierpflanze in gemäßigten Klimazonen entwickelt. Sie besiedelt gestörte Böden, Brachflächen, Parks, Straßenränder, Felder und Wiesen. Von manchen Kulturen wird sie als Unkraut betrachtet, während andere sie als wertvolle Nahrungsquelle sehen, die gesammelt oder angebaut werden kann. Ihre Nutzung als Gemüsepflanze ist jedoch weit verbreitet. In einigen Ländern, wie Japan, wo sie *gobo* heißt, wird sie häufig verwendet, während im Großteil Europas die Nutzung seit dem Mittelalter beständig abnimmt. In Großbritannien ist sie als ein Bestandteil des kohlensäurehaltigen Erfrischungsgetränks Dandelion & Burdock bekannt, das auf Rezepten für Honigwein (Met) aus dem 5. Jahrhundert basiert und das man heute in Cafés, Feinkostgeschäften und Supermärkten bekommt.

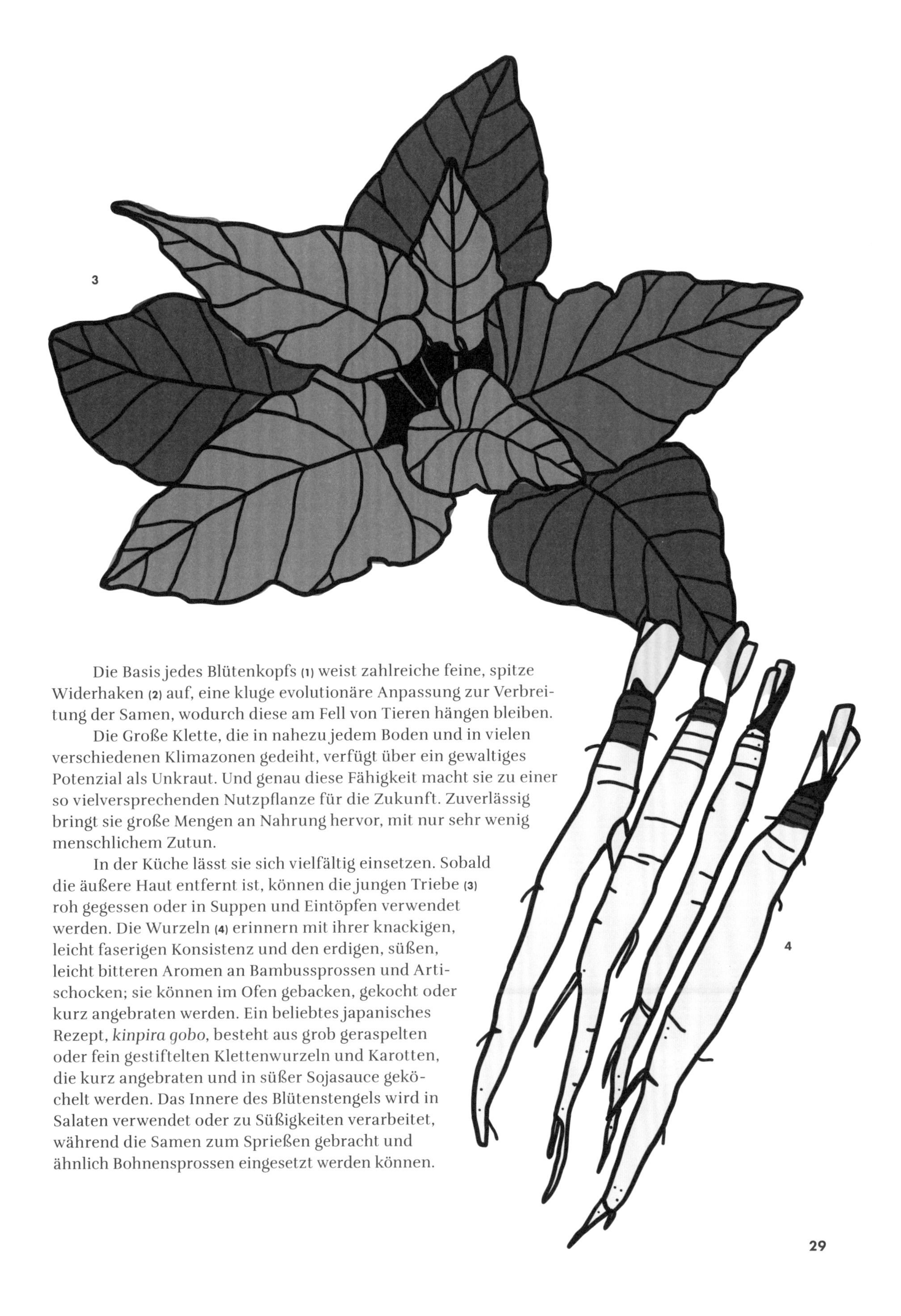

Die Basis jedes Blütenkopfs (1) weist zahlreiche feine, spitze Widerhaken (2) auf, eine kluge evolutionäre Anpassung zur Verbreitung der Samen, wodurch diese am Fell von Tieren hängen bleiben.

Die Große Klette, die in nahezu jedem Boden und in vielen verschiedenen Klimazonen gedeiht, verfügt über ein gewaltiges Potenzial als Unkraut. Und genau diese Fähigkeit macht sie zu einer so vielversprechenden Nutzpflanze für die Zukunft. Zuverlässig bringt sie große Mengen an Nahrung hervor, mit nur sehr wenig menschlichem Zutun.

In der Küche lässt sie sich vielfältig einsetzen. Sobald die äußere Haut entfernt ist, können die jungen Triebe (3) roh gegessen oder in Suppen und Eintöpfen verwendet werden. Die Wurzeln (4) erinnern mit ihrer knackigen, leicht faserigen Konsistenz und den erdigen, süßen, leicht bitteren Aromen an Bambussprossen und Artischocken; sie können im Ofen gebacken, gekocht oder kurz angebraten werden. Ein beliebtes japanisches Rezept, *kinpira gobo*, besteht aus grob geraspelten oder fein gestiftelten Klettenwurzeln und Karotten, die kurz angebraten und in süßer Sojasauce geköchelt werden. Das Innere des Blütenstengels wird in Salaten verwendet oder zu Süßigkeiten verarbeitet, während die Samen zum Sprießen gebracht und ähnlich Bohnensprossen eingesetzt werden können.

Brotfruchtbaum

Artocarpus altilis (Moraceae)

Die reife Frucht dieses tropischen Baumes aus der Familie der Maulbeergewächse hat einen treffenden Namen, denn sie schmeckt tatsächlich wie frisch gebackenes Brot und fühlt sich sogar so an. Sie war und ist in ihren Verbreitungsgebieten seit Jahrtausenden ein Grundnahrungsmittel. Man nimmt an, dass die Art ihren Ursprung im nördlichen Neuguinea hat und sich vor etwa 5000 Jahren verbreitete, als das indigene austronesische Volk von Taiwan die Region besiedelte und schließlich als Polynesier bekannt wurde. Die Pflanze wurde von den frühen Siedlern hochgeschätzt, bot sie ihnen doch nicht nur Nahrung, sondern auch Holz für Kanus, Saft für Klebstoff, Rinde zur Herstellung von Kleidung und Papier, Blätter für Überdachungen und zum Einwickeln von Nahrungsmitteln und – besonders wichtig – ein Heilmittel für verschiedene Erkrankungen. Die berühmte Meuterei auf der HMS Bounty fand statt, als das Schiff im April 1789 auf dem Weg war, um mehr als tausend Brotfruchtbaumstecklinge aus Tahiti abzuholen.

Artocarpus altilis ist auch in der Kultur Hawaiis seit Langem verbreitet. Gegen Ende des 20. Jahrhunderts nahm seine Beliebtheit zwar ab, erfährt jedoch heute wieder einen Aufschwung. Der Brotfruchtbaum wird nicht nur lokal genutzt, sondern auch als lukrative und nachhaltige Exportware, die insbesondere den Markt für glutenfreie Produkte bedient.

Der manchmal als »Wunderbaum« bezeichnete Brotfruchtbaum ist tatsächlich bemerkenswert. Er gedeiht in beinahe allen tropischen oder fast tropischen Gebieten, auch in nährstoffarmem, nassem und versalzenem Boden sowie in windexponierten Lagen, und bringt nur drei bis fünf Jahre nach der Pflanzung und dann jahrzehntelang eine Fülle von nährstoffreichen Früchten hervor. Kein Wunder, dass der Brotfruchtbaum als wichtiger Teil der Lösung im Kampf gegen den weltweiten Hunger gilt.

Die Konsistenz der erntereifen Frucht ähnelt jener von Kartoffeln und verströmt gebacken, gebraten, gekocht oder gedämpft die Aromen von frisch gebackenem Brot. Voll ausgereift hat sie ein cremiges Fruchtfleisch, das sehr süß ist und an Ananas oder die köstliche Durian erinnert. Die erntereife Frucht muss gegart werden, sobald sie jedoch vollreif ist, kann man sie auch roh verzehren. Für das sehr beliebte samoanische Gericht *fa'alifu 'ulu* wird die erntereife Brotfrucht über dem Feuer geröstet, geschält und dann mit gewürfelten Zwiebeln kurz in gesalzener Kokosmilch gekocht. Aus Brotfrucht lässt sich ein ausgezeichnetes glutenfreies Mehl herstellen. Die Samen, die sehr ähnlich wie Maronen schmecken, müssen gekocht und geschält werden, ehe sie mit Salz, in der Pfanne gebraten oder geröstet gegessen werden können.

AUCH BEKANNT ALS
Breadfruit, Fruta de pan, 'ulu

NATÜRLICHES VERBREITUNGSGEBIET
Papua-Neuguinea

EINGEBÜRGERT
In den gesamten Tropen weit verbreitet

WACHSTUMSBEDINGUNGEN
Küstenregionen mit hohen Niederschlagsmengen. Kann relativ einfach in tropischen und annähernd tropischen Klimazonen angebaut werden. Gedeiht in tiefen, fruchtbaren Schwemmlandböden und kalkhaltigen Böden, aber auch in küstennahen Sandböden. Toleriert Brackwasser und Seesalzaerosole. Erfordert nur geringes Eingreifen.

WO MAN SIE FINDET
Auf Märkten oder im spezialisierten Lebensmittelhandel weltweit.

WIE MAN SIE ISST
Probieren Sie die cremige vollreife Brotfrucht (reich an komplexen Kohlenhydraten) einfach roh; die erntereife Frucht kann in der Pfanne oder im Ofen gebraten, gekocht oder gedämpft werden. Verwenden Sie das glutenfreie Brotfruchtmehl zum Backen.

Papau

Asimina triloba (Annonaceae)

AUCH BEKANNT ALS
Dreilappige Papau, Pawpaw, American Pawpaw, Common Pawpaw, Custard Apple

NATÜRLICHES VERBREITUNGSGEBIET
Südöstliches Kanada, Mitte und Osten der USA

WACHSTUMSBEDINGUNGEN
Der Baum, der sich im Unterholz laubabwerfender Wälder und auf Lichtungen findet, gedeiht in subtropischen bis kühlgemäßigten Klimazonen. Er bevorzugt tiefe, nährstoffreiche und feuchte Böden, mit saurer bis neutraler Erde. Benötigt volle Sonne, um reichlich Früchte zu tragen, trägt jedoch auch an schattigem Standort. Theoretisch ist er selbstbestäubend, trägt jedoch besser, wenn mehrere Bäume zusammenstehen.

WO MAN SIE FINDET
Zumeist auf nordamerikanischen Bauernmärkten oder bei experimentierfreudigen Hobbygärtnern.

WIE MAN SIE ISST
Die köstlichen frischen Früchte (reich an Vitamin C und Mineralstoffen) können einfach so roh verzehrt oder in Marmeladen, Salsas, Obstsalaten oder Eiscreme verarbeitet werden.

Aus einer uralten Ordnung von Blütenpflanzen, zu der auch die Magnolien gehören, stammt die Familie der *Annonaceae*, der Annonen- oder Flaschenbaumgewächse, die für gewöhnlich in den Tropen beheimatet sind. Es gibt jedoch eine bemerkenswerte Ausnahme: die *Asimina*, die im gemäßigten und subtropischen Osten Nordamerikas gedeiht. Diese Pflanzenfamilie vergrößerte ihr Verbreitungsgebiet während des Miozäns (vor etwa 23 bis 5,3 Millionen Jahren), als sich das Klima erwärmte, und verringerte es während des darauffolgenden kühleren und trockeneren Pliozäns (vor 5,3 bis 2,6 Millionen Jahren) schließlich wieder. In einer Art Glücksfall der geografischen Evolution blieb *Asimina* isoliert von ihren äquatorialen Cousins. Daher besitzt dieser merkwürdige laubabwerfende Baum etliche physiologische Eigenschaften, die eigentlich typisch für tropische Vegetation sind. Am augenfälligsten sind wohl die übergroßen Blätter (1) mit den Abtropfspitzen, einer Vorrichtung, die Wasser unter sehr feuchten Bedingungen leichter abfließen lässt. Eine weitere sind die zarten, doch sehr attraktiven Blüten (2), die einen schwachen Aasgeruch verströmen und damit Bestäuber wie Schmeißfliegen oder Aaskäfer anlocken, ein Verweis auf ihre Vorfahren, die sich vor den Bienen entwickelten.
Die bis zu einem halben Kilogramm schwere Frucht – streng genommen ist sie eine Beere – der *Asimina triloba* ist die größte Nordamerikas, von der indigenen Bevölkerung Nordamerikas wird sie Pawpaw (ausgesprochen »paupau«) genannt. Die länglich-rundliche Pawpaw (3) reift von Grün zu Gelbbraun, und beim Aufplatzen zeigt sich ihr aromatisches, weiches gelbes Fruchtfleisch, das zwei Samenreihen enthält (4).

Als Unterholzbaum ist es der Papau gewöhnt, im (Halb-)Schatten zu wachsen, was ihn zu einer großartigen Ergänzung jedes agroforstwirtschaftlichen Systems macht. Zudem ist er äußerst resistent gegen Krankheiten und hervorragende Bodenfestiger.

Mit ihren Früchten von beträchtlicher Größe, die sowohl gegart als auch roh gegessen werden können, waren die Papaus von großer Bedeutung für verschiedene indigene Stämme Amerikas, darunter die Shawnee aus den Appalachengebieten Ohios. Man nimmt an, dass die Frucht vor allem roh verzehrt wurde, als praktisches »Fast Food« mit cremiger Konsistenz und köstlich tropischem, an Banane und Mango erinnerndem Aroma mit einem Hauch von blumigem Zitrus. Heute bereichern diese Geschmacksnoten eine ganze Reihe von Gerichten, von Marmeladen und Salsas über Smoothies, Muffins und Eiscreme bis hin zu Broten und Desserts.

1
2
3
4

Strauchmelde

Atriplex halimus (Amaranthaceae)

AUCH BEKANNT ALS
Salzmelde, Salzbusch, Salzstrauch, Meermelde, Sea Orache, Shrubby Orache, Silvery Orache, Shrubby Saltbush

NATÜRLICHES VERBREITUNGSGEBIET
Makaronesien (Azoren, Madeira, Sebaldinen, Kanaren, Kapverden), Mittelmeerraum bis in den westlichen Irak, tropisches Nordostafrika und Arabische Halbinsel

EINGEBÜRGERT
Sankt-Paul-Insel und Amsterdam-Insel (Indischer Ozean), Belgien, Großbritannien und Iran

WACHSTUMSBEDINGUNGEN
Salzhaltiger Boden ist keine Voraussetzung für den Anbau, da die Strauchmelde auf einer Reihe durchlässiger Böden wächst, auch auf reinem Sand. Sie mag jedoch keine sauren Böden. Am schönsten und produktivsten in voller Sonne. Frosthart bis −10 °C.

WO MAN SIE FINDET
Bei professionellen Foragern.

WIE MAN SIE ISST
Versuchen Sie die frischen Blätter als salzigen Snack oder reichern Sie Salate oder Suppen damit an. Die getrockneten Blätter sind ein tolles Brotgewürz und eine salzarme Würze für alle möglichen Speisen.

Atriplex ist eine nützliche und faszinierende Gattung mit 247 bekannten Arten, die in gemäßigten oder subtropischen Klimazonen gedeihen. Obwohl einige auch in feuchteren Gegenden auftreten, wachsen die meisten im trockenen, rauen, unwirtlichen Binnenland und in Küstengebieten. Einige Spezies gehören zu den erfolgreichsten aller landlebenden Halophyten, also Pflanzen, die in Böden oder an Gewässern mit hohem Salzgehalt leben. Diese Anpassungen entstanden bei der Gattung vor etwa 14 Millionen Jahren, während des Miozäns, als der Planet von häufigen Trockenperioden betroffen war.

Obwohl essbar, sind nicht alle Arten auch wohlschmeckend; unter denen, die es sind, gilt *Atriplex halimus* in kulinarisch interessierten Kreisen jedoch als der Shooting Star. Sie toleriert nicht nur Überflutungen und Salz, sondern ist in Böden ohne Staunässe auch äußerst widerstandsfähig und zudem mehrjährig. Ihr frischer junger Blattaustrieb kann immer wieder geerntet werden, das macht sie zu zu einer nachhaltigen Nutzpflanze, vor allem auf ansonsten wenig ertragreichen, trockenen, salzhaltigen Böden. Die faszinierenden silbernen Blätter der Strauchmelden sind im Garten das ganze Jahr lang ein Blickfang, und die Büsche werden sowohl in den Küchen von Foragern als auch bei Profiköchen immer beliebter.

Wie so viele andere vermeintlich neue pflanzliche Lebensmittel ist auch die Strauchmelde bereits seit Jahrtausenden in Verwendung.

In ihrem gesamten natürlichen Verbreitungsgebiet, dem Mittelmeerraum, landet sie nicht nur auf Tellern, sondern wird auch von Weidevieh gern gefuttert. Die Blätter – im biblischen Hebräisch als *maluah* bekannt – wurden der jüdischen Überlieferung zufolge schon um 352 v. u. Z. von babylonischen Exilantinnen und Exilanten verspeist.

Der mediterrane Salzbusch ist eine wahre Kraftpflanze. Daraus bestehende Hecken lassen sich am besten als undurchdringliche grüne Bollwerke bezeichnen, die Böden nicht nur als immergrüner Windschutz dienen, sondern sie auch stabilisieren, während sie gleichzeitig durch Phytosanierung – die Entfernung von Giftstoffen aus verunreinigten Böden (was sie allerdings für den Verzehr ungeeignet macht) – deren Fruchtbarkeit erhöhen. Beide Eigenschaften sind in Zeiten globaler Versteppung und Bodenversalzung äußerst wertvoll.

Die silbrig-weißen Blätter der Strauchmelde wurden bereits in der Bibel erwähnt, als Nahrungsmittel in der Not (Hiob 30.4). Darüber, in welcher Form die Heimkehrenden aus Babylonien sie gegessen haben, können wir nur spekulieren, aber falls es in der eines Salats aus wilden grünen Kräutern war, dann goutierten die Menschen sicherlich den frischen, salzigen, leicht würzigen Geschmack der Blätter. Sie können außerdem gekocht, gedämpft oder getrocknet verspeist oder als Würzmittel eingesetzt werden.

1

Pfirsichpalme

Bactris gasipaes (Arecaceae)

Eine der am häufigsten angebauten Palmen Südamerikas ist die Pfirsichpalme; Millionen von Menschen dient sie als wichtige Nahrungsquelle. Bereits bei den präkolumbischen indigenen Völkern Amerikas war sie ein bedeutendes Grundnahrungsmittel; frühe spanische Siedler in Costa Rica berichteten, dass die einheimischen Völker sie so hoch schätzten, »dass nur ihre Ehefrauen und Kinder ihnen mehr galten«. 1575 berichtete Pedro Godínez Osorio, Gouverneur der Provinz Veragua in Panama, dass »die Hauptnahrungsquelle hier die Trauben der Palme sind, eine Frucht, die als *pejiballes* bezeichnet wird«. Als die Konquistadoren eintrafen, war die Pfirsichpalme bereits seit vielen Jahrhunderten angebaut worden; ihr genauer Ursprungsort ist deswegen ungewiss.

Die Pfirsichpalme ist eine robuste, widerstandsfähige Pflanze, die auch in gestörten Ökosystemen gedeiht und selbst in kargen Böden eine üppige Ernte liefert. Sie eignet sich ideal für den agroforstwirtschaftlichen Anbau. Als nachhaltige, nährstoffreiche Nahrungsquelle für einkommensschwache Familien ist sie besonders nützlich. Heutige Anbauer konnten dank der genetischen Vielfalt an Wildpflanzen und historischen Kultursorten durch selektive Züchtung Einfluss auf Ertrag, Größe, Geschmack und Unkompliziertheit der Ernte nehmen. Die an den bis zu 24 Meter hohen Stämmen sitzenden typischen, dichten schwarzen Stacheln (1) fehlen bei den kleineren Exemplaren, die im kommerziellen Anbau genutzt werden.

Die auch als »Palmkastanien« bekannten Früchte der Palme (2) müssen einige Stunden lang im Ganzen gekocht werden, ehe man sie weiterverarbeiten kann. Dann werden sie geschält und der Kern im Inneren entfernt. In Costa Rica werden diese Palmkastanien traditionell zur Herstellung eines (glutenfreien) Mehls für Tortillas und eines fermentierten alkoholischen Getränks namens *chicha* verwendet. Die gekochte Frucht hat einen aromatischen, stärkebetonten Geschmack, der Noten von Cashewnüssen, Maronen, Kürbis oder Kartoffeln enthalten kann.

Diese Palme liefert zudem eine essbare Triebspitze, den Vegetationskegel, der als »Palmherz« oder »Palmito« bekannt ist und dessen Entfernung für einstämmige Pflanzen tödlich ist. Die Nachfrage nach dieser Köstlichkeit stieg so stark an, dass die Populationen darunter litten. Heute legt man großen Wert darauf, dass entweder mehrstämmige Pflanzen ausgewählt oder junge Pflanzen, die rasch wachsen, vollständig geerntet und durch neue Palmsetzlinge ersetzt werden. Frische Palmherzen haben einen leicht süßlichen Geschmack, der an Kokosnuss, Artischocke und Zuckermais erinnert, und machen sich am besten in Salaten. Sie können jedoch auch gegrillt, gebraten, überbacken oder sautiert werden. Eingelegte Palmherzen können genauso verwendet werden wie die frischen.

AUCH BEKANNT ALS
Stachelpalme, Pewa Palm, Pejibaye, Piba, Pigiguao, Macana, Chontaduro, Pijuayo, Tembe, Palma de Castilla, Pupunha, Parepon, Peach Palm

NATÜRLICHES VERBREITUNGSGEBIET
Von Zentralbolivien bis zum Nordosten von Honduras

EINGEBÜRGERT
Weit verbreitet in tropischen und subtropischen Klimazonen

WACHSTUMSBEDINGUNGEN
Gedeiht im Flachland, in den feuchten Regionen der Neotropis auf einer Vielzahl von Böden, auch in wenig nährstoffreichen. Pflanzen Sie sie in durchlässigen, mäßig fruchtbaren Böden mit voller Sonne.

WO MAN SIE FINDET
Die frischen essbaren Teile gibt es auf Märkten im Verbreitungsgebiet; eingelegte Palmherzen bekommen Sie in Supermärkten weltweit.

WIE MAN SIE ISST
Genießen Sie die gekochten Früchte pur (reich an Vitaminen, Mineral- und Ballaststoffen) mit Limette oder in einer Suppe. Palmherzen passen in Salate, sind jedoch auch eine erfrischende Beilage zu gebratenem Fleisch oder geröstetem Wurzelgemüse.

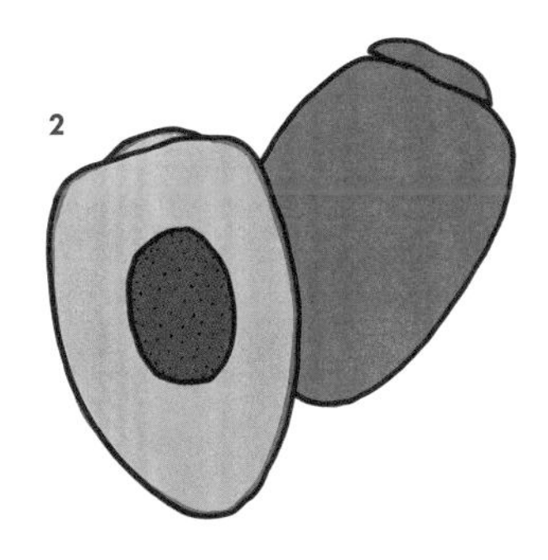

Pflanzenzucht und Diversität

Vor etwa 12 000 Jahren trat die Menschheit aus der letzten Kaltzeit hervor und unternahm entscheidende Schritte in Richtung einer landwirtschaftlichen Revolution. Der Ackerbau steht im Mittelpunkt eines kulturellen Wandels, der die Art und Weise, wie wir leben, verändert hat und der die Jäger-und-Sammler-Existenz des Menschen, mit Ausnahme einiger weniger Völker, Geschichte werden ließ. Die Landwirtschaft, die sich von einem intuitiven Arbeiten mit der Natur und lokalen essbaren Pflanzen und Tieren in Richtung Nutzpflanzenzucht, Nutztierhaltung, Handel und Technologieeinsatz entwickelte, erhöhte unsere Ernährungssicherheit. Zwangsläufig hatte die Kontrolle von Ressourcen, wie Land und Wasser, aber auch von natürlich vorhandenen und kultivierten Pflanzen Folgen: Es kam zu Konflikten, Ausbeutung und Ungerechtigkeit, die trotz der Globalisierung und der Anhäufung von Wissen nicht weniger problematisch geworden sind. Die Lebenserwartung illustriert dies sehr deutlich; obwohl sie grundsätzlich steigt, hängt sie doch davon ab, wo man lebt und – ganz typisch –, wie es um die Verfügbarkeit von nahrhaftem Essen und sauberem Wasser steht. Diese Herausforderung hat vor dem Hintergrund von Klimawandel, stets präsenten Kriegen und einer rapide wachsenden Weltbevölkerung einen interdisziplinären Ansatz geschaffen, der ganz wesentlich ist, um die Frage der Ernährungssicherheit anzugehen. Züchter:innen, Umweltschützer:innen, Agraringenieur:innen und Wissenschaftler:innen treffen auf lokaler und internationaler Ebene zusammen, um gemeinsam bereits existierende regionale Nutzpflanzen zu erhalten oder den Erfordernissen anzupassen und zukunftssichere Alternativen zu entwickeln.

Ethnobotanisches Wissen über wenig bekannte oder vergessene Nutzpflanzen ist deshalb unerlässlich. Solche Pflanzen, die oft perfekt an schwierige Bedingungen angepasst sind, bieten oft überraschend einfache Lösungen für lokale und globale Herausforderungen. Aus kulinarischer Perspektive können sie die Küchen der ganzen Welt zudem mit einer Unmenge faszinierender Texturen und Aromen bereichern.

Für Pflanzenzüchter sind Nutzpflanzen, die aktuell keine Beachtung finden, der Schlüssel zur Erweiterung genetischer Vielfalt bei bereits beliebten Nutzpflanzen. Züchter waren stets bestrebt, ihre Produkte zu verbessern – vor allem, was Geschmack, Größe, Widerstandsfähigkeit, Ertrag und Unkompliziertheit der Ernte angeht – und zwar durch die Auswahl von Setzlingen oder natürlich auftretende Mutationen oder aber als Ergebnis gezielter Züchtung. Einige dieser Versuche sind jedoch übers Ziel hinausgeschossen und mündeten in einer Verengung der Diversität. In einigen Fällen erfuhren die besten und ertragreichsten kommerziellen Hybriden eine so weite Verbreitung, dass sie Opfer ihres eigenen Erfolgs wurden, und aufgrund des Mangels an genetischer Vielfalt können Schädlinge oder Krankheiten diese Nutzpflanzen oder Kulturen vernichten. Durch den Einsatz von Biotechnologie, einer oft missverstandenen Disziplin, können Züchter heute die genetische Vielfalt vergessener essbarer Pflanzen erneut in viele unserer beliebten kommerziell genutzten Pflanzen einbringen.

Das gleiche gilt für erwünschte Eigenschaften innerhalb derselben Pflanzenart. Eine Sorte einer bestimmten Art kann ausgezeichnet an das Wachstum in nördlichen Breitengraden angepasst sein, während eine andere eher im Mittelmeerraum gedeiht. Nachdem der Klimawandel mediterrane Klimabedingen weiter in den Norden bringt, während Tageslänge und Intensität des Sonnenlichts gleich bleiben, wäre also eine Kombination der Eigenschaften beider Sorten ideal. Indem sich Züchter die Möglichkeiten der genomischen Forschung zunutze machen, können sie beispielsweise die Gene identifizieren, die zuständig für die Hitzeresistenz der mediterranen Sorte sind und sie mithilfe gezielter traditioneller Zuchttechniken rasch in die nördliche Sorte einbauen.

Eine weitere wichtige Strategie ist die Einführung nicht heimischer Nahrungspflanzen, vor allem in Regionen, die unter extremen Wetterbedingungen und/oder Bodendegradation leiden. Wenn wir in der Lage sind, die Veränderungen der Wachstumsbedingungen vorherzusehen, die durch den Klimawandel verursacht werden, könnten perfekt angepasste Pflanzen aus anderen Weltteilen auch an anderen Orten kultiviert werden, was die Nahrungssicherheit der nachfolgenden Generationen gewährleistet. Dabei muss mit äußerster Vorsicht vorgegangen werden, um die Einführung invasiver Arten zu verhindern und die lokale Biodiversität nicht zu stören.

Schlussendlich wird eine Kombination all dieser Prozesse und Techniken unerlässlich sein, wenn wir für unser zukünftiges Nahrungsmittelsystem Diversität und Resilienz sichern wollen.

AUCH BEKANNT ALS
Zachunbaum, Desert Date, Simple-Thorned Torchwood, Soap Berry Tree/Bush, Egyptian Myrobalan, Egyptian Balsam, Zachum Oil Tree

NATÜRLICHES VERBREITUNGSGEBIET
Afrika, Israel bis zur Arabischen Halbinsel

EINGEBÜRGERT
Kapverden, Dominikanische Republik und Puerto Rico

WACHSTUMSBEDINGUNGEN
Der tief wurzelnde Baum wächst in einer Vielzahl von Böden. Toleriert als Setzling Schatten, der ausgewachsene Baum verlangt jedoch volle Sonne.

WO MAN SIE FINDET
Die Früchte auf Märkten in sämtlichen tropischen Trockenregionen Afrikas. Das wertvolle Wüstendattel- oder Balanitesöl wird weltweit von spezialisierten Online-Händlern angeboten.

WIE MAN SIE ISST
Genießen Sie die Frucht roh, gekocht oder in Getränke gemischt. Das vielseitig einsetzbare Speiseöl ist reich an essenziellen Fettsäuren.

Wüstendattel

Balanites aegyptiaca var. *aegyptiaca* (Zygophyllaceae)

Die Sahelzone ist eine semiaride Region in Afrika, die sich zwischen dem Atlantik und dem Roten Meer erstreckt und die Sahara im Norden von den feuchten Savannen im Süden trennt. Seit dem Ende der 1960er-Jahre wird die Region von massiver Dürre heimgesucht, was zur Versteppung einst fruchtbarer Landstriche geführt hat, während die Sahara sich immer weiter nach Süden ausdehnt. Diese Bedrohung wurde bereits in den 1950er-Jahren von dem englischen Biologen, Botaniker und Umweltaktivisten Richard St. Barbe Baker erkannt, der die Schaffung einer »grünen Front«, eines Puffers, anregte, um die sich ausweitende Wüste aufzuhalten. Seine Idee wurde Anfang der 2000er-Jahre wieder aufgegriffen – als »Afrikas Grüne Mauer« *(Great Green Wall)*, ein ehrgeiziges Unterfangen, um einen Baum-Gürtel von 16 Kilometer Breite und 8000 Kilometer Länge durch zwanzig Länder zu pflanzen. Es wurde 2007 von der Afrikanischen Union initiiert und zeitigt trotz etlicher Schwierigkeiten einigen Erfolg.

Von den einheimischen Arten, die bei diesem monumentalen Aufforstungsprojekt zur Debatte stehen, wurde die Wüstendattel in ethnobotanischen Studien besonders oft als Pflanze genannt, die eingesetzt werden könnte. Der buschige, mittelgroße immergrüne Baum (1) dient als Nahrung, Heilmittel, Pestizid, Energieholz und Futter. Die Wüstendattel toleriert eine Vielzahl von Böden und Klimazonen und widersteht sowohl schwerer Dürre als auch saisonaler Überflutung. Die Früchte lassen sich gut lagern und transportieren, während der Baum selbst als hervorragender lebender Zaun, Windschutz und Bodenstabilisator dient.

Die Früchte (2), jungen Triebe (3) und Blüten der Wüstendattel können sowohl roh als auch gekocht gegessen werden, wohingegen die Blätter und Samen (4) zuerst gegart werden müssen. Die Kernfrüchte sind adstringierend und haben ein bitter-süßes Aroma, das an Lebkuchen erinnert; sie können wie Datteln getrocknet, entsaftet und für alkoholische Getränke fermentiert werden. Ein beliebtes nigerianisches Getränk entsteht durch das Kochen der dort als *aduwa* bekannten Frucht, bis das Fruchtfleisch sich löst, das dann mit Zitronensaft und einem Süßungsmittel gemixt wird. Die jungen Triebe werden als Gemüse gegessen und in Suppen, Teigen oder Relishes verwendet. Der süße Nektar wird aus den Blüten gesaugt oder in Süßigkeiten verarbeitet, die bei zeremoniellen Festessen verspeist werden. Getrocknet lassen sie sich auch als Gewürz einsetzen.

Den im Kern enthaltenen Samen müssen durch Kochen zunächst die Bitterstoffe entzogen werden, ehe sie gesalzen, geröstet, zu Samenmus oder zu einem proteinreichen Mehl vermahlen verzehrt werden können. Sie sind auch eine ausgezeichnete Quelle für ein Speiseöl mit hohem Rauchpunkt. Die Blätter werden gegart, ehe man sie als grünes Gemüse genießen kann.

1
4
3
2

Indischer Spinat

Basella alba (Basellaceae)

Die ursprünglich aus dem tropischen Asien stammende *Basella alba* war sowohl dank ihrer medizinischen als auch ihrer kulinarischen Eigenschaften bereits in der Antike bei Kulturen der Tropen und Subtropen äußerst beliebt. Die Samen dieser grünen Blattpflanze reisten auf den antiken Handelsrouten, zusammen mit der Weisheit der Veden, der ältesten religiösen Texte im Hinduismus ab dem 2. Jahrtausend v. u. Z., in denen sie ebenfalls erwähnt wird. Ihre üblichen Namen – zumindest jene, die westlichen Ursprungs sind – spiegeln für gewöhnlich die optische Ähnlichkeit der Blätter mit dem (nicht verwandten) Spinat, *Spinacia oleracea*, wider, tatsächlich handelt es sich jedoch um zwei vollkommen unterschiedliche Pflanzen.

B. alba ist eine starkwüchsige, hitzeliebende, sich windende mehrjährige Schlingpflanze mit großen, fleischigen, herzförmigen Blättern. Sie kann in einer Vegetationsperiode mehr als 2,5 Meter wachsen und liefert eine Fülle von frischen Blättern und Knospenansätzen. Die rosa angehauchten weißen Blüten, die im Herbst aufgehen, sind klein, aber hübsch anzusehen, sie werden von dunkelroten Früchten abgelöst, die in Asien traditionell zum Färben, u. a. von Lebensmitteln, eingesetzt werden. Auswanderer, insbesondere aus Asien, haben in der Vergangenheit zur Verbreitung dieses uralten Gemüses beigetragen, das heute ebenso von Bio-Landwirt:innen wie von Hobbygärtner:innen angebaut wird, oft unter dem Namen Malabarspinat. Leider stammt dieser Name höchstwahrscheinlich aus der Zeit der kolonialen Besatzung, als die Region Malabar im Westen Indiens ab dem 15. Jahrhundert von Portugiesen, Holländern und Briten ausgebeutet wurde.

Obwohl »normaler« Spinat auf der ganzen Welt verbreitet ist, gedeiht er in warmen oder heißen Gebieten eher schlecht. Hier hat der Indische Spinat seinen großen Auftritt, denn er wächst in Hitze und Feuchtigkeit, ohne bitter zu werden. In Zeiten zunehmender durch den Klimawandel ausgelöster Hitzewellen ist das eine großartige Eigenschaft.

Indischer Spinat kann sowohl roh als auch gekocht verarbeitet werden. Das köstliche ost-indische Gemüsegericht *chorchori*, das aus verschiedenen kurzgebratenen Gemüsesorten und Gewürzen besteht, schmeckt mit gehackten Blättern und Trieben des Indischen Spinats besonders gut. Er erinnert geschmacklich an »normalen« Spinat, hat jedoch ein leicht pfeffriges, zitrusartiges Aroma und ist damit ein echter Gewinn für jedes Rezept, in dem auch Spinat verlangt wird. Mit seinen etwas dickeren Blättern und der leicht schleimbildenden Eigenschaft behält er beim Kochen nicht nur länger seine Konsistenz, sondern dient auch zum Eindicken von Suppen und Saucen.

AUCH BEKANNT ALS
Malabarspinat, Ceylon-Spinat, Vine Spinach, Climbing Spinach

NATÜRLICHES VERBREITUNGSGEBIET
Tropisches Asien

EINGEBÜRGERT
In vielen tropischen und subtropischen Regionen

WACHSTUMSBEDINGUNGEN
Im Unterholz, am Waldrand, an den Rändern von Ackerland und in Sumpfböden, typischerweise an Flüssen oder Bächen in einer Vielzahl von Böden. Benötigt volle Sonne oder Halbschatten und feuchte, nährstoffreiche Erde. Unter trockenen Bedingungen und/ oder in sehr kargen Böden blüht er sehr früh, und die Blätter sind weniger wohlschmeckend. Nicht frostresistent, er sollte also in kalten Gebieten als einjährige Pflanze gezogen oder frostfrei überwintert werden.

WO MAN SIE FINDET
Ohne Weiteres in ganz Asien und Indien, aber zunehmend auch in spezialisierten Läden und bei Bio-Landwirt:innen in anderen Teilen der Welt erhältlich.

WIE MAN SIE ISST
Verwenden Sie ihn genauso wie herkömmlichen Spinat.

Besenradmelde

Bassia scoparia (Amaranthaceae)

AUCH BEKANNT ALS
Besenkraut, Sommerzypresse, Feuerbusch, Kochia, Mock Cypress, Belvedere, Burning Bush

NATÜRLICHES VERBREITUNGSGEBIET
Osteuropa bis in die gemäßigten Klimazonen Asiens

EINGEBÜRGERT
In vielen kühlen bis warm-gemäßigten und subtropischen Gebieten

WACHSTUMSBEDINGUNGEN
Gedeiht in einer Vielzahl von Böden. Tolerant gegenüber Dürre und versalzenen Böden. Nicht in zu feuchten und zu nährstoffreichen Böden anbauen.

WO MAN SIE FINDET
In ganz Japan essfertig erhältlich. Sie bekommen Tonburi auch bei Feinkosthändlern weltweit.

WIE MAN SIE ISST
Verwenden Sie die essfertig in Gläsern verpackten Samen als Garnitur und um Ihren Gerichten Biss zu verleihen.

Freund oder Feind, essbare Nutzpflanze, Zierpflanze oder Unkraut, je nachdem, mit wem Sie sprechen und wo diejenigen leben, kann die Besenradmelde all dies sein. Diese widerstandsfähige einjährige Pflanze, die in Osteuropa und den Steppen Zentralasiens als Heilkraut gilt, hat sich in fast ganz Europa, Teilen von Afrika und etwas später auch in Nordamerika verbreitet. Der dekorative Nutzen der Besenradmelde wird seit Langem gerühmt, und wenn man sie einmal gesehen hat, wird man sie niemals vergessen. Mit Unterstützung des Windes gehen die selbstbestäubenden, recht unscheinbaren Blüten (1) im späten Sommer auf – unbeachtet von allen, außer den fleißigen Bienen. Was folgt, ist geradezu ehrfurchtgebietend, vor allem wenn viele Pflanzen zusammenstehen, denn die leuchtend rote Herbstfärbung setzt die Landschaft in Flammen und brachte der Pflanze den umgangssprachlichen Namen »Feuerbusch« ein. Verblasst die Farbenpracht, brechen die trockenen Zweige ab und werden vom Wind davongetragen, der die Samen in alle Richtungen verteilt.

Nachdem Einwanderer sie gegen Ende des 19. Jahrhunderts nach Nordamerika mitgebracht hatten, wurde die Besenradmelde zu einem Steppenläufer, der in Westernfilmen Berühmtheit erlangte, obwohl ihre Ankunft im Wilden Westen zu spät erfolgte, um als Darstellung in den Filmen historisch korrekt zu sein. Da sie sich als Pionierpflanze leicht verschiedenen Bodenarten und Verhältnissen, wie Dürre, anpassen kann, gilt die Besenradmelde vielerorts als schädliches Unkraut, weshalb ihr Anbau an einigen Orten verboten ist.

Die schnell wachsende Besenradmelde ist eine äußerst dürreresistente Pflanze, auf die man zählen kann. Ist der Boden versalzen, basisch, mit Pestiziden belastet oder erosionsanfällig? Diese Pflanze macht ihn wieder gesund! Mit den Tausenden winzigen Samen (2), die sie hervorbringt, gleicht sie im Herbst nicht nur einem Buschfeuer, sondern breitet sich auch genauso aus, womit sie Hauptgetreidearten aus dem Feld schlägt, Mähdreschern zusetzt und einigen der stärksten Herbizide widersteht.

Doch wenn wir sie schon nicht besiegen können, warum sollen wir sie dann nicht einfach aufessen? Unter dem Namen *tonburi* (auf Deutsch »Kaviar des Feldes«) gelten die Samen der Pflanze in Japan als Delikatesse. Sie müssen erst gekocht werden, ehe die Hüllen und Verunreinigungen entfernt werden, und dienen in erster Linie als Garnitur, die Gerichte wie Salate, Udon-Nudeln, Mayonnaise, Räucherfisch, Tofu oder auf Soja basierende Saucen mit ihrer festen, knackigen Textur bereichern soll. Sie finden jedoch auch als Hauptzutat Verwendung. Mit ihrer innen cremigen Konsistenz erinnert ihr zurückhaltender Geschmack an den von Brokkoli oder Artischocken.

Wachskürbis

Benincasa hispida (Cucurbitaceae)

In Südostasien und Indien sind Flaschenkürbisse wie der Wachskürbis nicht nur ernährungstechnisch und kulinarisch von Bedeutung, sondern werden auch aufgrund ihrer medizinischen Eigenschaften und ihres kulturellen Werts geschätzt. Die Bandbreite von Erkrankungen, die in der ayurvedischen und der Traditionellen Chinesischen Medizin (TCM) damit behandelt werden, ist umfassend.

Einige archäologische Stätten belegen die seit Langem bestehende Bedeutung in ganz Asien; in Thailand wurde ein Exemplar gefunden, das an die 9000 Jahre alt sein soll. Es ist deshalb wenig überraschend, dass der Wachskürbis heute als Kulturpflanze gilt, also als eine Art, die ausschließlich von Menschen kultiviert wurde. Diese einjährige Schlingpflanze kriecht oder klettert mithilfe ihrer verzweigten Ranken und bedeckt im Handumdrehen den Boden und sogar Nachbarpflanzen. In China sieht man sie häufig auf Bambusgestellen an den Ufern von Dorfteichen wachsen, wo ihre Früchte über dem Wasser hängen und so vor Tieren sicher sind. Der über Jahrtausende reichende Anbau hat enorm viele Varianten hervorgebracht; es bestehen große Unterschiede in Größe, Form, Farbe und Geschmack, aber auch hinsichtlich der Wachsschicht oder »Behaarung«. Die Frucht kann in allen Reifegraden verzehrt werden. Unreife Früchte sind für gewöhnlich grün, während die reife Frucht in einem pudrigen Weiß erstrahlt; bei zahlreichen Unterarten finden sich attraktive bläuliche Purpurtöne.

Der Wachskürbis ist eine reich tragende einjährige Pflanze und bringt Früchte von beträchtlicher Größe hervor, die sich dank ihrer wachsartigen Beschichtung viele Monate lang lagern lassen. Sie ist perfekt an das heiße tropische Tiefland angepasst und übersteht auch längere Dürreperioden. Besonders gut eignet sie sich für den Zwischenkulturanbau mit Gemüsesorten, die schnell erntereif sind, was den Ertrag pro Hektar erheblich steigert. Die Pflanze ist resistent gegen etliche Bodenkrankheiten, ihr Wurzelstock dient deshalb Melonen und Gurken als gute Pfropfunterlage.

Die jungen Blätter, Knospen, Samen und großen Früchte des Wachskürbis werden für gewöhnlich gekocht genossen. Die Samen können wie Kürbiskerne geröstet werden. Unreife Früchte werden wie Zucchini verarbeitet, während reife Exemplare sich in Currys, Suppen, Getränken und Pickles gut machen, aber auch verschiedenartig gefüllt werden können. Reife Wachskürbisse sind saftig, und ihr mildes Aroma erinnert an die weiße Schale von Wassermelonen. Unreife Früchte riechen hingegen intensiver. Für die beliebte nordindische Süßigkeit *petha* wird das gewürfelte Fruchtfleisch des Wachskürbis in einer Lösung aus Wasser und gelöschtem Kalk eingeweicht, dann gekocht, in einem mit Gewürzen versetzten Zuckersirup eingelegt und zum Schluss getrocknet.

AUCH BEKANNT ALS
Wintermelone, Prügelkürbis, Bai Dong Gua, Petha, Faeng, Tougan, Kundru, Calabaza Blanca, Wax Gourd, Chinese Winter Melon

NATÜRLICHES VERBREITUNGSGEBIET
Indochina

EINGEBÜRGERT
Im tropischen Asien, der Karibik, den Vereinigten Staaten und Teilen Afrikas

WACHSTUMSBEDINGUNGEN
Eine tropische Tieflandpflanze, die kurze Dürreperioden in durchlässigen, mit Mist angereicherten Böden übersteht.

WO MAN SIE FINDET
In ganz Asien und in Asia-Supermärkten weltweit erhältlich.

WIE MAN SIE ISST
Bereiten Sie diesen mild-aromatischen, ballaststoffreichen Kürbis so zu, wie sie auch Zucchini oder jeden anderen Kürbis verarbeiten würden.

Palmyrapalme

Borassus flabellifer (Arecaceae)

AUCH BEKANNT ALS
Lontarpalme, Lontaropalme, Zuckerpalme, Fächertragende Weinpalme, Doub Palme, Tala Palme, Ice Apple, Toddy Palm

NATÜRLICHES VERBREITUNGSGEBIET
Vermutlich von Westindien nach Indochina bis zu den indonesischen Inseln von Nusa Tenggara

EINGEBÜRGERT
Mauretanien, Sokotra, Südzentralchina, Malaysia, Sulawesi und Thailand

WACHSTUMSBEDINGUNGEN
In der vollen Sonne tropischer und subtropischer Klimazonen, besonders verbreitet in Küstengebieten. Sandige, lehmige, schluffige oder lockere Kiesböden mit ständiger Feuchtigkeit, zum Beispiel in Überschwemmungsebenen und Flusstälern. Die Bäume können bis zu hundert Jahre alt werden und tragen nach etwa 15 Jahren das erste Mal Früchte.

WO MAN SIE FINDET
Verschiedene essbare Teile sind in ganz Asien und Afrika erhältlich; zunehmend auch in spezialisierten Lebensmittelläden weltweit.

WIE MAN SIE ISST
Probieren Sie die unreifen Samen, die als »Ice Apples« oder »Nungu« angeboten werden und reich an Vitaminen und Mineralstoffen sind, als Erfrischung an heißen Tagen. Das reife Fruchtfleisch ist eine beliebte Zutat für verschiedene Backwaren.

Ein in Schottland und Irland beliebtes »Erkältungsmittel« ist der »Hot Toddy«, ein Getränk aus Whisky, Zitrone, Honig und heißem Wasser. Kaum jemand weiß, dass die wohltuende Mischung würziger, üblicherweise alkoholischer Süße wie auch ihr Name seine Wurzeln eigentlich in Indien hat: Das Wort stammt vom Sanskrit-Begriff *taldi* ab, der den süßen fermentierten Saft der Palmyrapalme bezeichnet. *Borassus flabellifer* erreicht eine Höhe von ca. 30 Metern und trägt eine bis zu 6 Meter breite Blätterkrone (1), unter der – bei weiblichen Bäumen – die Blüten von Gruppen glatter dunkelbrauner kokosnussgroßer Früchte bzw. Nüsse (2) abgelöst werden. Dieser Baum wird in tropischen und subtropischen Klimazonen auf zahlreiche Weisen genutzt; deshalb wurde auch während der gesamten Antike Handel damit getrieben, weswegen sein wahrer Ursprung im Dunkeln liegt. Zu den Hauptzentren der Palmyrapalme gehörte der südindische Bundesstaat Tamil Nadu, wo sie als Staatsbaum gilt. Obwohl das klassische tamilische Gedicht »Tala Vilasam« sie für ihre »801 Einsatzmöglichkeiten« preist, nahm ihre Bedeutung als Handelsgut für Indien im Laufe des 20. Jahrhunderts stetig ab. Dank des wirtschaftlichen und kulturellen Werts der Palmyrapalme gibt es jedoch Bestrebungen von Einheimischen, ihr wieder zu der früheren Bedeutung zu verhelfen.

Die bisweilen als »Wünsche erfüllender Baum« bezeichnete Palmyrapalme kann wirklich alles, was man sich in Zeiten des globalen Klimawandels nur wünschen kann: Sie wächst in den meisten tropischen und subtropischen Klimazonen und Böden und kommt sowohl mit Dürre als auch mit Staunässe gut zurecht. Im Gegensatz zu anderen Palmen bildet sie ein ausgedehntes Pfahlwurzelsystem aus, das ihr bei stürmischem Wetter sicheren Stand verleiht und die Bodenerosion vermindert. Sie kann sogar ausgedörrtes Land wieder fruchtbar machen, indem sie Wasser in ihren Pfahlwurzeln speichert und damit die allgemeine Verfügbarkeit von

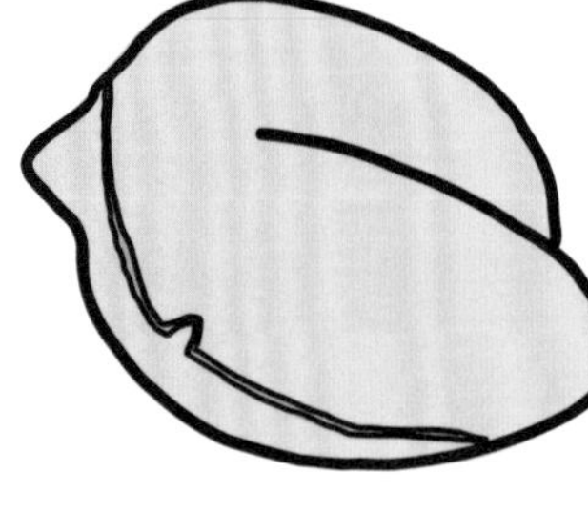

3

Feuchtigkeit erhöht. Die Früchte und Samen (3) kann man sowohl roh als auch gekocht genießen. Ihr Blütenstand wird wegen seines karamellartigen Saftes angezapft, der sich zu Palmzucker einreduzieren lässt. Die Textur der unreifen Samen ähnelt der von Litschis, und ihr erfrischender Geschmack erinnert an Kokosnuss. Für ein beliebtes indisches Dessert, *nungu payasam*, werden gehackte unreife Palmsamen und eingekochte, mit Kardamom und Safran aromatisierte Milch vermischt.

Das reife Fruchtfleisch erinnert an gebackenen Kürbis und kann in Marmeladen oder Gelees, in Säften, im Ofen gebratenen oder gedämpften Gerichten verwendet werden. Die gekeimten Samen sind knusprig und haben einen ebenso intensiven Geschmack wie der Saft.

1
2

Färberdistel

Carthamus tinctorius (Asteraceae)

Die Färberdistel wird eher abwertend auch als »Falscher Safran« bezeichnet, weil ihre Blütenblätter (1) große Ähnlichkeit mit den kostbaren Fäden (den Blütennarben) des echten Safrans *(Crocus sativus)* zeigen. Sowohl Färberdistel als auch Safran verleihen Speisen Farbe, aber damit endet ihre Ähnlichkeit auch schon.

Die Färberdistel ist eine Pflanze mit zahlreichen Nutzungsmöglichkeiten, sie liefert essbares Öl, Samen und distelähnliche Blätter (2). Außerdem dient sie als Heilpflanze und als natürliches Färbemittel. Dies und ihre generelle Widerstandsfähigkeit führten dazu, dass die Färberdistel seit mehr als 5000 Jahren durchgehend angebaut wird und es heute ein verstärktes Bewusstsein für ihr Potenzial gibt. Es existieren Belege dafür, dass die Pflanze aus dem antiken Mesopotamien stammt, einer Region, die heute Teile des Irak, der Türkei und Syriens umfasst.

Als äußerst resiliente einjährige Pflanze gedeiht die Färberdistel in nährstoffarmen, basischen oder salzigen Böden. Weder Frost noch Dürre können sie davon abhalten, zuverlässig Blüten und Samen zu produzieren, die Grundlage des nahrhaften Öls, das reich an ungesättigten Fettsäuren ist. Da sie aus windgepeitschten Ebenen stammt, ist die Färberdistel gut gerüstet für die ökologischen Herausforderungen unserer Zeit und verspricht, zu einer der bedeutendsten Ölpflanzen für die sich rasch ausweitenden trockenen und semiariden Regionen des Planeten zu werden.

Triebe, Blüten und junge Blätter der Färberdistel sind sowohl gekocht als auch roh genießbar. Die Samen werden zwar in erster Linie zu Öl verarbeitet, können jedoch auch roh, geröstet oder als Pflanzenmilch verzehrt werden. Für einen einfachen und köstlichen indischen Reisbrei, *kusubi huggi*, werden die Samen eingeweicht, püriert und abgegossen; die daraus entstandene Milch wird mit gekochtem Reis und Salz aufgekocht. Rohe Färberdistelsamen und die daraus gewonnene Milch haben einen nussigen, leicht bitteren Geschmack, während das Öl sehr mild, beinahe neutral ist. Das und sein sehr hoher Rauchpunkt machen es zur idealen Wahl für das Rösten und Braten in Pfanne und Ofen.

Die leicht bitteren jungen Triebe und Blätter werden für Salate und Pfannengerichte, als Suppenkraut und in Tees verwendet. Die Blütenblätter (3) lassen sich ebenfalls in einer Vielzahl von Speisen verwenden, vor allem aufgrund ihrer färbenden Eigenschaften, aber auch wegen ihres leicht blumigen, schokoladigen und süßen Aromas.

AUCH BEKANNT ALS
Saflor, Öldistel, Färbersaflor, Falscher Safran

NATÜRLICHES VERBREITUNGSGEBIET
Zentral- und Osttürkei bis nach Iran

EINGEBÜRGERT
Wächst weithin in entsprechenden Klimazonen

WACHSTUMSBEDINGUNGEN
Gedeiht in einer Reihe karger, trockener Böden in den semiariden Subtropen. An hohe Temperaturen und helles Licht gewöhnt, verträgt sie lange Dürreperioden, aber auch intensiven Wind und Perioden schweren Regens oder Hagels. Pflanzen Sie sie in unbearbeitete oder leicht bearbeitete trockene Erde mit geringem bis mäßigem Nährstoffgehalt. Wächst am besten bei Temperaturen zwischen 20 und 32 °C.

WO MAN SIE FINDET
Samen, Öl und Blüten finden sich in Lebensmittelläden im gesamten östlichen Mittelmeerraum, Asien, Amerika und Osteuropa. Kaltgepresstes Distelöl ist im Fachhandel erhältlich.

WIE MAN SIE ISST
Die Färberdistel ist eine hervorragende Vitamin-E-Quelle. Versuchen Sie die Blätter und Sprossen in Salaten, Pfannengerichten und Tees. Mit den Blütenblättern können Sie Gerichten ebenso Farbe verleihen wie mit Safran.

3

Meerestrauben

Caulerpa lentillifera (Caulerpaceae)

AUCH BEKANNT ALS
Grüner Kaviar, Bulung, Bigas-bigasan, Arosep, Umi-budō, Latô

NATÜRLICHES VERBREITUNGSGEBIET
Küsten des indopazifischen Raums

WACHSTUMSBEDINGUNGEN
Ruhige tropische Küstengewässer mit flachen, sandigen bis schlammigen Lagunen, die bei Ebbe nicht trocken fallen. Sie werden in Zuchtteichen in einer Tiefe von ca. 1 Meter gezogen oder in Meerwasserbecken im Binnenland unter marinen Bedingungen.

WO MAN SIE FINDET
Frisch entlang der gesamten Indopazifik-Küste erhältlich und weltweit in dehydrierter Form bei spezialisierten Online-Händlern.

WIE MAN SIE ISST
Meerestrauben sind reich an ungesättigten Fettsäuren und Antioxidantien. Genießen Sie sie in einem köstlichen Salat oder verwenden Sie die hübschen Trauben als Garnitur für Suppen, Pfannen- und Reisgerichte.

Die meisten Paläoanthropologen sind sich einig, dass die essbaren Ressourcen aus dem Ozean eine bedeutende Rolle bei der Entwicklung des *Homo sapiens* spielten, und zwar auf mehr als nur eine Art. Eine auf Meeresprodukten basierende Ernährungsweise, die auch Meeresalgen umfasste, führte beim Menschen zur Ausbildung größerer Gehirne. Viele Wissenschaftler denken zudem, dass diese Ernährungsweise die Menschheit vor dem Aussterben bewahrte. Während der vorletzten Kaltzeit (vor etwa 194 000 bis 135 000 Jahren) bot die Südküste Afrikas den Menschen wohl eine sichere Zuflucht, wo sie sich von Säuge- und Schalentieren, Meereslebewesen und essbaren Pflanzen ernähren konnten. So begann die Nutzung von Seetang als Nahrung für die Menschen selbst und für ihr Vieh.

Auf der ganzen Welt haben Küstenbewohner stets Meeresalgen geerntet, doch über die Jahrtausende wurden sie durch an Land wachsende Nutzpflanzen ersetzt. Die Ausnahme bilden einige Länder in Ostasien, wo Seetang noch immer einen Platz auf der Speisekarte hat. Zu den Favoriten gehören dabei die Meerestrauben, *latô*, der philippinische Name für *Caulerpa lentillifera*, die an winzige grüne Trauben erinnert, oder auch an Kaviar, worauf einige lokale Bezeichnungen verweisen, zum Beispiel der deutsche Name »Grüner Kaviar«. Ursprünglich wild geerntet, wurde die Pflanze in der philippinischen Provinz Cebus in den 1950er-Jahren erstmals kommerziell angebaut, inzwischen geschieht dies auch in China, Japan, Vietnam und Korea.

Dass 71 % der Erdoberfläche aus Ozean bestehen und zugleich die restlichen 29 % Land zunehmendem Druck ausgesetzt sind, macht die nachhaltige meeresbasierte Nahrungsmittelherstellung zu einem enorm wichtigen Pfeiler der globalen Nahrungssicherheit. Vor allem wenn sie in ein Polykultursystem integriert sind, können Meeresfarmen eine nachhaltige Lebensgrundlage für zahlreiche Küstengemeinschaften bilden, während sie gleichzeitig die Umwelt schützen, die Biodiversität erhalten und eine beträchtliche Menge an Kohlenstoffdioxid absorbieren können.

Meerestrauben werden entweder roh gegessen oder getrocknet und dann rehydriert. Ihr Geschmack wird oft mit »wie der Ozean« beschrieben; beißt man hinein, platzen sie im Mund auf und hinterlassen ein salziges, leicht umami-süßliches Aroma. Sie werden in Suppen, kurzgebratene Pfannen- und Reisgerichte gegeben, in Sojasauce getunkt oder sogar zu Eiscreme verarbeitet. Ein beliebter Salat auf den Philippinen besteht aus Meerestrauben, gewürfelten Tomaten und Zwiebeln, mariniert mit einem Schuss Essig, Fischsauce und Fischpaste. Meerestrauben sollten, wie alle Algenarten, in moderaten Mengen verzehrt werden, um ein Übermaß an Salz, Jod und eine Belastung mit Schwermetallen zu vermeiden.

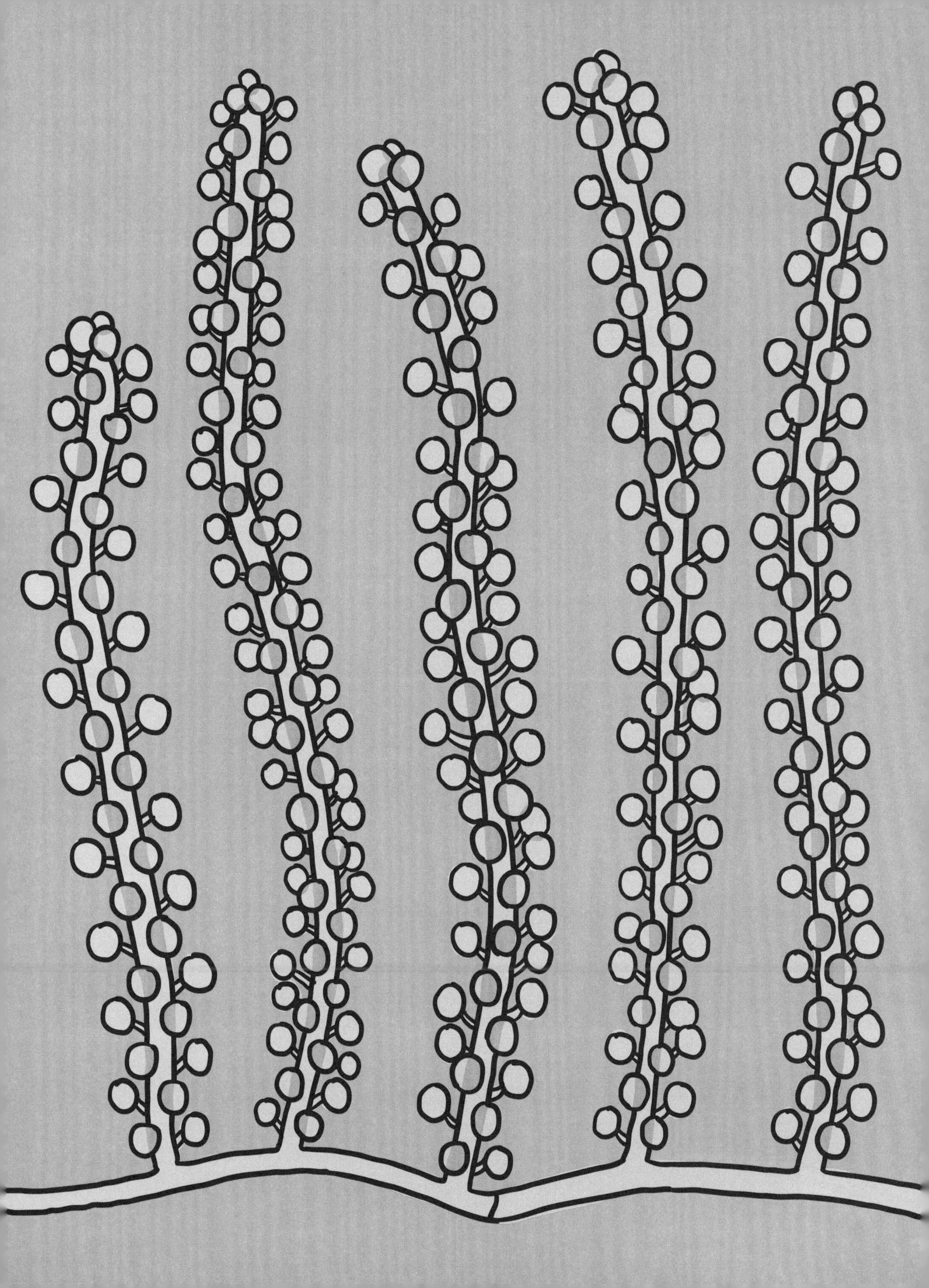

Foraging

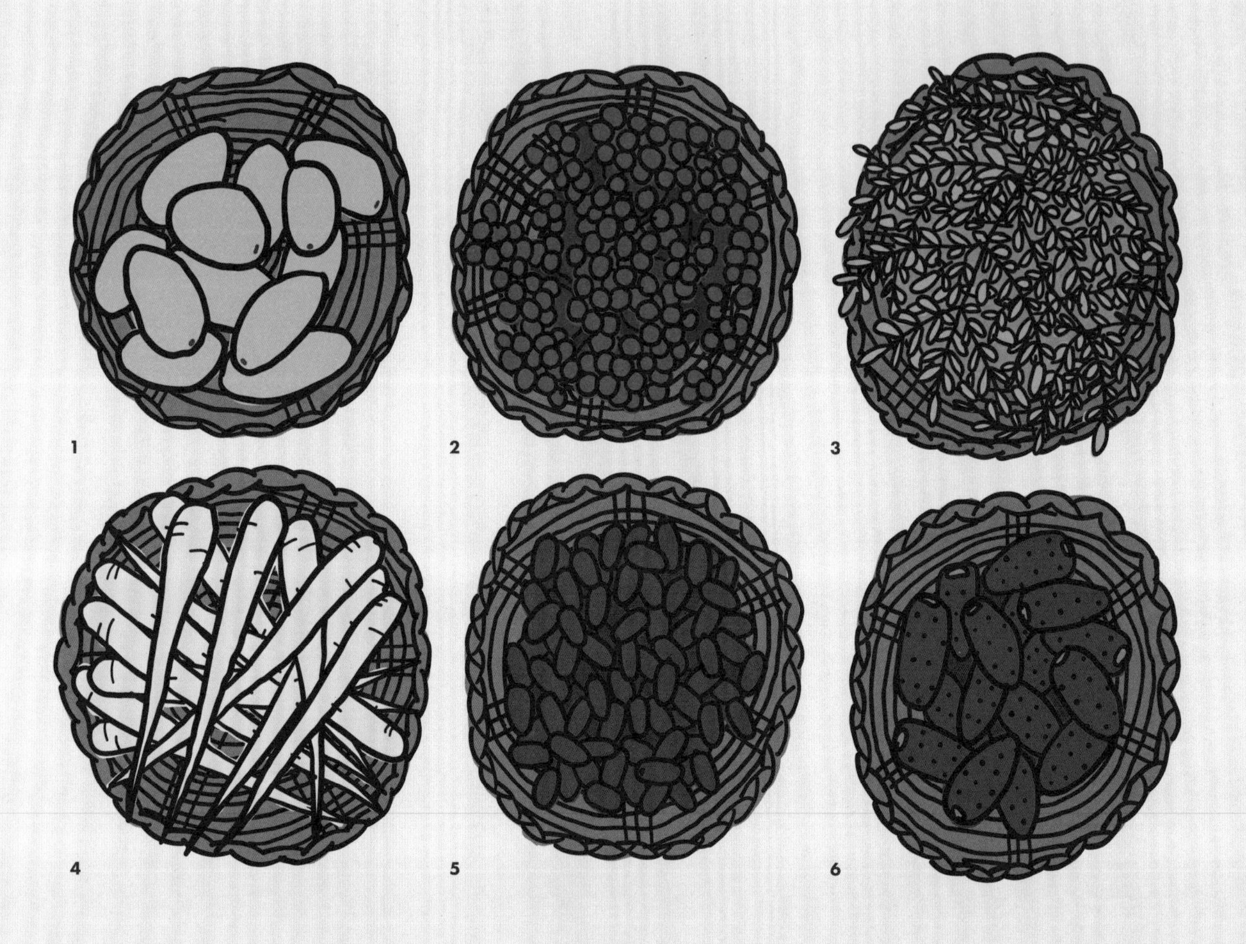

Die längste Zeit in der Geschichte der Menschheit war das Jagen und Sammeln die übliche Lebensweise. Es ließ unsere Vorfahren überleben und erlaubte ihnen, komplexe Gesellschaften aufzubauen. Während einige Gemeinschaften – zumindest saisonal – weiterziehen mussten, um genug Nahrung zu finden, wurden andere sesshaft und lebten vom reichhaltigen Angebot an wilden Ressourcen.

Dies änderte sich radikal mit dem Aufkommen von Ackerbau und Viehzucht, als nahezu alle Gesellschaften sesshaft wurden und sich auf den Anbau einiger höchst ertragreicher Nutzpflanzen und die Haltung von Tieren konzentrierten. Heute existieren nur mehr sehr wenige Jäger-und-Sammler-Gemeinschaften.

Dennoch trägt Foraging – das Sammeln von Wildpflanzen – in vielen Teilen der Welt immer noch zum Lebensunterhalt bei. In den vergangenen Jahren hat es erheblich an Popularität gewonnen, da immer mehr Menschen es als Freizeitbeschäftigung für sich entdeckt haben. Es ist eine großartige Methode, in Kontakt mit der Natur zu sein, viele verschiedene Wildpflanzen identifizieren zu lernen und aufregende neue Aromen und Texturen in die eigene Küche einzuführen. Betreibt man Foraging mit Bedacht, ist es eine tolle Methode, um Abwechslung in die Ernährung zu bringen und sie mit gesunden Zutaten zu bereichern, die in keinem Supermarkt zu finden sind.

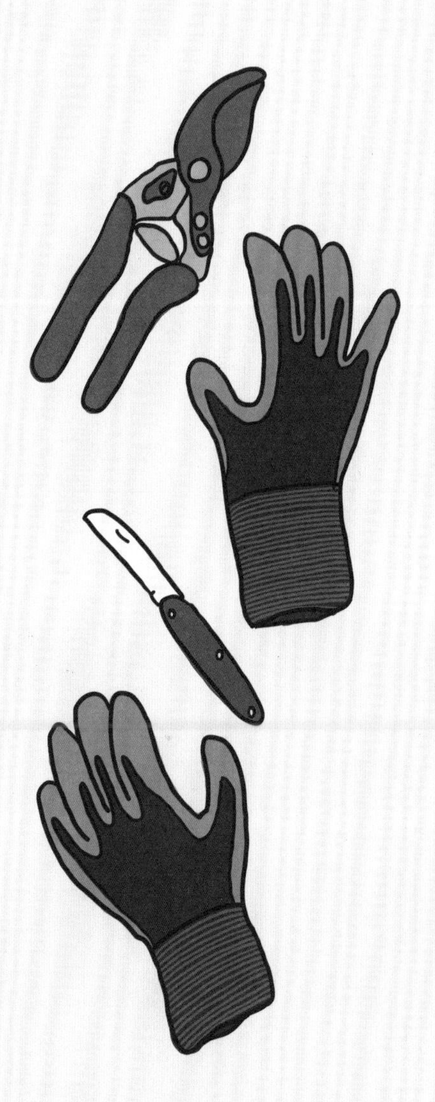

1 Papau (Seite 32)
2 Fuchsrebe (Seite 180)
3 Gemüsefarn (Seite 72)
4 Murnong (Seite 108)
5 Johannisbrot (Seite 58)
6 Kaktusfeige (Seite 127)

Wenn Sie selbst Foraging betreiben wollen, dann beachten Sie einige einfache Regeln:

1. Stellen Sie sicher, dass Foraging in Ihrer Gegend grundsätzlich erlaubt ist. Holen Sie, falls erforderlich, die Erlaubnis des Grundeigentümers ein.
2. Rückversichern Sie sich stets, dass Sie die jeweilige Pflanze korrekt identifiziert haben. Das gilt ganz besonders für Pilze.
3. Informieren Sie sich darüber, welche Teile der Pflanze zu welcher Zeit essbar sind und wie sie richtig zubereitet werden.
4. Ernten Sie nie zu viel ab und denken Sie daran, dass die Pflanze vielleicht eine wichtige Nahrungsquelle für viele Wildtiere ist.
5. Sammeln Sie nur die Pflanzen, die in großer Menge vorhanden sind.
6. Gehen Sie beim Sammeln behutsam vor (nicht einfach herausreißen!) und verursachen Sie so wenig Schaden wie möglich.
7. Halten Sie sich fern von Naturschutzgebieten und geschützten Tieren.
8. Meiden Sie belastete Gebiete, etwa die Ränder stark befahrener Straßen oder Hundewiesen.

Als Inspiration und um herauszufinden, welche Pflanzen in Ihrer Gegend gesammelt werden können, konsultieren Sie bitte die Liste unter **Foraging: Wo gibt es was?** (Seiten 197–202). Viele lassen sich auch im Garten oder in Töpfen ziehen.

Silber-Brandschopf

Celosia argentea (Amaranthaceae)

Nahrung, Unkraut, Beet- oder Zimmerpflanze, sogar spirituelle Opfergabe: *Celosia argentea* erfüllt für Menschen auf der ganzen Welt eine oder mehrere dieser Funktionen. Doch alle könnten sich wohl darauf einigen, dass diese Pflanze über eine bemerkenswerte natürliche (bzw. in den meisten Fällen angezüchtete) Schönheit verfügt. Sie ist sofort an ihren flammenartigen Blütenständen zu erkennen, die an einen farbenprächtigen Hahnenkamm oder einen Federbusch erinnern. Außerhalb ihrer natürlichen Heimat in der pantropischen Klimazone gilt sie lediglich als leuchtende einjährige Beetpflanze, für viele Menschen ist sie jedoch viel mehr. In einigen Kulturen wird sie traditionell zur Heilung verschiedener Krankheiten eingesetzt, auch in der TCM. In Südnigeria ist sie als *soko yokoto* bekannt, als »das Gemüse, welches das Gesicht deines Mannes rosig macht«.

Der Silber-Brandschopf hat für einige Völker mystische und religiöse Bedeutung, er dient oft als Opfergabe oder ziert Tempel und Hausgärten. Heute sind Samen und Pflanzen leicht erhältlich, und die Zucht hat eine Vielfalt von Farben und Formen für den Garten und den Schnittblumenmarkt hervorgebracht, wie etwa Pflanzen, die Korallen oder – in manchen Augen – einem Gehirn ähneln. Viele der heutigen Züchtungen sind nur um der Schönheit willen entstanden, doch mittlerweile legt man das Augenmerk verstärkt auf Sorten, die eine reiche Ernte liefern und gut schmecken.

Während er in einigen Weltgegenden als lästiges Unkraut gilt, ist der Silber-Brandschopf in Westafrika ein begehrtes Blattgemüse. Er wächst sehr rasch in einer Vielzahl von Böden, hält höhere Temperaturen und kurze Trockenperioden gut aus und bringt eine Fülle an nährstoffreichen Blättern hervor. Die Blätter, jungen Stiele und Blüten sind in Nigeria, wo sie roh oder gekocht gegessen werden, deshalb besonders wichtig. Ein traditioneller Eintopf, der auf Yoruba *èfó riro* heißt, besteht aus einer üppigen Pfeffersauce, einer Auswahl an frischem und geräuchertem Fisch, verschiedenen Fleischsorten, *irú* (einer fermentierten Johannisbrotpaste) und gehackten Blättern des Silber-Brandschopfs. Die grünen Teile reichern zudem Suppen, Saucen und Getreidebreie an oder werden gedämpft als Beilage gegessen, so wie Spinat. Tatsächlich ähneln die Blätter denen von Spinat in Konsistenz und Geschmack, allerdings sind sie ein wenig bitterer.

AUCH BEKANNT ALS
Lagos-Spinat, Federbusch, Hahnenkamm, Celosie, Soko yokoto, Qing Xiang, Borlón, Plumed Cockscomb

NATÜRLICHES VERBREITUNGSGEBIET
Vermutlich im tropischen Afrika

EINGEBÜRGERT
Mittlerweile ein pantropisches Unkraut

WACHSTUMSBEDINGUNGEN
Sonne oder Halbschatten in feuchten tropischen und subtropischen Klimazonen, an Flussufern, in Überflutungsgebieten und auf Grasland. Gedeiht am besten in feuchten Böden, jedoch ohne Staunässe. Angepasst an heiße und feuchte Klimazonen und weniger anfällig für Pilzbefall (wie Mehltau) als viele andere Nutzpflanzen. Wächst in kühleren Klimazonen als einjährige Sommerpflanze.

WO MAN SIE FINDET
Auf Märkten in ganz Westafrika und Südostasien und weltweit als Zierpflanze (die zugleich essbar ist).

WIE MAN SIE ISST
Die schmackhaften Blätter sind reich an Vitamin C, Protein und Antioxidantien und werden wie Spinat zubereitet.

AUCH BEKANNT ALS
Karubenbaum, Karobbaum, Bockshörndlbaum, Carob, St John's Bread, Locust Bean, Al-kharoubah, Caroubier

NATÜRLICHES VERBREITUNGSGEBIET
Vermutlich aus dem mittleren Osten und den Küstengebieten Nordostafrikas stammend

EINGEBÜRGERT
In den entsprechenden Klimazonen weit verbreitet

WACHSTUMSBEDINGUNGEN
Kommt natürlich in zahlreichen kargen, trockenen, wasserdurchlässigen Böden an exponierten oder zum Teil geschützten Standorten vor, wo er Temperaturen zwischen −4 und +40 °C standhält. Im Anbau bevorzugt er sandigen, durchlässigen Lehm.

WO MAN SIE FINDET
In Supermärkten und Naturkostläden weltweit.

WIE MAN SIE ISST
Probieren Sie einmal Carobpulver, das reich an Ballaststoffen ist, für süße warme Getränke (wird wie heiße Schokolade zubereitet) und für glutenfreie Backwaren.

Johannisbrotbaum

Ceratonia siliqua (Fabaceae)

Dieser attraktive immergrüne Baum blüht (1) im Herbst und bringt dann große bohnenartige Hülsenfrüchte (2) hervor, die charakteristisch für die Leguminosen sind, zu denen er gehört. Im gesamten historischen Verbreitungsgebiet des Johannisbrot- oder Karobbaumes wurde nur über wenige andere Bäume so oft und mit solcher Verehrung geschrieben wie über ihn. Unter den religiösen Texten ist das mesopotamische *Gilgamesch-Epos* (erste Teile um 1800 v. u. Z.) der erste, der den Johannisbrotbaum erwähnt, und die Geschichte von Enkidu und Šam at, in der er vorkommt, gilt in der Wissenschaft häufig als Inspiration für die sehr viel später entstandene Erzählung von Adam und Eva. Auch im jüdischen Talmud und im islamischen Koran kommt dieser erstaunliche Baum vor, was für seine historische Bedeutung spricht. Das Wort »Karob« stammt vom Arabischen *kharrūb* für »Johannisbohnenschote« ab. Dank der stets gleichbleibenden Größe und des einheitlichen Gewichts der Karobsamen (3) wurden diese in der Antike unter der Bezeichnung *qirat* – auf Arabisch »Frucht des Karob«, wovon sich das Wort »Karat« herleitet – zum Abwiegen von Edelsteinen verwendet, so behauptet es zumindest die Legende.

Der Johannisbrotbaum, der nicht nur in extremer Dürre und Hitze wächst, sondern auch dann gedeiht und Früchte trägt, wenn alle anderen Nutzpflanzen schlapp machen, galt lange als Wunderbaum. Tatsächlich verfügt er über zahlreiche außergewöhnliche Eigenschaften: Er fühlt sich in basischen, salzigen, kargen und trockenen, steinigen Böden wohl und wird diese durch seine tief reichenden, festigenden Wurzeln verbessern, indem er Stickstoff bindet. Er ist ein idealer und äußerst produktiver Windschutz für jedes Agroforstsystem auf trockenen Böden.

Das Fruchtfleisch in den Samenhülsen des Johannisbrotbaumes kann man sowohl roh als auch gekocht verzehren, während die Samen zu Mehl vermahlen, zu einem koffeinfreien Kaffeeersatz oder zu einer Art essbarem

3

Gummi verarbeitet werden. Ein unglaublich köstliches und verschiedenartig einsetzbares libanesisches Süßungsmittel, *dibs el kharrub*, entsteht aus in Wasser gekochten geschroteten Karobsamen, deren Kochflüssigkeit dann zu einer sirupartigen Konsistenz reduziert wird. Die getrockneten Samenhülsen schmecken fast wie Schokolade und sind ein toller Ersatz dafür. Die Samen lassen sich zu glutenfreiem Mehl vermahlen, während Johannisbrotkernmehl (Carubin) als Verdickungs- und Geliermittel dient.

Knorpeltang

Chondrus crispus (Gigartinaceae)

Landpflanzen entstanden vor etwa 500 Millionen Jahren aus Grünalgen. Ihre roten Gegenstücke blieben hingegen zurück und entwickelten sich zu den verschiedenen Seetangarten des Ozeans. Da rotes Licht Mühe hat, das Wasser zu durchdringen, passten sich die Rotalgen (die eigentlich nicht alle rot sind) an und gewannen Energie aus blauem Licht, der letzten Farbe, die im Zwielicht der Tiefsee auftaucht. *Chondrus crispus* gehört zu den am häufigsten konsumierten Algenarten. Auch wenn Sie noch nie davon gehört haben, so haben Sie die Alge doch ganz sicher schon einmal gegessen, denn der Lebensmittelzusatzstoff Carrageen (E 407) wird aus Knorpeltang hergestellt und dazu verwendet, unzählige Lebensmittel wie Frischkäse, Eiscreme und Milch- und Pflanzenmilchprodukte einzudicken, zu emulgieren oder zu konservieren. Die Wissenschaft diskutiert im Moment jedoch, ob Carrageen ungünstige Auswirkungen auf die menschliche Gesundheit haben könnte. Wir sollten also festhalten, dass Carrageen ein chemisch verarbeiteter Stoff ist, der mit dem nährstoffreichen vollwertigen Knorpeltang mit seiner langen kulinarischen Geschichte nichts mehr zu tun hat. In Irland, wo Knorpeltang – auch »Irisches Moos« genannt – reichlich wächst und seit Langem genutzt wird, war er während der Großen Hungersnot Mitte des 19. Jahrhunderts ein überlebenswichtiges Nahrungsmittel.

Da sich Knorpeltang fest an die Felsen unter Wasser klammert, aber auch in frei schwebender Form gedeiht, eignet er sich hervorragend sowohl für die Aquakultur im offenen Wasser als auch im Becken. Er ist mäßig hitzetolerant, kann also sowohl den Auswirkungen des Klimawandels widerstehen als auch diesem durch seine Fähigkeit zur CO2-Bindung aktiv entgegenwirken.

Die Blätter des Knorpeltangs kann man roh oder gegart essen, wobei die häufigste Zubereitungsform das Irisch-Moos-Gel ist. Dafür werden roh getrocknete Blätter über Nacht in Wasser eingeweicht, abgegossen und dann mit frischem kaltem Wasser glatt püriert. Dieses äußerst nährstoffreiche Gel hat einen Geschmack, der an Jod, Seetang und Austern erinnert, es kann Smoothies, Suppen, Saucen und Desserts zugegeben werden und dient als natürliches, veganes, glutenfreies Verdickungsmittel. Kommerziell hergestellte Pulver und Gele bilden eine geschmacksneutrale Alternative dazu. Aufgrund des hohen Jodgehalts sollte das Gel jedoch nur in Maßen genossen werden.

AUCH BEKANNT ALS
Knorpelmoos, Irisches Moos, Perlmoos, Carrageen-Alge, Irish Moss, Jelly Moss, Carrageen Moss

NATÜRLICHES VERBREITUNGSGEBIET
Die Atlantikküste Europas und Nordamerikas

EINGEBÜRGERT
Bisher an den nordatlantischen Küsten, aber auch in der Nord- und Ostsee; voraussichtliche Verlagerung des Verbreitungsgebietes durch den Klimawandel

WACHSTUMSBEDINGUNGEN
Auf Felsen und in Gezeitenbecken. Am reichlichsten 4 bis 7 Meter unter der durchschnittlichen Ebbe. Wird erfolgreich in offenen Gewässern und in Aquakultur in Zuchtbecken gezogen.

WO MAN SIE FINDET
Als getrocknete Blätter, Flocken, Pulver und Gels ist Knorpeltang in Naturkostläden weltweit erhältlich.

WIE MAN SIE ISST
Verwenden Sie Knorpeltang frisch oder rehydriert, um das vitamin- und mineralstoffreiche Gel daraus herzustellen, das Sie in Smoothies, Suppen und Saucen einrühren können.

Kaffeekirsche

Coffea arabica und *C. canephora* (Rubiaceae)

AUCH BEKANNT ALS
Kaffeebeere

NATÜRLICHES VERBREITUNGSGEBIET
C. arabica: Äthiopien, Kenia und Sudan
C. canephora (umgangssprachlich »Robusta« genannt): Tropisches Westafrika bis Südsudan und Nordangola

EINGEBÜRGERT
Weit verbreitet in den entsprechenden Klimazonen

WACHSTUMSBEDINGUNGEN
Tropisches Klima, feuchte immergrüne Wälder, bevorzugt in kühleren, höheren Lagen auf fruchtbaren leicht sauren Humusböden. Kann im Freien oder im Gewächshaus angebaut werden, wenn die notwendigen natürlichen Bedingungen erreicht werden. Trockene Winde und Temperaturen unter 5 °C werden nicht toleriert.

WO MAN SIE FINDET
Die frischen Früchte sind nur in Kaffeeanbaugebieten erhältlich, das getrocknete Fruchtfleisch (Cascara) gibt es jedoch bei spezialisierten Händlern weltweit. Cascara ist seit 2022 in der EU als Lebensmittel zugelassen.

WIE MAN SIE ISST
Kaffeekirschen sind reich an Antioxidantien. Die frischen Früchte eignen sich besonders gut für Gelees, Marmeladen oder Säfte. Verwenden Sie die Cascara zur Zubereitung von heißen oder kalten Aufgussgetränken.

Von einem kleinen Baum in den äthiopischen Bergwäldern hat sich Kaffee zu einem der wirtschaftlich bedeutendsten Pflanzenprodukte entwickelt. Er ist heute so weit verbreitet, dass wir uns gar nicht bewusst sind, dass er relativ neu ist: Er wurde erstmals Mitte des 15. Jahrhunderts konsumiert. Die Jemeniten waren die Ersten, die Kaffee außerhalb seiner Herkunftsregion anbauten und tranken, indem sie die *Coffea*-Bohnen, also die Samen, aufkochten, um daraus ein Getränk namens *gahwa* zu brauen, »das Schlaf verhindert«. Die Sufi-Mystiker sollen als Erste auf die stimulierenden Eigenschaften des Kaffees gesetzt haben, um ihren nächtlichen Gebeten Fokus und Klarheit zu verleihen. Trotz einiger Bedenken hinsichtlich seiner moralischen Auswirkungen verbreitete sich Kaffee rasend schnell über die Arabische Halbinsel und darüber hinaus – und der Rest ist Geschichte.

Aber was ist mit der Frucht, die als Kaffeekirsche bekannt ist, und deren Fruchtfleisch die Bohnen der beiden international gehandelten Arten Robusta und Arabica umgibt? Auch sie kam – und kommt noch immer – in einem Getränk zum Einsatz, das jedoch eher einem Früchtetee ähnelt und nur ein Viertel des Koffeins des uns bekannten Gebräus enthält. Heutige Kaffee-*Aficionados* kennen Getränke mit dem Aroma von Kaffeekirschen vielleicht bereits, da diese im Moment sehr im Trend liegen – die Früchte werden mittlerweile manchmal höher gehandelt als die Bohnen. Für Kaffeebauern ist dies eine äußerst gute Nachricht. Die typischerweise leuchtend rote Frucht **(1)** wird, sobald sie von der Bohne **(2)** getrennt wurde, goldbraun getrocknet und kommt als *cascara* in den Handel.

Kaffeebäume werden in Agroforstsystemen bereits umfassend eingesetzt, haben jedoch noch viel mehr zu bieten. Sie sind ein ausgezeichnetes Beispiel dafür, wie man den eingleisigen Einsatz von Nutzpflanzen vermeidet, der heute so weit verbreitet ist. Das, was für gewöhnlich als »Abfall« oder »Nebenprodukt«

2

bezeichnet wurde, ist oft einfach nur eine versäumte Gelegenheit für die nachhaltige Verwendung der zunehmend limitierten Ressourcen unseres Planeten.

In Konsistenz und Geschmack ähnelt die Frucht des Kaffeestrauches der Kornelkirsche (siehe Seite 64), wirkt jedoch weniger adstringierend. Man kann sie frisch essen oder für Gelees, Marmeladen, Säfte und Saucen verwenden. In Äthiopien wird aus den gerösteten Kaffeekirschen *buna keshir* zubereitet und in Wasser oder Milch, verfeinert mit Honig oder Salz, genossen. Der aus dem arabischen Raum kommende *qishr* wird hingegen mit Ingwer, manchmal auch mit Zimt gewürzt. Und aus den gerösteten Blättern lässt sich ein hervorragender Tee brauen, der in Äthiopien als *kuti* bekannt ist, und dessen fein nussiges Aroma an einige Grünteesorten erinnert.

Kornelkirsche

Cornus mas (Cornaceae)

AUCH BEKANNT ALS
Herlitze, Dürlitze, Hirlnuss, Dirndl, Dirndlstrauch, Dirndling, Gelber Hartriegel, Tierlibaum, Cornelian Cherry, European Cherry

NATÜRLICHES VERBREITUNGSGEBIET
Kontinentales Westeuropa in Richtung Osten bis in die Ukraine und im Süden bis nach Syrien

EINGEBÜRGERT
Dänemark, Großbritannien, Norwegen, Schweden und in den nordamerikanischen Staaten Illinois, New York und Pennsylvania

WACHSTUMSBEDINGUNGEN
Wächst auf Meereshöhe und in Höhen bis zu 1500 Metern, in leicht sandigen bis schweren Tonböden, die leicht sauer bis stark basisch sind. Toleriert trockene Bedingungen, bevorzugt jedoch feuchte, reichhaltige Böden in voller Sonne. Winterhart bis etwa −30 °C. Eignet sich für den Anbau im Garten in gemäßigten bis subtropischen Klimazonen.

WO MAN SIE FINDET
Die frischen Früchte und daraus hergestellte Produkte sind auf Märkten und bei spezialisierten Händlern in ganz Europa und Nordamerika erhältlich.

WIE MAN SIE ISST
Bereiten Sie aus den an Antioxidantien reichen Früchten Marmelade, Gelee, Sirup oder Getränke zu.

Die Kornelkirsche hat in ihrem ursprünglichen und historisch gewachsenen Verbreitungsgebiet von Westeuropa in Richtung Osten eine lange und faszinierende Geschichte. Sie ist heute als robuste, winterharte Zierpflanze beliebt, deren hübsche kleine goldgelbe Blüten die noch kahlen Winterzweige zum Strahlen bringen. Die Sommerfrüchte haben in etwa die Größe kleiner Oliven, sind leuchtend rot – karneolrot – und erinnern an Kirschen, mit denen sie jedoch nicht verwandt sind. Der Geschmack lässt sich als »süßsauer« beschreiben, wobei süß eher auf die vollreife Frucht zutrifft, besonders jener Sorten, die zum Rohverzehr gezüchtet wurden.

In der Antike wurde die Frucht von *Cornus mas* als Heilpflanze verwendet, frisch gegessen und zu Speisen und Getränken verarbeitet, ist also schon seit langer Zeit gut dokumentiert. Sie wurde beispielweise in der dem griechischen Schriftsteller Homer zugeschriebenen *Odyssee* (um 725 bis 675 v. u. Z.) erwähnt. In Serbien besagt das alte Sprichwort *»zdrav kao dren«* in etwa »gesund wie eine Kornelkirsche«, in Anspielung auf die gesundheitsfördernden Eigenschaften der Frucht. Aus dem harten, haltbaren Holz des Strauchs wurden über eine lange Zeit Werkzeuge und Radspeichen gefertigt, es war in der Antike auch das bevorzugte Material für eine Reihe von Waffen.

Die Kornelkirsche, die schon in den althergebrachten Agroforstsystemen Europas flächendeckend angepflanzt wurde – etwa in den gemischten Hecken, welche die keltischen Völker als Feldgrenzen setzten – erlebt auf dem gesamten Kontinent ein Comeback. Sie gedeiht in einer großen Vielfalt an Böden und Klimazonen und ist besonders frostresistent. Als Hecke bildet sie einen wirkungsvollen, zugleich äußerst ertragreichen Windschutz und Schutzgürtel in nördlichen Breitengraden. Im Frühling ist sie als eine der ersten blühenden Pflanzen eine ausgezeichnete Nahrungsquelle für Bestäuber, im Herbst hingegen für Vögel.

Die Frucht ist sowohl roh als auch gekocht genießbar und Bestandteil vieler mittel- und osteuropäischer Rezepte. Verarbeiten Sie sie zu süßen Chutneys, Sirupen und Säften oder legen Sie sie, genau wie Oliven, in Salzlake oder Öl ein. Die vollreife Frucht ähnelt in der Konsistenz reifen Kirschen und erinnert geschmacklich an Sauerkirschen. Ein typisch österreichischer Fruchtaufstrich wird daraus hergestellt, die »Dirndlmarmelade«, die hervorragend zu Palatschinken, Brot, Schokokuchen oder Eiscreme passt.

Erdmandel

Cyperus esculentus (Cyperaceae)

In einer Art Renaissance finden die nährstoffreichen getrockneten Knollen von *Cyperus esculentus*, die Erdmandeln, als neuestes »Superfood« ihren Weg in die Regale der Naturkostläden.

Sie bringen jedoch, wie es so oft der Fall ist, eine lange Geschichte mit. Tatsächlich ist die Wissenschaft der Ansicht, dass der *Paranthropus boisei*, ein entfernter Verwandter des Menschen in Ostafrika, sie bereits vor 2,3 Millionen Jahren verzehrt hat. Erdmandeln hätten sich sehr positiv auf das sich entwickelnde menschliche Gehirn ausgewirkt, da sie relativ große Mengen von Mineralstoffen, Vitaminen und Fettsäuren enthalten. Sie werden seit Jahrtausenden angebaut, und als Beweis ihrer »jüngeren« Bedeutung fanden Archäologen getrocknete Knollen in 6000 Jahre alten ägyptischen Gräbern. Die alten Ägypter genossen sie geröstet und als Süßigkeit, eine Köstlichkeit, auf die sie – neben Datteln, Feigen und anderen Lebensmitteln – auch im Leben nach dem Tod nicht verzichten wollten.

In Südeuropa wird die Erdmandel seit vielen Jahrhunderten angebaut. Der griechische Botaniker Theophrast schrieb im 3. Jh. v. u. Z. in seiner *Historia Plantarum* über gekochte süße Erdmandeln, während sie im Spanien des 13. Jahrhunderts als Zutat im süßen Getränk *horchata de chufa* verwendet wurden.

Als ihr Ursprung gelten im Allgemeinen Europa, Asien und Afrika, die Erdmandel gedeiht heute jedoch in beinahe allen gemäßigten, tropischen und subtropischen Klimazonen der Welt; von vielen Bauern wird sie als Unkraut betrachtet. Doch ist es genau dieses Potenzial als »Superunkraut«, das sie zu einem so mächtigen Verbündeten macht. Sie wuchert in jeder Art von Erde, ob verdichtet und nass oder trocken und sandig, sie kann die Winderosion auf Ödland verringern und die Qualität von Böden überall verbessern – all das, während sie eine Fülle an äußerst nährstoffreichen Knollen hervorbringt.

Diese Knollen kann man sowohl gekocht als auch roh verzehren, sie lassen sich zudem trocknen und zu einem Pulver vermahlen. Sie schmecken wie eine süße Kreuzung aus Pekan- und Paranüssen, sind allerdings recht schwer zu kauen und sollten deshalb besser verarbeitet genossen werden. Sie können sie für alles Mögliche verwenden, von Nussmus und Smoothies über Salate bis hin zu Eiscreme und Backwaren. Auch die heutige *Horchata de Chufa* besteht aus eingeweichten gemahlenen Erdmandeln, gemischt mit Zucker, Zimt, Vanille und Eis. Erdmandeln bilden auch die Grundlage für ein wertvolles Speiseöl, das sich durch ein intensives nussiges Aroma und einen hohen Rauchpunkt auszeichnet.

AUCH BEKANNT ALS
Tigernuss, Chufa, Amande de Terre, Tigernut, Yellow Nutsedge

NATÜRLICHES VERBREITUNGSGEBIET
Vermutlich aus Europa, Asien und Afrika stammend

EINGEBÜRGERT
Weit verbreitet in entsprechenden Klimazonen

WACHSTUMSBEDINGUNGEN
Bevorzugt morastige Böden und seichte Gewässer; wächst aber auch als Unkraut auf kultivierten Böden in jeder Erde, von saurem Schwarztorf bis zu leicht basischen Böden. Gedeiht in warmen und heißen tropischen Klimazonen. Lässt sich auch in Pflanzgefäßen ziehen.

WO MAN SIE FINDET
In Spezialitätenläden und Naturkostläden weltweit.

WIE MAN SIE ISST
Versuchen Sie verarbeitete Erdmandeln (die reich an Ballaststoffen und essenziellen Fettsäuren sind) als Nussmus, Müsli, in Smoothies, Getränken und Eiscreme. Verwenden Sie das glutenfreie Erdmandelmehl zum Backen.

AUCH BEKANNT ALS
Hungerreis, Hungerhirse, Acha, Kang, Figm, Kafea, Digitaria, Fonio Millet

NATÜRLICHES VERBREITUNGSGEBIET
Tropisches Westafrika bis Kamerun

EINGEBÜRGERT
Dominikanische Republik, Haiti und Guinea-Bissau

WACHSTUMSBEDINGUNGEN
Ein einfach anzubauendes einjähriges Süßgras, das in kargen Baum- und Grassavannen auf trockenen bis feuchten Böden in tropischem Klima gedeiht. Die verschiedenen Sorten benötigen zwischen acht und fünfundzwanzig Wochen vom Setzling bis zur Ernte.

WO MAN SIE FINDET
In auf Westafrika spezialisierten Läden und im Naturkosthandel zunehmend weltweit erhältlich.

WIE MAN SIE ISST
Sie können die an Vitamin B und Mineralstoffen reiche Foniohirse genauso wie Quinoa verwenden.

Foniohirse

Digitaria exilis (Poaceae)

Im Rennen um die Entwicklung einer ertragreichen, wenig arbeitsintensiven Getreidesorte, die der mechanisierten Landwirtschaft entgegenkommt, wurden die meisten heute verwendeten Arten intensiver Züchtung und in manchen Fällen auch genetischen Veränderungen unterworfen. Inzwischen gilt das Interesse jedoch immer stärker den sogenannten alten Getreidesorten, die im Laufe der Zeit größtenteils unverändert geblieben sind, abgesehen von natürlichen oder halbnatürlichen Landsorten (lokal angepassten Sorten), die als Reaktion auf die sich verändernden klimatischen Gegebenheiten und Wachstumsbedingungen entstanden sind. Solche Getreide wie Bulgur, Einkorn, Emmer oder Pseudogetreide wie Buchweizen, Amaranth und Quinoa erfreuen sich immer größerer Beliebtheit und sind auch gesünder als raffinierte Getreideprodukte.

Ein aufsteigender Stern am Getreidehimmel ist Fonio, oft als das »köstlichste Getreide der Welt« gepriesen. Das knie- oder taillenhohe Süßgras aus den trockenen westafrikanischen Savannen wurde erstmals vor etwa 5000 Jahren wild gesammelt und später kultiviert. Archäologische Funde, etwa in altägyptischen Grabstätten, belegen seinen Platz unter den frühesten kultivierten Getreidesorten. Die Beliebtheit von Fonio nahm im 19. Jahrhundert ab, als neuere Getreidesorten eingeführt wurden, die als überlegen galten und mit Sicherheit einfacher zu ernten waren. Heute ist die Fonio-Produktion im Aufwind, nicht nur um die lokale und internationale Nachfrage zu decken, sondern auch aufgrund von Geschmack und Nährwert dieses »Wunder«-Getreides.

Die Eigenschaft von Foniohirse, in kargen, sandigen Böden wachsen zu können – auch in jenen, die durch nicht nachhaltige landwirtschaftliche Methoden ausgelaugt wurden –, lässt darauf hoffen, dass sie in Zukunft Ernährungssicherheit auch in Ländern und Regionen gewährleisten kann, die ein Problem mit ihren Böden haben. Mit ihrem ausgedehnten Wurzelsystem erreicht sie Bodenfeuchte auch in großen Tiefen und trägt zur Verhinderung der Bodenerosion bei. Sie wächst rasch, benötigt wenig Pflege, doch Ernte und Verarbeitung ihrer winzigen Körner

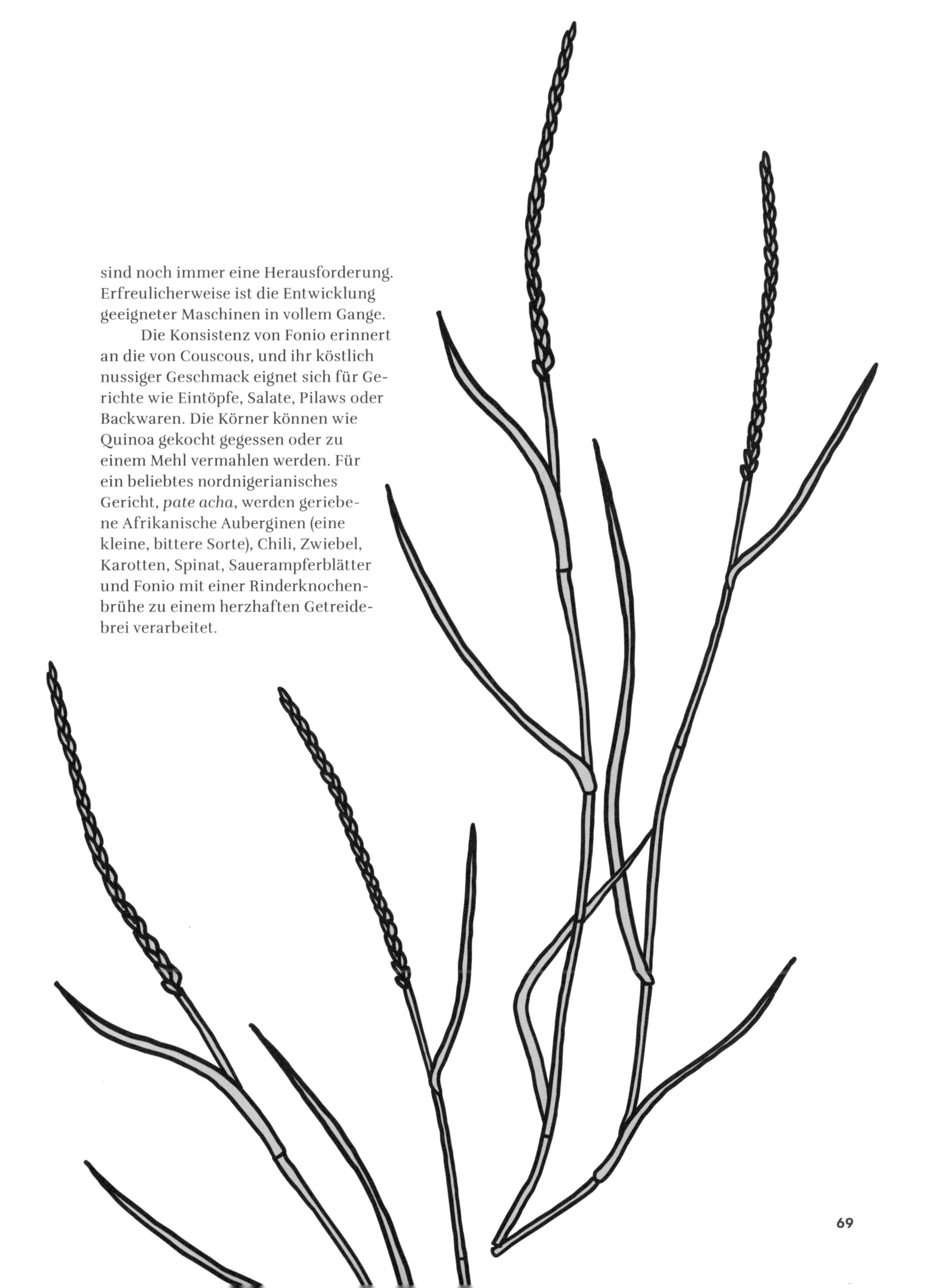

sind noch immer eine Herausforderung. Erfreulicherweise ist die Entwicklung geeigneter Maschinen in vollem Gange.

Die Konsistenz von Fonio erinnert an die von Couscous, und ihr köstlich nussiger Geschmack eignet sich für Gerichte wie Eintöpfe, Salate, Pilaws oder Backwaren. Die Körner können wie Quinoa gekocht gegessen oder zu einem Mehl vermahlen werden. Für ein beliebtes nordnigerianisches Gericht, *pate acha*, werden geriebene Afrikanische Auberginen (eine kleine, bittere Sorte), Chili, Zwiebel, Karotten, Spinat, Sauerampferblätter und Fonio mit einer Rinderknochenbrühe zu einem herzhaften Getreidebrei verarbeitet.

Die Zukunft von Brot

Was wäre die Welt ohne Brot? Vom polnischen Bagel, dem *obwarzanek*, chinesischen *shaobing*, italienischer Ciabatta, ägyptischem *aish baladi*, über deutschen Pumpernickel, isländisches *dökkt rúgbrauð* und französisches Baguette bis hin zu äthiopischem *injera*, britischen *crumpets*, indischem *paratha* und chilenischem *pan de huevo* – den meisten von uns fällt es schwer, sich einen Tag ohne zumindest ein Stück Brot vorzustellen.

Brot gab es sogar schon vor der landwirtschaftlichen Revolution, es wurde bereits vor 14 000 Jahren von den Natufiern, einem auf dem Gebiet des heutigen Jordanien beheimateten Volkes von Jägern und Sammlern, verzehrt. Wer weiß, vielleicht war es die Aussicht auf endlose Versorgung mit köstlichem Brot, die unsere Vorfahren dazu bewegte, sich ganz der auf Getreide basierenden Landwirtschaft zu widmen. Was auch immer der Grund dafür war, Getreide gehören heute zu den wichtigsten Nutzpflanzen und machen etwa 3 Milliarden Tonnen pro Jahr aus bzw. beinahe ein Drittel all dessen, was wächst. Obwohl mehr als die Hälfte davon als Viehfutter oder für industrielle Verarbeitung – etwa zur Herstellung von Biotreibstoff – verwendet wird, stellt Getreide immer noch den Hauptteil des Nahrungsenergieangebots, und viel davon wird in Form von Brot und anderen Backwaren konsumiert.

Dennoch gehören Getreide per ökologischer Definition zu den Pionierpflanzen, was bedeutet, dass sie unter den ersten Pflanzen sind, die karge Standorte besiedeln: kürzlich überflutete Flussniederungen, durch Lauffeuer zerstörte Ökosysteme, Erdrutschgebiete oder auch neu aufgetauchte Inseln. Das macht sie zu einer fantastischen, ertragreichen Nutzpflanze für Grenzstandorte, für gestörte Flächen oder von Dürre betroffenes Land. Getreide in fruchtbareren Umgebungen anzubauen, bedeutet, die ökologische Uhr jedes Jahr wieder auf null zu stellen, um für optimale Wachstumsbedingungen zu sorgen. Dies erfordert nicht nur einen unglaublichen Energieaufwand, der für gewöhnlich mit fossilen Brennstoffen gedeckt wird, sondern hat auch die allmähliche Auslaugung des Bodens zur Folge, da diesem nicht ermöglicht wird, auf ganz natürlichem Weg im Laufe der Zeit wieder an Fruchtbarkeit zu gewinnen, was schlussendlich noch mehr Energie – in Form von Düngemitteln – erfordert.

Dies ist ein Teufelskreis, der weltweit zur Degradation immenser Flächen von Land geführt hat. Um zu verhindern, dass sich dieser Teufelskreis immer weiter fortsetzt, müssen produktive Flächen für ökologisch komplexere mehrjährige Landwirtschaftssysteme, wie die Agroforstwirtschaft, genutzt werden, die im Laufe der Zeit auf natürliche Weise die Bodenfruchtbarkeit aufbauen – und das ohne übermäßigen Energieaufwand. Getreide können in diese Systeme integriert werden, etwa indem man sie zwischen Reihen von ertragreichen Bäumen setzt, was ihnen eine weniger beherrschende Rolle zuweist.

Weniger Getreide anzubauen, bedeutet jedoch nicht, dass wir auf unser geliebtes tägliches Brot verzichten müssen. Ganz im Gegenteil: Brot steht im Mittelpunkt einer spannenden Transformation, die ganz unabsichtlich von der Glutenfrei-Bewegung losgetreten wurde. Denn plötzlich entwickeln zahlreiche Hobby- und Profi-Bäcker:innen immer köstlichere getreidefreie Rezepte. Sie bedienen sich dabei der schier unglaublichen Vielzahl von Pflanzen, aus denen sich Mehl herstellen lässt: grüne Kochbananen, Eicheln, Nopales (die Blätter der Kaktusfeige), Kartoffeln, Brotfrucht, Erdbirne, Pfirsichpalme und viele andere. Brot ist bereits in einer ganzen Bandbreite glutenfreier Texturen und Aromen erhältlich, und diese Entwicklung lässt uns eine aufregende Zukunft erhoffen, mit einer unglaublichen Vielfalt an pflanzlichen Ressourcen. Eine solche Diversität ist der Dreh- und Angelpunkt eines resilienten und nachhaltigen Nahrungssystems.

Wenn Sie schon heute das Brot der Zukunft kosten wollen, versuchen Sie, Ihre Backwaren mit folgenden Zutaten herzustellen:

- EICHELMEHL
- KARTOFFELMEHL
- BANANENMEHL AUS GRÜNEN KOCHBANANEN
- BROTFRUCHTMEHL
- TRAUBENKERNMEHL
- ERDMANDELMEHL

Gemüsefarn

Diplazium esculentum (Athyriaceae)

AUCH BEKANNT ALS
Fiddlehead, Dhekia, Paco, Fougère végétale, Pucuk Paku, Kuware-shida

NATÜRLICHES VERBREITUNGSGEBIET
Ost-, Südost- und Südasien

EINGEBÜRGERT
Afrika, Australien, Neuseeland, Papua-Neuguinea und Nordamerika

WACHSTUMSBEDINGUNGEN
Gedeiht in feuchten und sumpfigen Gebieten, Wäldern, Regenwäldern und Wassergräben sowie an Flussufern in einer Reihe humusreicher, durchgehend feuchter Böden. Pflanzen Sie ihn in frostfreien, warmen, eher feuchten Bereichen oder an schattigen, geschützten Plätzen an trockenen Standorten.

WO MAN SIE FINDET
Leicht erhältlich auf Märkten und in Läden in ganz Asien und Ozeanien.

WIE MAN SIE ISST
Die jungen Farnspitzen sind reich an Eisen, Phosphor, Kalium und Protein. Versuchen Sie sie in kurzgebratenen Pfannengerichten, Salaten, Suppen, Eintöpfen und als Tempura oder auch eingelegt.

Farne gehören zu den ältesten Pflanzengruppen auf unserem Planeten. Von den etwa 10 500 Arten, die wir kennen, existieren viele schon seit 70 Millionen Jahren, und ihre Vorfahren gab es bereits vor unfassbaren 430 Millionen Jahren. Sie bringen weder Blüten noch Samen hervor, sondern vermehren sich stattdessen über Sporen und bevorzugen feuchte, schattige Standorte in Wäldern und Felsspalten, aber auch Sumpfgebiete und Marschland. Sie sind äußerst vielfältig, das Spektrum reicht von 20 Meter messenden turmhohen Baumfarnen bis zu den winzigsten Wasserfarnen von der Größe eines Fingernagels. Den Menschen dient Farn seit Jahrtausenden als Nahrung, allerdings sind nicht alle Farnarten essbar; vielmehr gilt die Mehrheit als in unterschiedlichem Ausmaß giftig.

Diplazium esculentum ist der Farn, der wohl am häufigsten konsumiert wird und dessen Nährstoffgehalt auch am umfassendsten analysiert wurde. Die Spitzen des Gemüsefarns sind vor allem unter ihrem englischen Namen »*fiddlehead*« bekannt, auf deutsch »Geigenkopf«, da die sich entfaltenden jungen Wedel (1) an die Schnecke eines Geigenhalses erinnern. Aufgrund der Nachfrage ist *D. esculentum* immer häufiger verfügbar und wird von Gemüsebauern in von der Sonne abgeschirmten Beeten gezogen. Möchte man ebenfalls so genannte »*fiddleheads*« in einer kühleren Klimazone ziehen, empfiehlt sich der unkomplizierte Straußenfarn *(Matteuccia struthiopteris)*.

Der Gemüsefarn ist sehr tolerant gegenüber nassen und morastigen Böden, weshalb er sich ideal für eine Anpflanzung an Standorten eignet, die etwa durch Überflutungen gefährdet sind. Seine Fähigkeit, auch im Schatten zu gedeihen, macht ihn zu einer nützlichen Pflanze für die Bodenschicht von Agroforstsystemen. Er wächst rasch und verfügt so über das Potenzial, Nahrungssicherheit in vielen tropischen Erdteilen zu gewährleisten.

Alle essbaren Farne sind erst nach korrekter Vorbereitung und gegart genießbar. Die Spitzen der jungen Wedel (2) müssen von den

braunen Haaren befreit und etliche Male mit frischem Wasser abgespült werden, ehe sie gekocht werden können.

Ein typisches nordindisches Rezept besteht aus gehackten Farnspitzen, die mit Asafoetida und Kreuzkümmelsamen in der Pfanne angebraten und großzügig mit Kurkuma, rotem Chilipulver und Salz bestreut werden, ehe man noch etwas hausgemachten Joghurt *(dahi)* unterrührt. Auf den Philippinen werden die jungen Wedel kurz blanchiert und in einem Salat mit Tomaten, hart gekochten Eiern, in feine Ringe geschnittenen Zwiebeln, ein wenig Zucker und Salz serviert. Die Konsistenz der Farnspitzen ist entweder knackig oder schleimig, je nachdem, wie lange man sie kocht; geschmacklich erinnern sie an Spargel, mit einer leicht säuerlich-süßen Note.

Wintergrüne Ölweide

Elaeagnus × submacrophylla (ehemals *E. × ebbingei*)
(Elaeagnaceae)

Mit Fug und Recht lässt sich behaupten, dass von den vielen nicht genutzten Pflanzen mit essbaren Früchten wohl keine so vielen Menschen bekannt ist wie die zahlreichen Arten und Hybriden der Gattung *Elaeagnus*, der Ölweiden. Allerdings bemerken nur wenige von uns die Pflanzen überhaupt, die oft an Supermarkt-Parkplätzen oder als Hecken in Städten gepflanzt sind. Sie stehen buchstäblich vor unserer Nase, mit ihren süß duftenden, oft versteckten Blüten, denen nährstoffreiche Früchte folgen. Von den mehr als fünfzig Arten kommt der Großteil aus Asien und Südeuropa, mit Ausnahme von *Elaeagnus commutata*, die aus Nordamerika stammt. Etwa zehn Arten erfreuen sich als Gartenpflanzen großer Beliebtheit, die an eine ganze Reihe von Situationen und Bedingungen angepasst sind, ausgenommen Böden mit Staunässe. Sobald sie sich eingewöhnt haben, sind sie sehr trockenheitsresistent, und als Stickstoffbinder gedeihen sie auch in magerer und schadstoffbelasteter Erde, wobei sie so auch das Wachstum von Nachbarpflanzen fördern. Ihr lange zurückreichender – und in vielen Fällen anhaltender – Einsatz in der Volksmedizin und als Nahrungsmittel ist aus vielen Kulturen ihrer ursprünglichen Herkunftsgebiete überliefert. Obwohl sie über 500 Jahre lang als exotische Zierpflanze gezogen wurde, hat man das Potenzial der Wintergrünen Ölweide als Nahrungsquelle erst vor Kurzem erforscht.

Sie eignet sich ausgezeichnet für ertragreiche Schutzgürtel und als Windschutz, sie hält es sogar in exponierten Küstenlagen aus. Auch im Schatten fühlt sie sich wohl, eignet sich also perfekt, um lückenhafte Hecken aufzufüllen, oder aber als schnittverträgliche Mittelschicht in Agroforstsystemen.

Der Strauch bringt im Spätherbst kleine Blüten und im Frühling köstliche Früchte hervor und liefert damit die am frühesten essbaren Früchte im Garten. Die Blüten haben ein intensives Aroma und sind wunderbar zum Parfümieren von Desserts, während die saftigen Beeren eine herb-säuerliche Note auszeichnet, die an Wildkirschen oder rote Johannisbeeren erinnert. Sie machen sich hervorragend in Marmeladen, Gelees, Säften, Backwaren, Limonaden, Obstwein und Fruchtgummi, passen aber auch in herzhafte Eintöpfe und Currys.

AUCH BEKANNT ALS
Immergrüne Ölweide, Ebbings-Ölweide, Ebbing's Silverberry

NATÜRLICHES VERBREITUNGSGEBIET
Eine aus dem Gartenbau stammende Hybride

WACHSTUMSBEDINGUNGEN
Ideal für magere, trockene, nährstoffarme Böden in voller Sonne oder Halbschatten. Toleriert Wind und maritime Bedingungen. Kann über ihr Wurzelsystem Stickstoff binden und ist bis etwa −25 °C winterhart.

WO MAN SIE FINDET
In Südostasien überall erhältlich. Die Beeren können direkt aus Hecken gepflückt werden, wenn man sichergestellt hat, dass sie korrekt identifiziert sind.

WIE MAN SIE ISST
Die saftigen Beeren sind reich an Vitaminen und Mineralstoffen und können sowohl roh genossen als auch zu Marmeladen, Gelees, Säften, Limonaden oder Obstwein verarbeitet werden. Auch zum Backen eignen sie sich gut.

Mizu

Elatostema involucratum (Urticaceae)

AUCH BEKANNT ALS
Uwabamisou, Rainforest Spinach, Mountain Spinach, Dumroo, Xia Ye Lou Ti Cao, Himbu

NATÜRLICHES VERBREITUNGSGEBIET
Asien

WACHSTUMSBEDINGUNGEN
Verlässlich feuchte, schattige Wälder und Waldgebiete. Toleriert kurze Trockenperioden. Im feuchten Schatten gedeiht er gut und verbreitet sich rasch.

WO MAN SIE FINDET
Wird als Blattgemüse in Bündeln auf Märkten in Japan, Bhutan und Teilen Indiens verkauft.

WIE MAN SIE ISST
Genießen Sie die knackigen mineralstoffreichen Triebe, die Stiele und die Blätter in Suppen, kurzgebratenen Pfannengerichten, als Tempura oder eingelegt.

Obwohl man sie als Wildpflanze in den Wäldern von ganz Asien und Afrika findet, ist die Gattung *Elatostema* von der Wissenschaft erst wenig untersucht, ihre Mitglieder könnten sich jedoch als nützliche essbare Pflanzen, Heilpflanzen oder sogar beides erweisen. Die Benennung ist etwas kompliziert, denn der Name *E. japonicum* steht oft auf Zutatenetiketten, im Handel dagegen häufig die Bezeichnung *E. umbellatum* var. *majus*. Die Stiele sind rot überfangen und tragen glänzend grüne Blätter mit gezähntem Blattrand **(1)**. In den Blattachseln erscheinen Büschel sehr kleiner weißer Blüten **(2)**, gefolgt von eigentümlichen violetten Brutknospen, die auf den Boden fallen, um noch mehr Pflanzen hervorzubringen. Viele der mehr als 500 bekannten Arten bildeten – und bilden immer noch – einen wichtigen Teil lokaler Ernährungsweisen. Man nimmt an, dass es an die 500 weitere Arten gibt, die noch nicht verzeichnet sind, und die kürzlich erfolgte Entdeckung von in Höhlen vorkommenden Arten, die im tiefen Schatten gedeihen, gibt einen Einblick in die Vielfalt der Gattung. Leider wachsen viele der Pflanzen in Gebieten, die durch Abholzung gefährdet sind.

Die meisten Arten dieses nicht-nesselnden mehrjährigen Krautes aus der Familie der Brennnesselgewächse gedeihen in Ostasien, Südasien und Südostasien, wo einige von ihnen als kulinarische Köstlichkeit gelten, die sowohl schmackhaft als auch nährstoffreich ist. Aus einem wilden Lebensraum bergiger, schattiger Feuchtgebiete und Ufervegetationen stammend, hat sich Mizu als dem Anbau perfekt anpassbare Pflanze erwiesen, die durch Fachhandel und Supermärkte ihren Weg auch in Profi- und Hobbyküchen findet. Aomori, eine Präfektur im nördlichen Teil der japanischen Hauptinsel Honshu, ist das größte Anbaugebiet für Mizu. Er wird dort auf ansonsten unfruchtbarem Land kultiviert, ein Umstand, der auf sein globales Potenzial als ertragreiche, hitzeresistente essbare Pflanze verweist, die nasse und karge, steinige Böden ebenso toleriert wie tiefen Schatten und Trockenperioden.

Die Triebe, Stiele und Blätter lassen sich das ganze Jahr über ernten und sowohl roh als auch gekocht verzehren. Die einfache japanische Speise *hoyamizu* besteht aus geschälten und blanchierten Mizu-Stielen, gemischt mit in Scheiben geschnittener See-Ananas (Seescheide) in einer Dashi-Brühe. Mit seiner knackigen Konsistenz und dem frischen grünen, leicht blumigen Aroma kann Mizu auch in Suppen, kurzgebratenen Pfannengerichten und als Tempura verwendet werden, schmeckt aber auch eingelegt ganz köstlich.

1
2

Zierbanane

Ensete ventricosum (Musaceae)

Die Bananen-Verwandte *Ensete ventricosum* hat bereits in der Vergangenheit zur Ernährungssicherheit in Afrika beigetragen und soll dies auch in Zukunft tun. Für all jene, die nicht auf diesem Kontinent leben und ein wenig »Exotik« in ihren Garten oder ihr Zuhause bringen wollen, ist *E. ventricosum* »Maurelii« mit ihren großen mahagoniroten, paddelartigen Blättern die perfekte Pflanze. Trotz des »Ensete Gürtels«, der sich vom Nordosten des Viktoriasees nach Südosten zu den Usambara-Bergen in Tansania erstreckte, sind Anbau und Nutzung der Pflanze außerhalb Äthiopiens so gut wie verschwunden. Dort gilt sie jedoch als Grundnahrungsmittel, das auf von Familien geführten Gehöften produziert wird, wo rund fünfzig Pflanzen eine Familie aus fünf oder sechs Personen erhalten können. Jeder Teil der Zierbanane wird in einem von den Frauen der Familie geleiteten Prozedere genutzt.

Die Zierbanane ist anfällig für Schädlinge und Krankheiten, was Ernährung und Lebensunterhalt der Menschen gefährdet. Um dem zu entgehen und um es zu ermöglichen, dass die Pflanze zukünftig auch anderswo erfolgreich angebaut werden kann, wird viel Aufwand betrieben. Durch eine Mischkultur mit Sorghum, Mais und Kaffee und durch die Nutzung genetischer Vielfalt in der Zucht, sollen Monokulturen vermieden und die Pflanze ihrem Ruf als äthiopischer »Baum gegen den Hunger« gerecht werden.

Die Zierbanane bringt selbst ohne Bewässerung eine ganzjährige reiche Ernte hervor. Das macht sie zu einer Nutzpflanze mit großem Potenzial, die Ernährungssicherheit für Millionen Menschen in Subsahara-Afrika gewährleisten könnte. Sie enthält üppige Mengen von Kohlenhydraten, Mineral- und Ballaststoffen.

Im Gegensatz zu ihrer berühmten Verwandten *Musa*, die Bananen und Kochbananen hervorbringt, wird die Zierbanane nicht wegen ihrer Früchte angebaut. Die unterirdische Knolle kann man roh oder gekocht verspeisen; der Scheinstamm sowie die Blütenstiele müssen vor dem Verzehr gekocht und verarbeitet werden. Für ein beliebtes äthiopisches Fladenbrot namens *kocho* wird der Scheinstamm abgeschabt, zerkleinert und zu einem Teig verknetet, der zwischen 3 Monaten und 2 Jahren in mit Blättern ausgekleideten Erdlöchern fermentiert, ehe er zwischen den Blättern der Pflanze im Dampf gebacken wird. Er hat einen sauerteigähnlichen Geschmack und verströmt während der Fermentation einen intensiven Käsegeruch. Der Zierbananen-»Teig« kann auch getrocknet, als Brot ausgebacken oder für Breie und Kuchen verwendet werden. Die Knolle weist in ihrer Konsistenz und im Geschmack Ähnlichkeiten mit Kartoffeln auf und lässt sich auch genau wie diese in Eintöpfen und zu Breien verarbeiten.

AUCH BEKANNT ALS
Rote Abessinische Banane, Ensete, Ethiopian Banana, False Banana

NATÜRLICHES VERBREITUNGSGEBIET
Östliches Subsahara-Afrika

EINGEBÜRGERT
Inseln im Golf von Guinea, Java und Juan-Fernández-Inseln

WACHSTUMSBEDINGUNGEN
Kühles tropisches Klima mit hoher Luftfeuchtigkeit in voller Sonne oder Halbschatten in einer Reihe von nährstoffreichen Böden. Geringfügig tolerant gegenüber Nässe, hält auch kurze Perioden von leichtem Frost und Dürre aus. In kalten Klimazonen kann sie als Zierpflanze im Haus oder als saisonale Gartenpflanze gehalten werden.

WO MAN SIE FINDET
Nur in Äthiopien.

WIE MAN SIE ISST
Versuchen Sie die kohlenhydratreiche Knolle gekocht in einem Eintopf oder als Frühstücksbrei.

Langer Koriander

Eryngium foetidum (Apiaceae)

Die Familie der Doldenblütengewächse (Apiaceae) ist eine äußerst vielfältige Gruppe von Pflanzen, die Gemüse, Kräuter und Gewürze umfasst, darunter etwa so bekannte Pflanzen wie Karotte, Pastinake, Sellerie, Engelwurz, Kümmel und Fenchel. Diese auch international bekannten Mitglieder der Familie werden bald Zuwachs erhalten durch den zweijährigen Langen Koriander, der aus Mexiko und dem tropischen Amerika stammt. Er ist ein Verwandter des wesentlich bekannteren Korianders, *Coriandrum sativum*, mit dem er nicht zu verwechseln ist. Obwohl sie etliche Eigenschaften teilen, sind die beiden ganz unterschiedlich, was Beschaffenheit und Blätter angeht.

Der lateinische Name des Langen Korianders setzt sich zusammen aus *Eryngium* (die Gattung der bekannten Edeldisteln) und dem ungerechterweise abstoßenden Zusatz *foetidum*, was so viel wie »sehr stinkend« bedeutet. Dies ist jedoch ein Hinweis auf den wichtigsten Unterschied: Der Lange Koriander hat einen weitaus intensiveren Geruch als Koriander, und zwar in einem solchen Ausmaß, dass er im Gegensatz zu seinem zarteren Cousin, der erst vor dem Servieren zugegeben wird, auch mitgekocht werden kann. Er ist ein schmackhaftes Würzkraut und Gemüse, doch er wurde jahrtausendelang auch in verschiedenen Bereichen der Volksmedizin eingesetzt, wo er sowohl bei Schlangenbissen als auch gegen Verstopfung oder Durchfall helfen soll (auch wenn das widersprüchlich erscheinen mag).

Der Lange Koriander wurde im 19. Jahrhundert in China eingeführt und ist dort mittlerweile allgemein gebräuchlich, wie auch in Südostasien und auf den Pazifischen Inseln, während Länder wie Indien, Australien und auch die USA (vor allem Hawaii) erst jetzt sein kommerzielles und kulinarisches Potenzial entdecken. Er ist perfekt an tropische Klimabedingungen angepasst und toleriert große Hitze und Schatten ebenso wie Trockenperioden und starken Regen – ganz wesentliche Eigenschaften angesichts des weltweit immer instabileren Wetters. Die widerstandsfähige und ertragreiche Pflanze ist eine großartige kommerzielle Nutzpflanze und wird als solche bald in Supermärkten auf der ganzen Welt erhältlich sein.

Dieses aromatische Kraut kann sowohl gekocht als auch roh verspeist werden. Die zentrale puerto-ricanische Sauce *sofrito* (auch als *recaíto* bekannt) ist eine Mischung aus Zwiebeln, Knoblauch, Paprikaschoten und – in der Hauptsache – einer großen Menge frischer Blätter des Langen Korianders. Obwohl er dem echten Koriander geschmacklich sehr ähnelt, zeichnet er sich durch vielfältigere Verwendungsmöglichkeiten als Garnitur, in Marinaden und als Würze in Suppen, Currys, Eintöpfen und Chutneys aus.

AUCH BEKANNT ALS
Mexikanischer Koriander, Stinkdistel, Racao, Chardon étoile fétide, Pak Chi Farang, Puerto Rican Coriander, Spiny Coriander, Culantro

NATÜRLICHES VERBREITUNGSGEBIET
Mexiko und tropisches Amerika

EINGEBÜRGERT
Südostasien und Pazifische Inseln

WACHSTUMSBEDINGUNGEN
Wälder, gestörte Flächen, feuchte und schattige Pfade in einer Vielzahl von Böden. In Klimazonen, die von Hitze und viel Sonne geprägt sind, findet der gewerbliche Anbau im Schatten statt, wodurch der Lange Koriander größere und grünere Blätter mit einem intensiveren Aroma hervorbringt. Obwohl er leichten Frost toleriert, wird er in kühleren Klimazonen für gewöhnlich als einjährige Pflanze angebaut.

WO MAN SIE FINDET
Weit verbreitet in Mexiko, Südamerika und Indien. Die Samen für den Eigenanbau sind weltweit erhältlich.

WIE MAN SIE ISST
Verwenden Sie die mineralstoffreichen Blätter als Garnitur oder in aromatischen Marinaden, Suppen und Chutneys.

Bolivianische Fuchsie

Fuchsia boliviana (Onagraceae)

AUCH BEKANNT ALS
Lady's Eardrops

NATÜRLICHES VERBREITUNGSGEBIET
Nordwest-Argentinien, Bolivien und Peru

EINGEBÜRGERT
Hawaii, Kalifornien, Mexiko, Jamaica, Guatemala, El Salvador, Costa Rica, Kolumbien, Venezuela, Ecuador, Spanien, Madeira, Kanarische Inseln, St. Helena, Réunion, Java und Neuseeland

WACHSTUMSBEDINGUNGEN
Wächst in kühlen, feuchten, moosigen Bergregionen in großer Höhe in einer Reihe von Böden. Gedeiht gut in Gärten, wo sie Schutz vor Frost benötigt; sie toleriert nur geringe Minusgrade. Lässt sich auch im Kübel ziehen.

WO MAN SIE FINDET
Die Beeren sind manchmal auf regionalen Märkten in Südamerika erhältlich oder weltweit bei Gärtnern, die Zierfuchsien züchten.

WIE MAN SIE ISST
Genießen Sie die saftigen Beeren und die Blüten roh oder in Marmeladen, Säften und eingelegt.

Die ursprünglich in Neuseeland, auf den polynesischen Gesellschaftsinseln, in Mexiko und dem tropischen Amerika beheimateten Pflanzen aus der Gattung *Fuchsia*, von der es über hundert Arten gibt, haben als beliebte Zierpflanzen auf der ganzen Welt Verbreitung gefunden. Vor etwas mehr als 300 Jahren wurden Tausende Hybriden von Züchtern entwickelt, die darum wetteiferten, die neueste Blütensensation hervorzubringen. Bei den Arten und den meisten Hybriden produzieren die üppigen Blüten **(1)** ebenso üppige Früchte **(2)**, die 5 bis 25 Millimeter lang, rund oder länglich sind und ein dunkles Rot-Grün, ein tiefes Rot oder ein intensives Violett aufweisen. Diese Beeren sind schon an sich attraktiv, sie sind aber auch essbar, ebenso wie die Blüten selbst – ein Umstand, der nur sehr erfahrenen Gärtner:innen bekannt ist. Natürlich wird diese Enthüllung alle dazu bringen, die Frucht auch zu probieren, eine in den meisten Fällen – es sei denn, man hat Glück – enttäuschende Erfahrung, da der Wohlgeschmack, mit wenigen Ausnahmen, keine Zuchtziel ist. Die schmackhaftesten Früchte wurden von indigenen Völkern in den natürlichen Verbreitungsgebieten der Pflanzen lange gehütet wie ein Schatz, etwa von den Māori in Neuseeland, die sich an den Beeren der baumähnlichen *kōtukutuku*, der *F. exorticata*, erfreuen.

Die größte Vielfalt an Fuchsien gibt es jedoch in Südamerika und in den geologischen Mikroklimata der Anden. Dort wird die *Fuchsia boliviana* seit Langem wegen ihrer wunderschönen, in Büscheln herabhängenden leuchtend roten, langen wachsartigen Blüten und der schmackhaften roten Früchte verehrt. Das Volk der Quechua kennt sie als *coapac-nucchchu*, »höherer Salbei«, in Anspielung auf eine weitere Blume, die den Inkas heilig war. Aus Holz, Keramik, Silber oder Gold hergestellte antike Trinkgefäße aus den Anden, die als *qiru* bekannt sind, zeigen eine Pflanze, die viele Historiker für die Bolivianische Fuchsie halten. Obwohl *F. boliviana* leichten Frost toleriert, ist *F. magellanica* eine bessere Entscheidung für in kühleren Klimazonen liegende Gärten.

Die Bolivianische Fuchsie gedeiht üppig und blüht ausdauernd, wobei sie von Juni bis weit in den September zahlreiche Blüten hervorbringt. Das macht sie zu einer wichtigen Nektarquelle für Kolibris und Bienen. Die saftigen Beeren sind reich an Vitaminen und Mineralstoffen. Sie haben eine pfeffrige Süße, die an Kiwis und Weintrauben erinnert, und können sowohl gekocht als auch roh gegessen werden, während die farbenprächtigen Blüten sich gut in jedem Salat machen. Das fermentierte alkoholische Getränk *chicha*, das in Teilen Chiles beliebt ist, besteht daraus, im Übrigen kann man die Blüten auch zu Marmeladen oder Säften verarbeiten und einmachen.

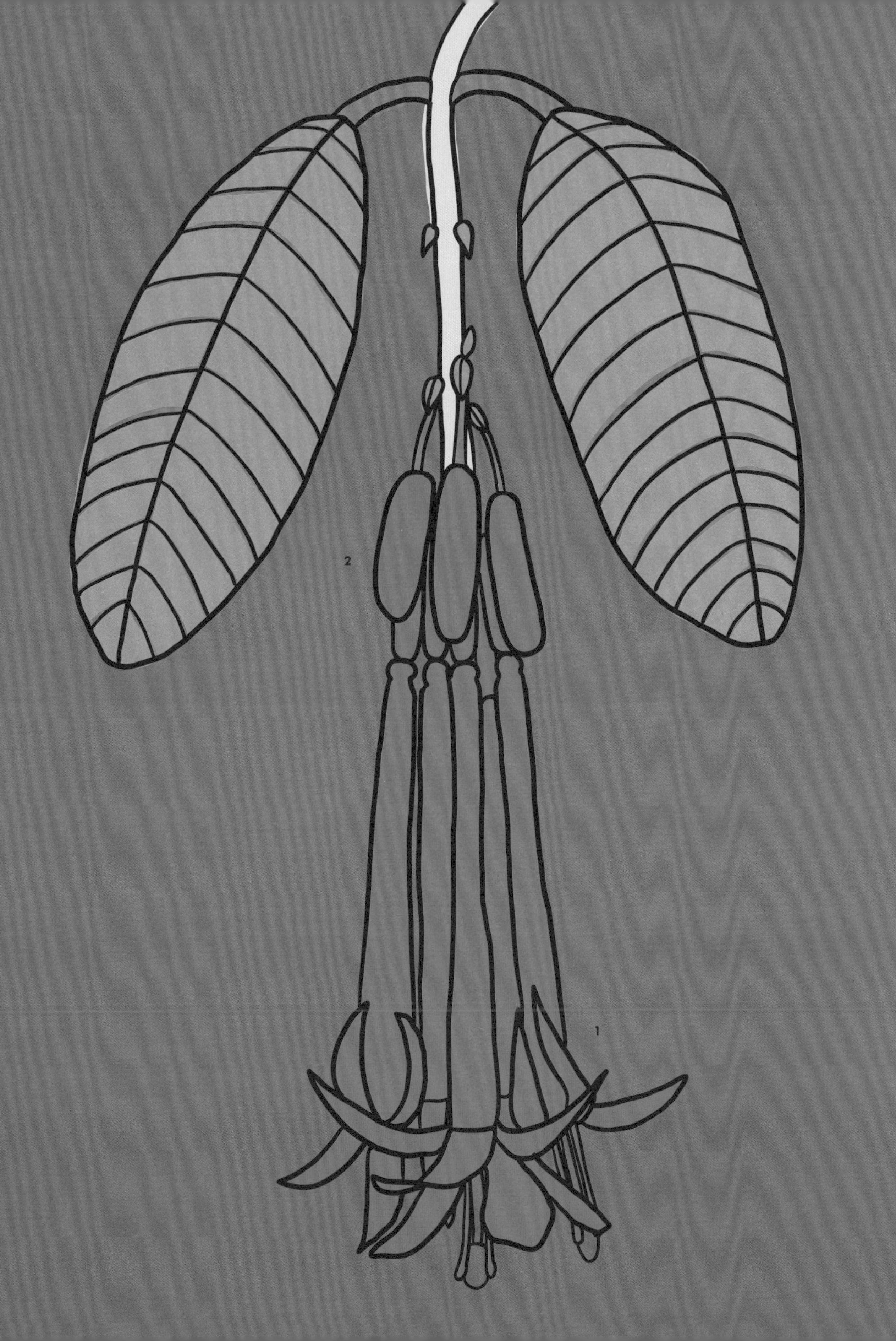

2
1

Roselle

Hibiscus sabdariffa (Malvaceae)

AUCH BEKANNT ALS
Rosella-Eibisch, Roseneibisch, Rote Malve, Sabdariff-Eibisch, Karkade, Sudan-Eibisch, Afrikanische Malve, Jamaican Tea, October Hibiscus

NATÜRLICHES VERBREITUNGSGEBIET
Zentralafrikanische Republik, Tschad, Kongo, Gabun, Ghana, Nigeria und Sudan

EINGEBÜRGERT
An anderen Orten Afrikas, aber auch in Asien, der Karibik, Nord- und Südamerika

WACHSTUMSBEDINGUNGEN
Wächst in verschiedenen Bodenarten in tropischen Klimazonen in voller Sonne, bevorzugt sandigen Lehm mit Feuchtigkeit speicherndem Humus. Gedeiht gut in warm-gemäßigten Zonen und als einjährige Pflanze auch unter kühleren Bedingungen.

WO MAN SIE FINDET
Weltweit.

WIE MAN SIE ISST
Bereiten Sie aus den Blütenkelchen einen köstlichen Tee zu, der reich an Vitamin C ist und den Blutdruck senkt, oder verwenden Sie diese für Sirup, Saft oder Marmelade, und diese wiederum für Backwaren.

Viele Menschen denken bei Hibiskus an das tropische Paradies Hawaii, wo er als Nationalblume verehrt wird. Es ist jedoch der chinesische Hibiskus, *Hibiscus rosa-sinensis*, mit seinen großen dekorativen Blüten, deren Farben von Weiß über Rosa, Rot, Gelb und Apricot bis Orange reichen, der diese Art mit Zierwert am besten repräsentiert. Gartenfreunde, vor allem jene in gemäßigten Klimazonen, sind sich der langen Geschichte der medizinischen und kulinarischen Anwendungsgebiete einiger Hibiskusarten vielleicht gar nicht bewusst.

Eine Art, die traditionell von großer kulinarischer Bedeutung ist und sich steigender Nachfrage erfreut, ist *H. sabdariffa*, für gewöhnlich als »Roselle« bekannt. Diese in der Antike kostbare Handelspflanze verbreitete sich vom westlichen tropischen Afrika und vom Sudan bis nach Ägypten, Asien und Südamerika. Sie gilt als kurzlebige mehrjährige Pflanze und wird oftmals auch nur als einjährige Pflanze gezogen, die rasch eine Höhe von bis zu 3,5 Metern erreicht. Der tiefrote Stamm ist von dunkelgrünen bis roten Blättern überzogen, die jung verzehrbar sind. Die Blüten (1) können weiß, rosa überhaucht oder lachsfarben sein mit einem dunkelroten Auge, sie erscheinen in langer Abfolge aus Knospen, die von schützenden weinroten Kelchblättern umgeben sind (2). Diese Blütenkelche werden prall und bilden den Samen aus. Sie werden geerntet, wenn sie zart und frisch sind (3).

Die oft auf minderwertigem Boden gezogene Roselle ist eine widerstandsfähige Kulturpflanze mit zahlreichen Nutzungsmöglichkeiten, die Dürreperioden ebenso toleriert wie heftige Regenfälle. Damit eignet sie sich weltweit für Landwirte, die für den Eigenbedarf anbauen, und bietet eine Lösung zur Sicherung von Nahrung und Einkommen.

Die fleischigen Kelchblätter sowie die jungen Blätter und Stiele lassen sich sowohl gekocht als auch roh genießen, während die Samen geröstet und zu einem glutenfreien Mehl vermahlen werden. Ein einfaches, aber köstliches Getränk erhalten Sie, wenn Sie die frischen oder getrockneten Blütenkelche 10 bis 15 Minuten in kochendem Wasser ziehen lassen.

3

Mit ihrem süß-sauren Geschmack, der an Cranberrys oder Rhabarber erinnert, können die Blütenkelche für Salate, Marmeladen, Gelees, Säfte, Wein, Backwaren und Sirup verwendet werden. Sie schmecken auch als Gewürz oder sogar als Beigabe zu Granola. Die Blätter erinnern an einen würzigen, rhabarberähnlichen Spinat und können ebenso verwendet werden.

Klimawandel und Pflanzen

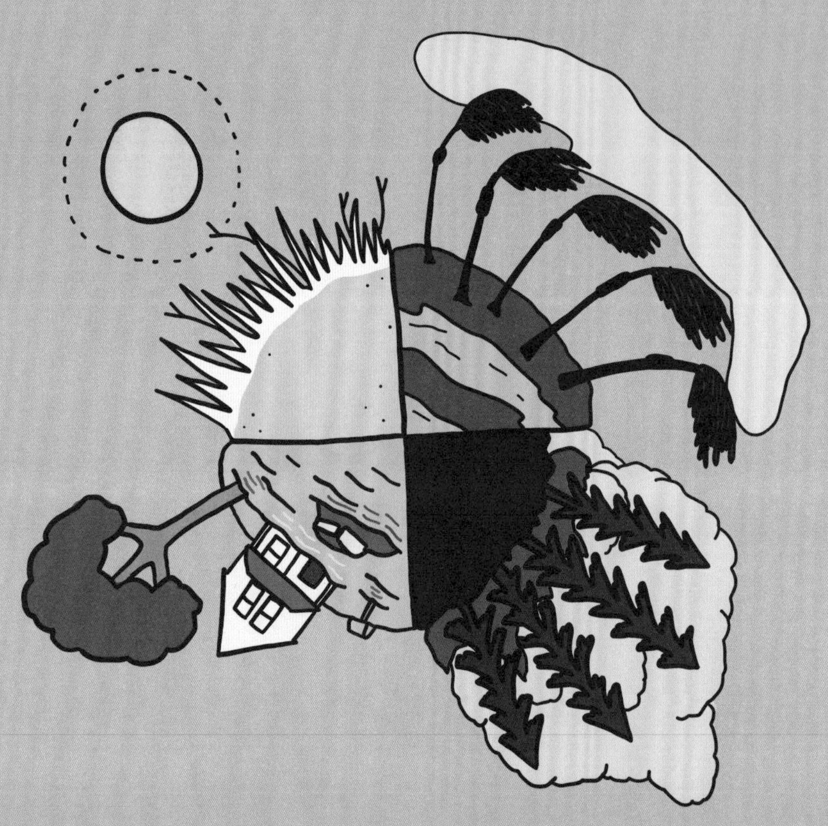

Von Hitzewellen in Europa und Überflutungen in Süd- und Ostasien über Hurrikans in Nordamerika bis hin zu Dürre in Subsahara-Afrika und Lauffeuern in Australien: Extremwetter werden immer häufiger. Es sind jedoch nicht nur die Extreme. Auch die Durchschnittswerte – vor allem die der Temperatur – sind weltweit im Ansteigen begriffen, mit einer Geschwindigkeit, die in direktem Zusammenhang mit dem Ausmaß des Ausstoßes von Treibhausgasen steht. Wir konnten uns seit der letzten Kaltzeit zwar an einer Periode relativer Klimastabilität erfreuen, doch jetzt liegt ein Zeitalter häufiger Veränderungen vor uns.

Diese stellen die Natur, wie wir sie kennen, vor massive Herausforderungen, das gilt besonders für Pflanzen, die stark an bestimmte Bedingungen angepasst sind. Mit den sich verändernden Temperaturen, der sich verändernden Meereshöhe und der sinkenden Verfügbarkeit von Wasser müssen auch die Pflanzen mithalten. Das hat drastische Auswirkungen auf die Ökosysteme, aus denen sie sich zurückziehen und in denen sie sich neu ansiedeln, da beide aus dem Gleichgewicht geraten und anfällig werden für Schädlinge und Krankheiten, aber auch für invasive Arten. Ein Dominoeffekt, der schlussendlich nicht nur negative Auswirkungen auf die allgemeine Produktivität der Pflanzen hat, sondern auch auf die grundlegenden Ökosystemfunktionen, die sie zur Verfügung stellen.

Auch für das höchst komplexe und dennoch überraschend anfällige menschliche Nahrungssystem werden sich dadurch Probleme ergeben, weil es vorwiegend auf nur wenigen einjährigen Pflanzenarten beruht, die darauf ausgelegt sind, unter stabilen Bedingungen Rekordernten zu liefern. Diese Pflanzen werden nun mit einer klimatischen Instabilität konfrontiert, für die sie nicht ausgestattet sind. Anbaugebiete in höhere Breitengrade und auf Anhöhen zu verlagern und Pflanzen durch gezielte Züchtungsmethoden relativ rasch an die veränderten Bedingungen anzupassen, sind zwei wichtige Puzzleteile, diese Methoden können jedoch nicht überall angewandt werden und nutzen nur begrenzt. Auch angesichts unvorhersehbarer Wetterextreme, die alle Anbaugebiete heimsuchen, sind sie keine Hilfe.

Um unsere Nahrungsmittelversorgung für die Zukunft zu sichern, müssen wir den Fokus auf Nutzpflanzen legen, die widerstandsfähig gegenüber Veränderungen sind, Pflanzen, die alles aushalten, von Hitze, Dürre und heftigen Regenperioden bis hin zu Überflutungen, Frost und starkem Wind, und dabei dennoch immer verlässliche Ernteerträge bringen. Zum Glück gibt es viele solcher Pflanzen, die unglaublicherweise bereits jetzt in einigen der schwierigsten Umgebungen des Planeten gedeihen. Werden diese Arten in äußerst vielfältige und resiliente Systeme – wie die Agroforstwirtschaft – integriert und in einer großen Vielfalt regional angepasster Kultursorten angebaut, dann werden sie es uns ermöglichen, den Herausforderungen entgegenzutreten, vor die uns das Zeitalter der Veränderungen stellen wird.

Sanddorn

Hippophae rhamnoides (Elaeagnaceae)

Vor etwa 12 000 Jahren, nach dem Ende der letzten großen Kaltzeit, begannen unsere Jäger-und-Sammler-Vorfahren sich ganz allmählich vom nomadischen Leben abzuwenden, sich in befestigten Siedlungen niederzulassen und Ackerbau zu betreiben. Sie domestizierten zahlreiche wilde Obstpflanzen, darunter auch den Sanddorn. Heute ist er relativ unbekannt, was umso mehr überrascht, als der Nutzen der Pflanze doch schon in der Antike bekannt war. So soll Alexander der Große (356-323 v. u. Z.) bemerkt haben, dass seine Pferde die Beeren liebten und dass sie nach dem Verzehr kräftiger waren, ein glänzenderes Fell hatten, sich rascher von Verletzungen und Krankheiten erholten und rundum gesund erschienen. Um diese Kraft und Vitalität auch für sich selbst zu nutzen, integrierte Alexander die Früchte in seine eigene Ernährung und in die seiner Truppen. Die Wissenschaft hat diese antike Erkenntnis und den ernährungsphysiologischen Nutzen dieser Pflanze, die sich heute neuer Beliebtheit erfreut und in verschiedenen Teilen der Welt kommerziell angebaut wird, bestätigt.

Als äußerst winterfester Busch oder kleiner Baum ist der Sanddorn an die denkbar rauesten Küstenverhältnisse angepasst und wächst sogar auf salzigen Sanddünen. Weder orkanartige Stürme noch Temperaturen bis -40 °C hindern ihn am Wachsen, und sogar Dürre und Hitze bis zu +40 °C machen ihm nichts aus. Eine solche Überlebensfähigkeit ist angesichts von durch den Klimawandel verursachten Wetterextremen ein nicht zu unterschätzender Vorteil. Das starke Wurzelnetzwerk der Pflanzen stabilisiert die Böden und fördert die Fruchtbarkeit, indem es Stickstoff bindet. Damit eignen sie sich bestens für Projekte zur Landgewinnung und als lebende Zäune.

Die Früchte und Blätter des Sanddorns kann man roh oder gegart essen, während aus den Samen Öl gepresst wird. Für ein einfaches wärmendes Wintergetränk kocht man die frischen Beeren zusammen mit Zimtstangen, Sternanis und Honig in Wasser. Die Beeren lassen sich auch für Marmeladen, Gelees, Säfte, Kuchen oder Suppen verwenden. Sie haben eine weiche Konsistenz und einen einzigartigen herb-säuerlichen Geschmack mit Noten von Zitrusfrüchten und Ananas. Die rohen Blätter kann man im Salat genießen oder zu einem Tee aufbrühen, der an einen leicht erdigen Grüntee erinnert.

AUCH BEKANNT ALS
Seedorn, Haffdorn, Fürdorn, Fasanenbeere, Korallenbeere, Sea Buckthorn, Common Sea Buckthorn, Sallowthorn

NATÜRLICHES VERBREITUNGSGEBIET
Der Großteil Europas, bis Sibirien und zum westlichen Himalaya

EINGEBÜRGERT
Osteuropa und Teile Nordamerikas

WACHSTUMSBEDINGUNGEN
Küstengebiete, Flussufer und -terrassen, ausgetrocknete Flussbetten, Waldränder, Dickichte auf Berghängen und Wiesen bis zu einer Seehöhe von 4200 Metern. Bevorzugt sonnige Standorte in feuchten, wasserdurchlässigen, leicht sauren bis basischen Böden, wächst jedoch auch auf nassen Böden und an halbschattigen Standorten.

WO MAN SIE FINDET
Frisch, als Saft, als Öl oder gefroren auf lokalen Märkten oder in osteuropäischen Lebensmittelläden und Apotheken in ganz Europa, Asien, Nordamerika und Australien erhältlich.

WIE MAN SIE ISST
Probieren Sie die Beeren roh oder als Tee, Saft oder Fruchtaufstrich. Tee aus Sanddornblättern ist reich an Vitamin C.

Funkie

Hosta (Asparagaceae)

AUCH BEKANNT ALS
Herzblattlilie, Yuki Urui, Urui, Sansai, Giboshi Zoku, Ginbo, Oobagiboshi, Hosta Montana, Plantain Lily

NATÜRLICHES VERBREITUNGSGEBIET
Äußerster Osten Russlands bis nach China und Japan

EINGEBÜRGERT
Osten der USA, Osteuropa und Usbekistan

WACHSTUMSBEDINGUNGEN
Die meisten Arten wachsen in feuchter, wasserdurchlässiger Erde in halbschattigem Grasland oder Waldgebieten sowie auf Berghängen oder steinigen Klippen. Funkien bevorzugen neutrale bis leicht saure Böden, tolerieren jedoch auch pH-Werte leicht jenseits dieses Bereichs. Einige sind an trockenere und stärker exponierte Standorte angepasst. Eine bekannte Art, *H. sieboldiana*, passt ihren Wasserbedarf problemlos an und gedeiht so an einer ganzen Bandbreite von Standorten.

WO MAN SIE FINDET
In Supermärkten in Ostasien unter dem Namen *urui* und weltweit bei Hobbygärtnern.

WIE MAN SIE ISST
Verwenden Sie sie gekocht oder roh in Salaten und kurzgebratenen Pfannengerichten, sautiert, gedämpft oder vom Grill. Funkien sind reich an Mineralstoffen und Vitamin C.

Funkien sind im Großteil der gemäßigten und subtropischen Welt als Gartenzierpflanzen äußerst beliebt, berühmt für die Vielfalt ihres Blattwerks und die oft auffallenden Blüten, von denen manche einen süßen Duft verströmen. Ihre evolutionären Ursprünge lassen sich nach Ostzentral-China zurückverfolgen, von wo aus sie sich nach Korea, Russland und – über die Landbrücken der letzten großen Kaltzeit – auch nach Japan weiterverbreiteten. Obwohl die Pflanzen bereits in der chinesischen Han-Dynastie (206 v. u. Z. bis 220 n. u. Z.) erwähnt werden, gelten die Japaner doch weithin als diejenigen, die ihnen schließlich zu Popularität verhalfen. Den als *giboshi zoku* bekannten Funkien wird in der schriftlichen, visuellen und kulinarischen Kultur Japans seit der Nara-Zeit (710 bis 794 u. Z.) gehuldigt. Durch Kreuzungen, Auslese und natürlich auftretende Mutationen haben spezialisierte Züchter und Sammler im Laufe der Jahrhunderte obsessiv Tausende von Sorten gezüchtet und selektiert. Seit dem 19. Jahrhundert hat diese Hingabe westliche Enthusiasten inspiriert, vor allem jene in den Vereinigten Staaten. Funkien sind elegante, für gewöhnlich großblättrige Gartenpflanzen für feuchte Standorte im Schatten. Das macht sie zum perfekten lebenden Mulch für klimaresiliente Waldgärten.

Es überrascht die westliche Leserschaft vielleicht, dass Funkien in Ostasien nicht nur als Zierpflanzen gelten, sondern auch in der Küche verwendet werden. Tatsächlich machen sie einen Gutteil der traditionellen japanischen *sansai*-Küche aus, die auf »Berggemüse« basiert, also auf Pflanzen, die in der Wildnis gesammelt wurden. In Zeiten von Dürre oder Naturkatastrophen verließ man sich in Japan traditionell auf *sansai*, um den drohenden Hungertod abzuwenden, und auch nach dem Zweiten Weltkrieg war das Berggemüse von großer Bedeutung. Bis vor relativ kurzer Zeit galten Funkien als Wildgemüse, doch sie werden zunehmend auch kommerziell als Nahrungsmittel angebaut.

Die Triebe, die jungen und ausgewachsenen Blätter, die Blattstiele und die Blüten sind sowohl gekocht als auch roh absolut genießbar. Die Triebe und jungen Blätter sind knackig, mit einem bemerkenswert süßen Geschmack, der an Erbsenschoten und junge Gurken erinnert. Die älteren Blätter und Blattstiele haben eine festere, eher ledrige, faserige Konsistenz mit einer leichten Bitternote, die an Spinat erinnert. Die Triebe und Blattstiele machen sich, ebenso wie Spargel, ausgezeichnet in kurzgebratenen Pfannengerichten, leicht gedämpft oder gegrillt, während die Blätter sautiert, in Salaten oder als weizenfreie Wraps verwendet werden können. Die hübschen Blüten sind eine süße, blumig schmeckende Köstlichkeit, die jedes Gericht ziert.

Süßkartoffelblätter

Ipomoea batatas (Convolvulaceae)

AUCH BEKANNT ALS
Batate, Knollenwinde, Weiße Kartoffel, Camote, Kuma, Patate Douce, Sweet Potato

NATÜRLICHES VERBREITUNGSGEBIET
Tropisches Amerika

EINGEBÜRGERT
Weite Teile der Tropen

WACHSTUMSBEDINGUNGEN
Wächst wirklich überall, von kühl-gemäßigtem Grasland bis zu warmen tropischen Klimazonen. An eine ganze Reihe von Böden angepasst, gedeiht sie in voller Sonne oder Halbschatten und unter frostfreien Bedingungen.

WO MAN SIE FINDET
Die Blätter auf Märkten in ganz Afrika und Asien oder bei lokalen Züchtern weltweit.

WIE MAN SIE ISST
Die Blätter sind reich an Vitamin B und Mineralstoffen. Versuchen Sie sie in Salaten, kurzgebratenen Pfannengerichten, sautiert, gekocht, als Tee oder sogar als Saft.

Die Süßkartoffel ist eine der wichtigsten Nutzpflanzen weltweit. Vielen ist sie seit unzähligen Generationen als Grundnahrungsmittel vertraut, doch für zahlreiche Menschen in kühleren Klimazonen ist sie ein exotischer Newcomer. Ihre Herkunft lässt sich auf 80 000 Jahre, bevor Menschen auf dem Plan erschienen sind, zurückverfolgen, in die tropischen Regionen Amerikas. Belege lassen vermuten, dass Samen oder Wurzeln der wilden *Ipomoea trifida* von dort durch Meeresströmungen Polynesien erreicht hatten, jedoch durch unterschiedliche Entwicklungen über die Jahrhunderte ausgestorben sind. Schließlich brachte die Hybridisierung der beiden Arten die Süßkartoffel hervor, wie wir sie heute essen.

Trotz des Namens handelt es sich nicht um eine nahe Verwandte der Kartoffel, sondern eher um eine Wurzel als um eine Knolle, obwohl die beiden von vielen Völkern gemeinsam kultiviert wurden. Überreste beider Pflanzen wurden in archäologischen Stätten in Peru gefunden, die auf das Jahr 2000 v. u. Z. datiert werden. Heute wird die Süßkartoffel neben der kommerziellen Produktion immer öfter als essbare Zierpflanze gezogen, mit farbenprächtigen Blättern **(1)** und hübschen Blüten **(2)**, die an Zaunwinden erinnern. Ihre Toleranz gegenüber kargen Böden und sich verändernden Wetterbedingungen und Höhen (von Meereshöhe bis hinauf auf 2500 Meter) – was in einer Welt mit zunehmender Bodendegradation und Klimawandel nicht hoch genug zu schätzen ist – hat ihren weitverbreiteten Anbau ermöglicht. Die Empfindlichkeit gegenüber Kälte und Frost schränkt ihre Einsatzmöglichkeiten allerdings ein; in kühleren Klimazonen muss man daher widerstandsfähigere Züchtungen anpflanzen, die zudem überwintert oder speziell geschützt werden müssen.

Aus kulinarischer Perspektive ist nicht nur die Wurzel (3) der Süßkartoffel von Interesse. Die Blätter und jungen Triebe sind ebenfalls essbar, und da sie mehrmals im Jahr geerntet werden können, sind ihre Erträge wesentlich höher als die vieler anderer grüner Blattgemüse. Sie sind auch weitaus weniger anfällig gegenüber Krankheiten, Schädlingen, Dürre und Feuchtigkeit bzw. Nässe. Die Blätter sind sowohl roh als auch gekocht genießbar; sie haben eine weiche Konsistenz, roh einen leicht bitteren Geschmack und gegart eine süße, spinatähnliche Note. Sie machen sich ausgezeichnet in Salaten, kurzgebratenen Pfannengerichten, sautiert, gekocht, als Tee oder zu Saft verarbeitet. Dieses nährstoffreiche Lebensmittel gehört zur Grundnahrung zahlreicher Volksgruppen in Tansania, wo es mit Sardinen gekocht und mit Reis oder gekochten grünen Bananen serviert wird.

Geben Sie acht, wenn Sie die Stiele durchschneiden, denn der austretende weiße Saft kann die Haut reizen. Waschen Sie ihn vor dem Verzehr besser ab.

2
3
1

Wilder Mangobaum

Irvingia gabonensis (Irvingiaceae)

Seit Jahrtausenden ist die *Irvingia gabonensis* ein wichtiger Baum für die Menschen im westlichen und zentralen Afrika, vom Senegal bis Angola und landeinwärts bis in die Demokratische Republik Kongo. In den Regenwäldern des Kongobeckens findet man diesen majestätischen Baum in seiner wohl eindrucksvollsten Form, mit einem massiven, von Brettwurzeln gestützten Stamm, an die 30 Meter hoch und mit einer breiten Krone aus glänzendem immergrünem Blattwerk. Von März bis Juni erscheinen Büschel hübscher, süß duftender grünlich-weißer Blüten mit gelber Mitte. Wenn die Blütenblätter abfallen und die Fruchtknoten anschwellen (1), entstehen runde oder ovale Früchte von 4 bis 8 Zentimeter Länge (2). Diese gibt es in unterschiedlichen Größen, Formen und Farben, sie sind manchmal grün oder grünlich-gelb, manchmal auch gelb-rot. Letztere ähneln dann der Frucht der nicht mit der *Irvingia* verwandten Mango, *Mangifera indica*, was zu einigen der bekannten Namen führte.

Seit etwa 2010 wächst in den USA die Nachfrage nach der Nuss (3) des Wilden Mangobaumes, was in erster Linie daran liegt, dass sie als Mittel zur Gewichtskontrolle angepriesen wird. Obwohl dies nicht komplett von der Hand zu weisen ist, lenkt es doch von den zahlreichen Nutzungsmöglichkeiten der *Irvingia* als essbare Pflanze ab. Auch ihr unter dem Namen »Andok« gehandeltes Holz ist sehr begehrt. Als Folge der Abholzung sind die Wildpopulationen des Baumes bedroht, und die Regierung Gabuns hat ein Fällverbot bis 2034 verhängt. In der Zwischenzeit fördern lokale und internationale Initiativen eine nachhaltige Produktion.

Der Wilde Mangobaum, der an das feuchte tropische Tiefland angepasst ist und in einer Vielzahl von Böden wächst, gehört heute zu den wirtschaftlich bedeutendsten Nutzpflanzen Subsahara-Afrikas, was sowohl für die wild wachsenden als auch für die kultivierten Pflanzen gilt. Der Baum wird oft gesetzt, um Schatten zu bieten und Bodenerosion zu verhindern, seine Frucht ist ein wichtiges Produkt und hat eine vielversprechende Zukunft.

Die Früchte und ihre Samenkerne, die sogenannten Dika-Nüsse, sind sowohl roh als auch gekocht genießbar. Ein traditionelles nigerianisches Suppenrezept für die dicke und cremige *ogbono* besteht aus einer Mischung aus Fleisch und Fisch, Brühe, Zwiebeln, Chilis, grünem Blattgemüse und gemahlenen Kernen des Wilden Mangobaums. Aus den ungewöhnlich schmeckenden Dika-Nüssen, deren Aroma ein wenig an Mandeln erinnert, lassen sich zudem Nussmus und Speiseöl herstellen. Auch als Gewürz werden sie verwendet. Die fleischige, leicht glibberige Frucht schmeckt ein wenig wie Mango und macht sich gut in Marmeladen, Gelees, Säften und Obstweinen.

AUCH BEKANNT ALS
Afrikanischer Mangobaum, Buschmango, Ibabaum, Obabaum, Dika, Gabun-Schokolade, Ogbono, Obono, Sweet Bush Mango

NATÜRLICHES VERBREITUNGSGEBIET
Benin bis Uganda und nördliches Angola

EINGEBÜRGERT
Nachbarländer und Indien

WACHSTUMSBEDINGUNGEN
Tropischer immergrüner Regenwald, halb-laubabwerfender Regenwald, in der Nähe von Flussufern und feuchten Standorten in tiefer, fruchtbarer Erde, im lichten Schatten bis in voller Sonne. Der Baum benötigt Temperaturen zwischen 20 und 38 °C.

WO MAN SIE FINDET
Die frische Frucht ist nur in den Gebieten erhältlich, in denen sie wächst, Dika-Nüsse bekommt man in spezialisierten Naturkostläden und online weltweit.

WIE MAN SIE ISST
Die saftige, vitaminreiche Frucht ist roh köstlich, Sie können daraus jedoch auch Gelees, Marmeladen, Säfte und Obstwein zubereiten. Die Kerne schmecken roh als Snack, lassen sich aber auch zu Nussmus verarbeiten.

AUCH BEKANNT ALS
Madhukabaum, Gallertbaum, Mowrahbaum, Mahua, Mi, Illuppai, Illipé, Mohua, Arbre à Beurre, Indian Butter Tree, Honey Tree

NATÜRLICHES VERBREITUNGSGEBIET
Umstritten; es soll in Nepal, Indien, Sri Lanka und Bangladesch liegen.

WACHSTUMSBEDINGUNGEN
Gedeiht am üppigsten in heißen Regionen zwischen 28 und 50 °C, wo der Baum auch mit Trockenheit zurechtkommt. Steht bevorzugt frei und mag keinen vollen Schatten. Wächst am besten in sandiger Erde, hält es jedoch in einer Vielzahl von Böden aus.

WO MAN SIE FINDET
Weltweit, in spezialisierten Lebensmittelläden und online.

WIE MAN SIE ISST
Probieren Sie die duftenden fleischigen Blüten (eine gute Quelle für Antioxidantien) frisch oder getrocknet als natürliches Süßungsmittel oder gemahlen als glutenfreies Mehl. Verwenden Sie die Außenhüllen der Früchte als Gemüse.

Indischer Butterbaum

Madhuca longifolia var. *longifolia*
und *Madhuca longifolia* var. *latifolia* (Sapotaceae)

Unter den vielen herrlichen Bäumen, die auf dem indischen Subkontinent wachsen, gehört der Indische Butterbaum aufgrund seiner vielfältigen Nutzungsmöglichkeiten zu den beliebtesten. Die beiden Sorten – var. *longifolia*, die in Südindien und Teilen Sri Lankas verbreitet ist, und var. *latifolia*, die sich in ganz Indien findet – dienen unzähligen Menschen als Lebensgrundlage. So haben viele Familien schon seit Generationen das Recht, die Blüten der wild wachsenden Bäume zu ernten, und können dadurch allen ein nachhaltiges Einkommen sichern, wenn sie gut organisiert sind. Die Früchte stehen allen Menschen, Fledermäusen und anderen wild lebenden Tieren zur freien Verfügung, was die Verbreitung der Samen gewährleistet. Dieser stämmige, langsam wachsende Zierbaum hat große, spitze, ovale Blätter, die zunächst von intensivem Rot sind **(1)** und sich zu einem dunklen Grün umfärben, ehe sie gelb werden und abfallen, um während der Trockenzeit Wasser zu speichern. Aus den Spitzen der nackten Äste bricht eine Vielzahl rostfarbener Knospen (2), die zu cremeweißen, nachtblühenden Blüten werden **(2)**, deren fleischige Blütenblätter fest geschlossen scheinen **(3)**. Lange war man der Ansicht, der Baum würde vom Wind bestäubt, ehe jüngste Studien ergaben, dass Fruchtfledermäuse diese wichtige Aufgabe übernehmen. Jeden Morgen fallen unbefruchtete Blüten zu Boden und werden aufgesammelt, ehe wilde oder domestizierte Tiere sich daran gütlich tun können.

Der Indische Butterbaum ist ein wichtiger Bestandteil laubabwerfender tropischer Wälder und kann auf sehr mageren, sogar salzigen Böden wachsen, die er zudem stabilisiert und durch Stickstoffbindung verbessert. Auch in Trockenperioden äußerst ertragreich, eignet er sich sehr gut für Schutzgürtel und agroforstwirtschaftliche Baumreihen.

Die duftenden Blüten sind reich an Nektar, und man kann sie sowohl roh als auch gekocht verzehren, ebenso wie die Frucht, während aus den Samen ein Speiseöl gepresst wird. In Ost-Indien wird aus den fermentierten Blüten ein als *mahuli* bekannter Wein destilliert. Die Blüten haben einen ganz eigenen Geschmack mit Noten von süß-karamellig bis zu intensiv-blumig und dienen zum Süßen zahlreicher lokaler Gerichte. Sobald sie in der Sonne getrocknet sind, lassen sie sich gut lagern und zu Mehl vermahlen. Die fleischige Außenhülle der Frucht wird als Gemüse zubereitet. Aus den Samen wird außer Öl die Illipé-Butter gewonnen, aus der Margarine und Schokolade hergestellt werden, sie wird auch oft verwendet, um Ghee zu strecken.

1
2
3

Acerola

Malpighia emarginata (Malpighiaceae)

AUCH BEKANNT ALS
Acerola-Kirsche, Guaraní-Kirsche, Barbados-Kirsche, Westindische Kirsche, Jamaika-Kirsche, Ahornkirsche, Antillenkirsche, Acerola Cherry, Crepe Myrtle Cherry

NATÜRLICHES VERBREITUNGSGEBIET
Mexiko bis Nord-Kolumbien

EINGEBÜRGERT
Neukaledonien, Peru, Venezuela und zahlreiche karibische Inseln

WACHSTUMSBEDINGUNGEN
Bevorzugt tropisches Klima in halbwegs fruchtbaren, trockenen, sandigen, neutralen Böden in sonniger, aber geschützter Lage, da sie aufgrund ihrer flachen Wurzeln recht windanfällig ist. Toleriert gelegentlichen Frost, doch für hohe Erträge ist eine Temperatur von ca. 26 °C nötig, mit regelmäßigem Regen. In Klimazonen über dem Gefrierpunkt wächst sie als Zierpflanze, in kühleren Gegenden als Kübel- oder Bonsaipflanze, die nach drinnen gestellt werden kann.

WO MAN SIE FINDET
Frisch, gefroren oder als Saft leicht erhältlich auf Märkten, in Supermärkten und Naturkostläden in Europa, Amerika, Afrika, Asien und Australien.

WIE MAN SIE ISST
Probieren Sie die rohe Frucht in Säften, Backwaren, Eiscreme, Gelees, Marmeladen, Sirup und Salsa. Sie ist reich an Antioxidantien und enthält außer dem bereits erwähnten Vitamin C auch die Vitamine A, B1 und B2.

Die kleinen, jedoch äußerst auffälligen rosa Blüten von *Malpighia emarginata* bringen Früchte hervor, die jenen der nicht verwandten gewöhnlichen Kirsche so stark ähneln, dass sich der Vergleich fast unabwendbar aufdrängt – was auch in den vielen umgangssprachlichen Namen dieser Pflanze deutlich wird. Hier endet die Ähnlichkeit aber auch schon, und die Frucht dieses immergrünen Strauchs unterscheidet sich doch sehr von den Kirschen, wie es sie in den meisten Geschäften gibt. Der deutlichste Unterschied zwischen der Acerola und der echten Kirsche liegt in ihrem Vitamin-C-Gehalt, der mehr als hundert Mal so hoch ist, wie der einer Orange oder Zitrone. Die vollreife leuchtendrote Frucht besteht zu rund 80 Prozent aus Saft. All jene, die in der Nähe eines Baumes leben, können sie frisch pflücken, für den Handel wird sie jedoch nach dem Pflücken tiefgefroren oder verarbeitet, damit ihre Nährstoffe erhalten bleiben.

Die Wildform der Acerola, *Malpighia glabra*, stammt ursprünglich aus Mittelamerika und Mexiko, wo sie ein Grundnahrungsmittel der präkolumbischen Kulturen auf der Halbinsel Yucatán war. Diese alten Völker schrieben ihr zahlreiche Heilwirkungen zu, und auch die heutige Wissenschaft erkennt allmählich ihren Nutzen in Bereichen wie Herzgesundheit und Krebsvorsorge. Obwohl die Frucht in Brasilien seit Mitte der 1940er-Jahre kommerziell angebaut wird, ist die Nachfrage erst vor Kurzem gestiegen, angekurbelt vom Naturkostmarkt und der Kosmetikindustrie, die die Acerola als trendige Zutat in tropischen Produkten bewirbt, die für jugendlich wirkende Haut sorgen sollen.

Wenn sie in trockener, sandiger Erde angebaut wird, dann toleriert die Pflanze einen hohen Säure- und Salzgehalt; auch Trockenheit ist kein Problem für sie, was sie perfekt für die Herausforderungen des Klimawandels wappnet. Als Paradies für wild lebende Tiere, vor allem Schmetterlinge, kann sie bis zu drei Ernten pro Jahr liefern.

Acerola können gekocht oder roh verzehrt werden. Ihre Konsistenz ist weich und saftig, der Geschmack erinnert an leicht unreife Pfirsiche, mit Noten von Kirsche und Apfel. Für ein typisch karibisches Rezept werden frische Acerola mit Wasser püriert, abgeseiht, um die Kerne zu entfernen, mit Limettensaft und Zucker vermischt und mit Eis als erfrischendes Getränk serviert.

2
1

Breiapfelbaum

Manilkara zapota (Sapotaceae)

Der Breiapfelbaum ist ein äußerst trockenheitsresistenter, langlebiger immergrüner Baum, der 12 bis 18 Meter hoch wird, sein schweres, widerstandsfähiges rötliches Holz ist so dicht, dass es in Wasser sinkt. Heute ist er vor allem für seine köstlichen eiförmigen Früchte bekannt, die 5 bis 8 Zentimeter lang und von einer braunen Schale (1), ähnlich wie die einer Kiwi, umhüllt sind. Die zunehmende Nachfrage nach den Früchten hat zur Errichtung von Plantagen in Süd-Florida und Teilen Australiens geführt, die zu den seit Langem bestehenden Pflanzungen außerhalb seines natürlichen Verbreitungsgebietes im tropischen Amerika, der Karibik und Teilen des tropischen Asiens hinzukamen.

In seinen Ursprungsgebieten im südlichen Mexiko, Belize und Nordost-Guatemala wurde der Breiapfelbaum für seinen Latexsaft geschätzt (2), daraus entstand einer der ersten »Kaugummis«, den die Azteken *tzictli* nannten und der heute unter dem Namen *chicle* bekannt ist. Die Maya und Azteken kochten ihn, gossen ihn zu Blöcken und schnitten ihn in kleine Stücke, die man kauen konnte. 1866 soll der ehemalige mexikanische Präsident Antonio López de Santa Anna ein Stück mit seinem damaligen Sekretär Thomas Adams in New York geteilt haben. Der Erfinder und Geschäftsmann Adams erkannte das Potenzial, gründete die »American Chicle Company« und produzierte den ersten Kaugummi mit Geschmack. Er gilt als Begründer der heutigen Kaugummiindustrie und wurde damit schwerreich.

Der Breiapfelbaum gedeiht als äußerst anpassungsfähige Art in einem breiten Spektrum von Böden und Klimazonen. Er fühlt sich an der felsigen, salzumnebelten Küste ebenso wohl wie inmitten eines Tieflandregenwaldes. Zu dieser Anpassungsfähigkeit kommen als weitere Pluspunkte eine ertragreiche Ernte zweimal im Jahr und mächtige Wurzeln, die den Boden stabilisieren. Damit ist er prädestiniert zum tropischen oder subtropischen Windschutz und für agroforstwirtschaftliche Baumreihen.

Die Früchte (Breiäpfel oder Sapodillas) kann man gekocht oder roh genießen, während der Saft des Baumes unter Hitzeeinwirkung fest werden muss, ehe er gekaut werden kann. Die Konsistenz der reifen Frucht erinnert ein wenig an die von Birnen, und der intensiv süße malzige Geschmack lässt an braunen Zucker und Melasse denken. Damit eignet sie sich hervorragend für Smoothies, Marmeladen, Gelees, Säfte, Snacks aus dehydrierten Früchten und, überraschenderweise, Essig. Für ein köstliches Dessert, Chikoo-Eiscreme, püriert man die geschälten und entkernten Breiapfelfrüchte mit Kondensmilch, hebt Schlagsahne darunter und lässt das Ganze einige Stunden gefrieren.

AUCH BEKANNT ALS
Sapote, Sapotillbaum, Kaugummibaum, Sapodilla, Chicozapote, Nispero, Sicte, Mamey, Sapotilleir, Chiku, Chikoo, Chicle Gum, Common Naseberry

NATÜRLICHES VERBREITUNGSGEBIET
Mexiko bis Kolumbien

EINGEBÜRGERT
Weit verbreitet in entsprechenden Klimazonen

WACHSTUMSBEDINGUNGEN
Feuchtheiße und subhumide tropische Wälder in niedriger bis mittlerer Seehöhe. Wächst gut unter vielen verschiedenen klimatischen Bedingungen, von feuchten Tropen bis zu trockenen, kühlen subtropischen Gegenden, für eine ertragreiche Ernte braucht der Baum jedoch volle Sonne.

WO MAN SIE FINDET
Die Frucht ist in ganz Mittelamerika, Indien, Florida, Thailand und auf den Philippinen erhältlich. Verschiedene Lebensmittelprodukte und auch auf Chicle basierenden Kaugummi gibt es bei spezialisierten Lebensmittelhändlern weltweit.

WIE MAN SIE ISST
Genießen Sie die frische Frucht (eine gute Quelle für Ballaststoffe, Kohlenhydrate und Mineralstoffe) roh oder in Smoothies, Marmeladen, Gelees, Säften, Eiscreme und sogar als Essig.

Indigene Ernährungssysteme

Das Zeitalter der europäischen Expansion brachte in der zweiten Hälfte des 18. Jahrhunderts in Großbritannien, Kontinentaleuropa und den Vereinigten Staaten eine Flut neuer Technologien hervor. Diese industrielle Revolution, finanziert durch den Kolonialismus, hat unsere Ernährungsweise für immer verändert. Aufgrund des sich daraus ergebenden Bevölkerungswachstums schufen westliche Regierungen Anreize für Bauern, Maschinen, Pestizide, Fungizide und anorganische Düngemittel, wie etwa Superphospate, einzusetzen. Das markierte den Beginn der industrialisierten Monokultur-Landwirtschaft und – damit verbunden – der Ernährungssicherheit in einem bis dato ungekannten Ausmaß.

Im Rückblick betrachtet bewerten wir die Vor- und Nachteile eines solchen Zugangs mit einem wachsenden Verständnis für die Natur und für biologische Systeme. Die industrielle Landwirtschaft ging (ob unbeabsichtigt oder nicht) auf Kosten nicht nur der Menschen in den Entwicklungsländern, die oft teuer dafür bezahlten, sondern auch auf Kosten unseres Planeten. Der Anbau einer einzigen industriellen Nutzpflanze auf einer riesigen Fläche hatte einen gigantischen Verlust an Biodiversität zur Folge – über und unter der Erde, aber auch am Himmel, in den Ozeanen und Wasserläufen. Der Mangel an lokaler Vielfalt von Nutzpflanzen und den sie umgebenden Lebensräumen reduziert die Verteidigungsmöglichkeiten der Natur gegen Schädlinge oder Krankheiten ganz massiv. Diese können sich rasch ausbreiten, oft ungehindert von den Chemikalien, die ihnen diese Möglichkeit überhaupt erst boten.

In den vergangenen Jahrzehnten hat, ausgelöst von den frühen Umweltaktivisten bis hin zu einer wachsenden Zahl von Wissenschaftlern und Bauern, ein Umdenken stattgefunden, auf der Grundlage wissenschaftlicher Untersuchungen, vor allem im Bereich Pflanzen- und Bodenbiologie, Archäobotanik und Ethnobotanik. Nicht nur durch die Erforschung vergessener Nutzpflanzen, sondern auch durch das Studium historischer und immer noch bestehender indigener Ernährungssysteme, die oftmals nicht nur ertragreich, sondern auch nachhaltig sind, konnten viele Erkenntnisse gewonnen werden. Beispiele sind etwa erfolgreiche polykulturelle Agroforstsysteme im Amazonas, äußerst produktive schwimmende Gärten *(chinampas)* auf Süßwasserseen in Mittelamerika **(1)**, komplexe Naturweidewirtschaftssysteme in Trockengebieten Subsahara-Afrikas, integrierte Reis-/Fisch-Systeme in Asien **(2)** und das mit Jagen und Sammeln kombinierte Pastoralismussystem am nördlichen Polarkreis.

Die Produktion ausreichender Mengen von Nahrungsmitteln im Einklang mit der Natur und der gleichzeitige Erhalt – und in vielen Fällen die Verbesserung – der Biodiversität, verbunden mit einer zunehmenden Resilienz gegen zahlreiche Effekte des Klimawandels, machen solche Konzepte zu perfekten Modellen. Dies gilt vor allem dann, wenn sie mit modernster Wissenschaft, Technologie und Infrastruktur verbunden werden. Solche Ansätze werden bereits in dem wirksam, was viele heute für »moderne« Systeme halten, wie Agroforstwirtschaft, Permakultur, urbane Landwirtschaft, Waldgärten, Hydro- und Aquaponik. In Verbindung mit vergessenen oder an den Rand gedrängten Nutzpflanzen umgesetzt, sind dies konkurrenzlose Systeme, die die globale Ernährungssicherheit in den kommenden Jahrhunderten garantieren werden.

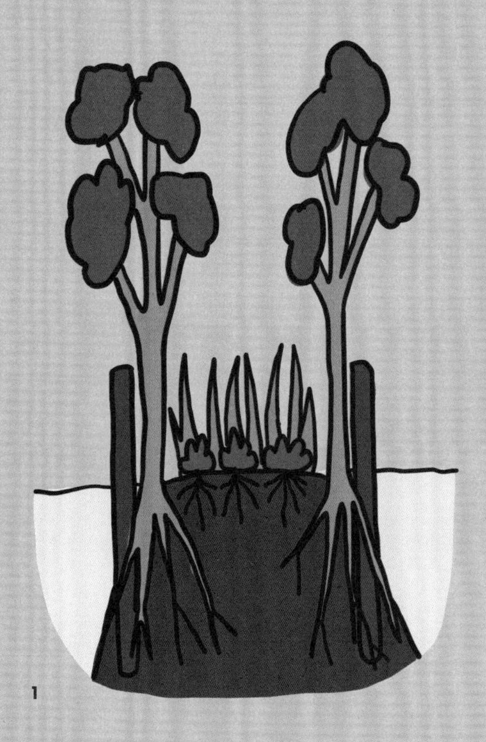

1

2

Mamoncillo

Melicoccus bijugatus (Sapindaceae)

AUCH BEKANNT ALS
Honigbeere, Quenepa, Limoncillo, Mamón, Mamincillo, Huaya, Genip, Quenette, Spanish Lime, Honey Berry

NATÜRLICHES VERBREITUNGSGEBIET
Kolumbien und Venezuela

EINGEBÜRGERT
Florida, El Salvador, Costa Rica und einige karibische Inseln

WACHSTUMSBEDINGUNGEN
Gedeiht in trockenen bis feuchten tropischen Wäldern unter unterschiedlichen Bedingungen in einer Reihe karger bis fruchtbarer durchlässiger Böden, auch in solchen mit hohem und niedrigem Säuregehalt. An Trockenheit angepasst, toleriert sie (für kurze Zeit) auch Temperaturen nahe dem Gefrierpunkt. Entwickelt sich auch an kühleren Standorten zu einem schönen Baum, bildet dann aber nur selten Früchte aus. Pflanzen Sie Ihre Mamoncillo im Halbschatten in gut durchlässige Erde, die mit organischem Material angereichert wurde.

WO MAN SIE FINDET
Auf lokalen Märkten und in auf karibische und kubanische Lebensmittel spezialisierten Läden in Amerika, Afrika und Teilen des tropischen Asiens.

WIE MAN SIE ISST
Probieren Sie die Frucht roh, bestreut mit Salz und Chili, in Rum und Zucker eingelegt, als Kuchenbelag oder in Marmeladen und Gelees. Die nährstoffreichen Samen können gekocht und geröstet oder aber zu glutenfreiem Mehl vermahlen werden.

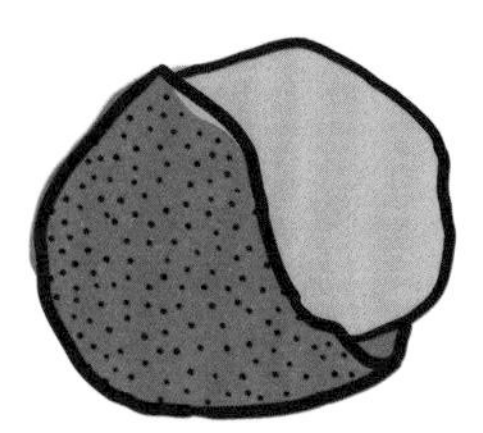

Die Mamoncillo stammt ursprünglich aus Kolumbien und Venezuela, wo der Baum sehr geschätzt wird, da er leicht zu ziehen ist, köstliche Früchte trägt und Schatten gegen die heiße Sommersonne spendet. Dort, aber auch im Großteil Süd- und Mittelamerikas, in der Karibik und darüber hinaus ist er zu einem vertrauten Anblick in Straßen, Gärten und auf Kleinbauernhöfen geworden. Trotz der zahlreichen regionalen Bezeichnungen wird die Mamoncillo im englischsprachigen Raum am häufigsten als »Spanish Lime« (Spanische Limette) bezeichnet, vor allem in den Vereinigten Staaten, wo sie immer beliebter wird. Die Frucht, die kleiner ist als eine herkömmliche Limette, ähnelt ihr zwar in Form und Farbe, hat jedoch ansonsten mehr gemein mit ihrer Verwandten, der Litschi *(Litchi chinensis)*. Die äußere schalenartige Haut der Frucht wird aufgebrochen und enthüllt ein hellgelbes bis lachsoranges gallertartiges Fruchtfleisch, das unreif eher scharf schmeckt, im reifen Zustand jedoch herrlich süß ist. Die zarten, hübschen weißen Blüten sind sehr beliebt bei Kolibris und Bienen, da sie reichlich Nektar enthalten. Der daraus gewonnene Honig ist dunkel und köstlich. Die Früchte hängen in Büscheln von zwölf und mehr an den Spitzen der Äste. Diese Büschel können einfach im Ganzen abgenommen werden, was eine unkomplizierte Ernte und eine ansprechende Verkaufspräsentation ermöglicht. Da sie malerisch von den bis zu 25 Meter hohen Bäumen hängen, sind sie alljährlich ein so spektakuläres Ereignis, dass dies in den USA unter Auswanderern sogar gefeiert wird.

Die Mamoncillo ist ein langsam wachsendes Kraftwerk und bringt nicht nur intensiv tropisch schmeckende Früchte hervor, sondern auch große, nährstoffreiche Samen. Geschützt von einer ledrigen Haut, bleiben sowohl Früchte als auch Samen etliche Wochen lang frisch, ohne gekühlt werden zu müssen. Das prädestiniert die Mamoncillo für den Export und macht sie zu einer vielversprechenden Einkommensquelle für kleine Landwirtschaften in den Tropen.

Die Frucht kann man roh oder gekocht verzehren, während die Samen gekocht oder zu Mehl vermahlen werden. Die köstliche mexikanische und karibische *champola* ist eine gefrorene Süßspeise aus frischem Fruchtfleisch, das im Standmixer mit Kondensmilch, Zucker und Eis vermischt wird. Das Fruchtfleisch kann man außerdem in Wasser kochen, um einen schmackhaften Saft daraus zu gewinnen. Das Aroma liegt zwischen Litschi und Limette.

Die nährstoffreichen Samen werden geknackt und danach gekocht oder

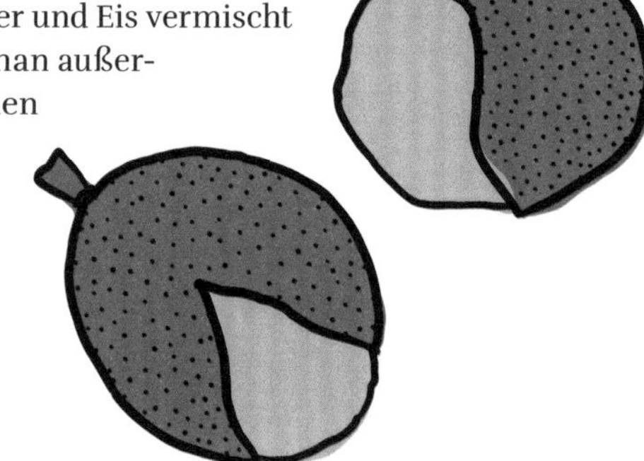

wie Maronen geröstet. Die indigenen Völker am Orinoco-Fluss verwenden die gekochten stärkehaltigen Samen als Ersatz für Maniok, was auf ihr großes Potenzial als glutenfreies Mehl oder als alternative Stärkequelle verweist. Der Geschmack erinnert an die süßen nussigen Noten einer Taro-Wurzel.

Austernpflanze

Mertensia maritima (Boraginaceae)

Von den nördlichen Küsten eines guten Dutzends von Ländern wandert diese bescheidene, jedoch wunderhübsche Pflanze aus der Familie der Raublattgewächse auf die Teller eines wachsenden Publikums. Ihre schmackhaften Blätter, Stiele und Wurzeln werden seit Langem von den Bewohnern ihres Lebensraumes gesammelt, die sie roh, fermentiert oder gekocht genießen. Dazu gehören auch die indigenen Völker der arktischen Regionen von Grönland, Kanada und Alaska.

Die Austernpflanze mit ihren niedrigen graublauen Stielen, den runden fleischigen Blättern und den türkisblauen Blüten, die sich aus rosa Knospen öffnen, ist eine sehr reizvolle Zierpflanze. Dank ihrer Anpassungsfähigkeit an extrem raue Küstenbedingungen kann sie direkt über der Hochwassermarke wachsen, und es ist zwar schwierig, aber nicht unmöglich, sie auch zu Hause zu ziehen. Die Austernpflanze gedeiht auf salzigen Nehrungen und Sandstränden, verankert durch ein Netzwerk außerordentlich starker Wurzeln, und ist ein vielversprechender Helfer bei der Stabilisierung erodierender Küstenabschnitte in nördlichen Klimazonen. Als Pflanze, die fabelhaft an Kälte angepasst ist, stirbt sie aufgrund der Folgen des Klimawandels an ihren südlichsten Standorten allmählich aus. Glücklicherweise sind Austernpflanzensamen – die sich über Meeresströmungen natürlich verbreiten – einfach zu keimen, was sich sowohl kommerzielle als auch hobbymäßige Produzent:innen von Microgreens zunutze gemacht haben.

Die fleischigen Blätter haben eine saftige Konsistenz und ein delikates salziges Meeresaroma, das an frische Austern erinnert, mit einem Hauch von Pilzen und Seetang. Die Blätter und Blüten machen sich gut in Salaten und Dips, als Garnitur oder gedämpft. Ihr subtiles Aroma kann in stark gewürzten Speisen rasch untergehen, weshalb die Austernpflanze in der Küche gerne mit Meeresfrüchten kombiniert oder einfach nur mit Crème fraîche serviert wird. Die nährstoffreiche Pflanze enthält Vitamin C und B6, Eisen, Kalzium, Kupfer, Kalium und Antioxidantien und ist zudem reich an mehrfach ungesättigten Fettsäuren.

AUCH BEKANNT ALS
Blauglöckchen, Küsten-Blauglöckchen, Austernblatt, Oysterplant, Oysterleaf

NATÜRLICHES VERBREITUNGSGEBIET
Nordeuropa, Russland, Grönland und das nördliche Nordamerika (von Alaska bis British Columbia und Massachusetts)

EINGEBÜRGERT
Wandert entlang der Küstenlinie, weg von sich erwärmenden Lebensräumen

WACHSTUMSBEDINGUNGEN
Gedeiht in durchlässigem Sand, Kies und Schotter, vermischt mit ein wenig organischem Material. Bevorzugt kaltes Klima und volle Sonne.

WO MAN SIE FINDET
In manchen Ländern in Supermärkten, sonst im Spezialhandel.

WIE MAN SIE ISST
Dämpfen Sie sie und servieren Sie sie mit Butter oder essen Sie sie roh in Salaten, fein gehackt in Dips und als Garnitur.

AUCH BEKANNT ALS
Yam Daisy, Myrnong, Garngeg, Nyamin

NATÜRLICHES VERBREITUNGSGEBIET
Australien (ausgenommen Northern Territory)

WACHSTUMSBEDINGUNGEN
Gedeiht in einer Vielzahl von Lebensräumen, am häufigsten jedoch in den trockenen, sandigen, durchlässigen Böden offener Heidewälder und Wiesen. Pflanzen Sie sie in lehmiger, feuchter, aber gut durchlässiger Erde im Garten oder als Kübelpflanze. Die Zugabe von organischem Material, Kompost oder natürlichem Dünger verhilft zu einer besseren Ernte. Bevorzugt volle Sonne, toleriert jedoch auch Halbschatten und Temperaturen nahe dem Gefrierpunkt.

WO MAN SIE FINDET
Zunehmend erhältlich in ganz Australien, allerdings nur in kleinen Mengen.

WIE MAN SIE ISST
Versuchen Sie die Wurzeln (reich an Kohlenhydraten) und Blätter roh in Salaten oder als Garnitur. Backen oder braten Sie die Wurzeln im Ofen oder in der Pfanne und mischen Sie sie mit anderem Gemüse, verwenden Sie sie in Suppen oder pürieren Sie sie für ein Dessert.

Murnong

Microseris walteri (Asteraceae)

Die ersten Australier waren halbnomadische Jäger und Sammler mit einer religiösen Vorstellungswelt, die die Natur miteinbezog und respektierte. Unter diesen indigenen Völkern waren auch die Koori, die aus einer Region stammten, die heute in etwa dem Gebiet von Victoria und New South Wales entspricht. Ein großer Teil ihrer Ernährung basiert noch immer auf Pflanzen, wobei Wurzelknollen ein Hauptnahrungsmittel sind. Die bei Weitem wichtigste war einst Murnong, ein Mitglied der Familie der Korbblütler, das dem Löwenzahn ähnelt. Die sowohl roh als auch gekocht süßlich schmeckende Pflanze wurde nach der Frühjahrsblüte von Frauen und Kindern mit Grabstöcken vorsichtig ausgegraben. Dann wurde ein Teil der Wurzel entfernt und die Pflanze wieder eingegraben. Achtsame Ernte und eine kontrollierte Brandrodung sicherten eine schier endlose Versorgung mit diesem energiereichen Lebensmittel.

Die 1770 einsetzende Kolonialisierung Australiens durch Großbritannien ging mit mit einer beschämenden, oft brutalen Geringschätzung der indigenen Völker Australiens einher. Eine der vielen tragischen Folgen war die fast vollständige Ausrottung von Murnong. 1841 bemerkte der von Großbritannien bestellte »Protector of Aborigines«, George Augustus Robinson, dass die vulkanische Hochebene von Millionen Murnong-Pflanzen bedeckt war, und beschrieb Frauen, »die über die Ebene verteilt waren, so weit mein Auge reichte, und jede trug eine Ladung, so viel sie eben vermochte«. Das war bald Geschichte, als der »Grasrausch«, die Einführung von Weiden voller Schafe und Rinder, ganz zu schweigen von Kaninchen, die einheimische Flora rapide dezimierte.

Fortsetzung nächste Seite

1

2
3

Heute gibt es Bestrebungen, Murnong an natürlichen Standorten wieder anzusiedeln, während gewerbliche Farmen die aufstrebende »Bush-Food«-Industrie zu versorgen versuchen.

Murnong, das in einer Vielzahl von Böden und Lebensräumen gedeiht, ist ein wüchsiges mehrjähriges Kraut, das zu einer bedeutenden Quelle für energiereiche Nahrung in vielen semiariden Teilen der Welt mit mediterranem Klima werden könnte. Dank seines äußerst nährstoffreichen unterirdischen Speichersystems (1) kann es in dürre- und feueranfälligen Landschaften gedeihen und benötigt wenig bis keinen Aufwand oder Einsatz (wie Bewässerung oder Dünger). Es mehren sich die Hinweise darauf, dass es sogar auf renaturierten landwirtschaftlichen Nutzflächen mit permanent erhöhtem Phosphorgehalt wächst.

Murnong-Knollen (2) kann man roh oder gekocht essen, und die Blätter (3), die ein wenig bitter schmecken, werden für gewöhnlich roh, in Salaten oder als Garnitur verspeist. Die Knollen haben eine knackige, an Rettich erinnernde Konsistenz und ein Aroma, das an reife Kokosnuss mit einer grasartigen Note denken lässt. Kochen oder Rösten verleiht ihnen die Konsistenz und das Aroma gebackener Kartoffeln, das durch einen intensiv nussigen, erdigen und leicht salzigen Ton ergänzt wird. Traditionell werden die Knollen über Nacht in einer Feuerstelle gebraten oder in einem Erd- oder Hügelofen gebacken und dann zum Frühstück gegessen. Durch die lange Garzeit schmelzen sie teilweise zu einem süßen dunklen Saft.

AUCH BEKANNT ALS
Meerrettichbaum, Pferderettichbaum, Trommelstockbaum, Behenbaum, Behennussbaum, Munaga, Suragavo, Sàndalo Ceruleo, Drumstick Tree, Horseradish Tree

NATÜRLICHES VERBREITUNGSGEBIET
Indien und Pakistan

EINGEBÜRGERT
Weithin in den entsprechenden Klimazonen

WACHSTUMSBEDINGUNGEN
Feuchte, neutrale bis leicht saure Böden, idealerweise durchlässige Lehm- oder Lehm-Ton-Erde. Bevorzugt volle Sonne in einem Temperaturbereich zwischen 25 und 40 °C, verträgt jedoch sowohl höhere als auch niedrigere Temperaturen und leichten Frost. Lässt sich leicht aus Samen oder Stecklingen ziehen.

WO MAN SIE FINDET
Verschiedene frische essbare Teile bekommen Sie auf Märkten im gesamten Verbreitungsgebiet. Das grüne Pulver gibt es weltweit in Naturkostläden.

WIE MAN SIE ISST
Verwenden Sie das Pulver aus den Blättern (eine reichhaltige Quelle für Eisen, Vitamine, Proteine, Ballast- und Mineralstoffe) in Shakes, Getränken, Salaten, Saucen und Backwaren, aber auch als Gewürz.

Moringa

Moringa oleifera (Moringaceae)

Moringa ist weithin als »Wunderbaum« bekannt, und von den vierzehn Arten, die in tropischen und subtropischen Lebensräumen auf der ganzen Welt beheimatet sind, gilt dies vor allem für die *Moringa oleifera*. Ihre Ursprünge liegen in den Himalaya-Ausläufern Indiens und Pakistans, wo sie jahrhundertelang wegen ihrer zahlreichen Verwendungsmöglichkeiten geschätzt wurde, die dann in ganz Asien, Afrika, Lateinamerika und darüber hinaus realisiert wurden. Der Baum wurde traditionell als Lieferant für Medizin, Nahrung und Speiseöl genutzt, aber auch als natürliches Pestizid, Reinigungsmittel für den Haushalt, Baumaterial und Futter für das Vieh. Aktuellere Anwendungsmöglichkeiten umfassen Biotreibstoff und die Trinkwasserversorgung, denn zerdrückte Moringasamen haben die lebensrettende Fähigkeit, verschmutztes Trinkwasser von Schwebstoffen und Bakterien zu reinigen.

M. oleifera ist ein kleiner, zierlicher, schnell wachsender laubabwerfender Baum mit herrlich duftenden cremefarbenen oder weißen Blüten (1), gefolgt von Früchten, die oft als Kapseln bezeichnet werden (2) und die runde dunkelbraune Samen von 1 Zentimeter Durchmesser enthalten. Diese sind mit 3 papierartigen Flügeln ausgestattet, damit sie besser von Wind oder Wasser verbreitet werden können (3). In kaltem Klima kann die Moringa als Kübelpflanze im Glashaus gezogen oder frostfrei über den Winter gebracht und dann im späten Frühling wieder ausgesetzt werden. Um ihre Jugendlichkeit zu erhalten und die Ernte zu erleichtern, kann man sie einmal im Jahr radikal zurückschneiden *(Coppicing)*. Ihr Vermögen, rasch nachzuwachsen und ihre universale Widerstandskraft haben ihr in Teilen Afrikas den Titel *nebedies, »never-die tree«* eingebracht: »Baum, der niemals stirbt«.

In dieser Fähigkeit, zu wachsen und auch in trockenen Gebieten in einer Vielzahl von Böden und unter unterschiedlichen Bedingungen zu gedeihen, so auch in altem, ausgelaugtem Ackerboden und versteppenden Gebieten, steckt ein großes Potenzial. Zudem ist die Moringa wenig anfällig für Schädlinge und Krankheiten, darüber hinaus toleriert sie auch leichten Frost, was sie zu einem vielseitig nutzbaren Bestandteil eines Agroforstsystems macht.

Fortsetzung auf Seite 115

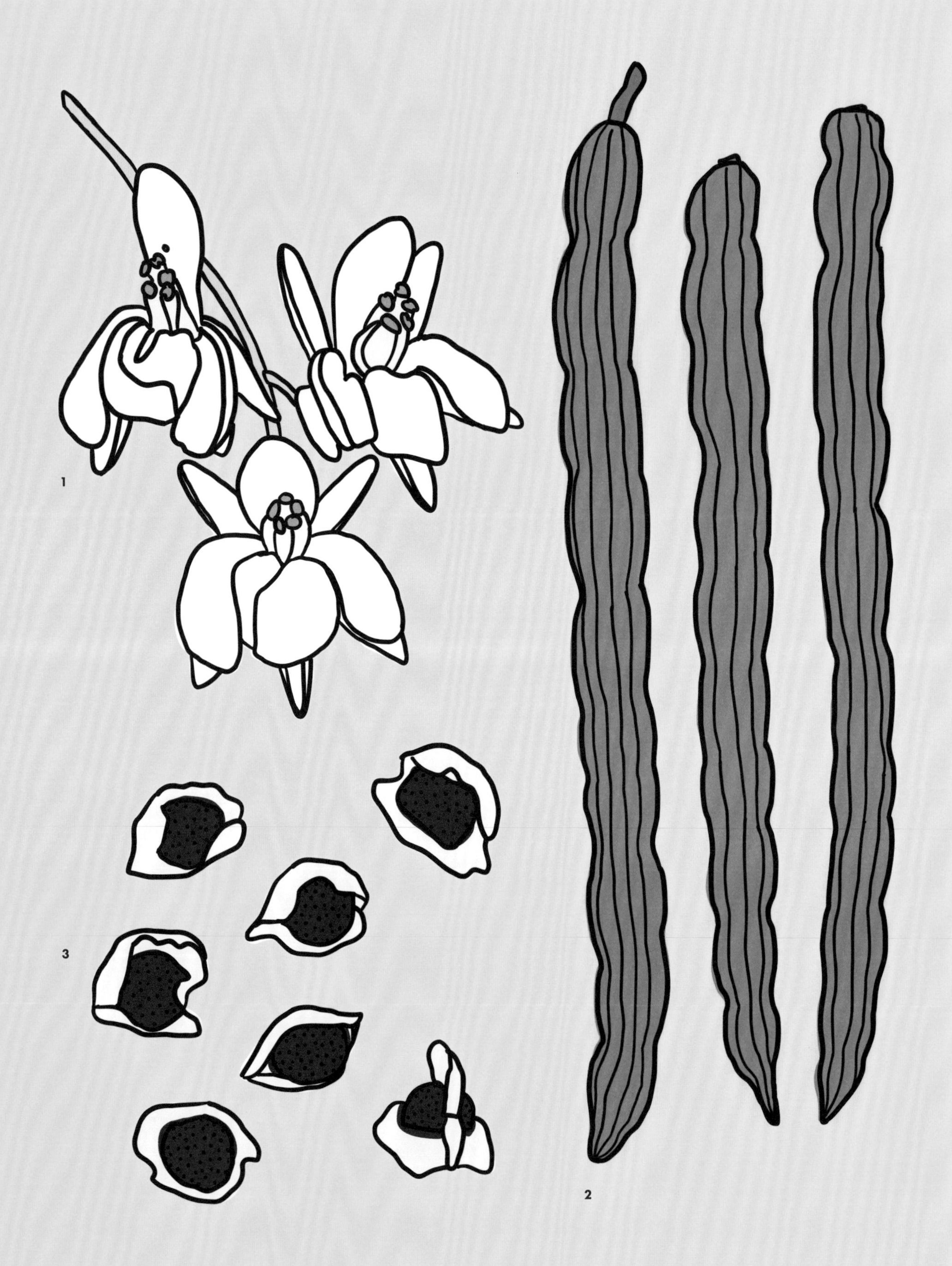
1
2
3

Beinahe alle Teile des Baumes sind essbar. Die äußerst nährstoffreichen Blätter, die jungen Triebe, die unreifen Samen, die Wurzeln und Blüten kann man roh oder gekocht verzehren, und die reifen Samen lassen sich zu Mehl vermahlen oder zu Speiseöl verarbeiten. Sogar das Harz des Baumes wird verwendet – als Emulgator für Lebensmittel. Für das köstliche südindische Pfannengericht *murungai keerai thoran* werden Moringa-Blätter in einem mit Gewürzen parfümierten Öl sautiert, dann mit einer Paste aus frischer Kokosnuss, Knoblauch, Kurkuma und Chili vermischt und auf Reis serviert. Die frischen Blätter haben ein leicht bitteres, pfeffriges Aroma mit Anklängen an Matcha und Rucola und machen sich ausgezeichnet in Suppen, Eintöpfen, Currys, in Fett Ausgebackenem und Rühreiern. Aus den Blättern lässt sich zudem ein proteinreiches Pulver herstellen, das ebenso wie das glutenfreie Mehl aus den Samen in Shakes und Getränken, aber auch als Gewürz zum Backen eingesetzt wird. Es besitzt einen herzhaften pilzähnlichen Geschmack und wird in Salatdressings, Ausgebackenem und für Tees verwendet. Die Wurzel schmeckt intensiv nach Meerrettich und lässt sich zu Würzmitteln oder Saucen verarbeiten. Die Wurzel ist reich an Alkaloiden, sollte daher also nur in Maßen genossen werden.

Pflanzen im Weltraum

Fruchtbare Erde, Sonnenlicht und Wasser waren die Grundlage aller Nutzpflanzen – bis sie es plötzlich nicht mehr waren. Alles begann mit dem ersten historisch dokumentierten Glashaus, das im Jahr 30 u. Z. für den römischen Kaiser Tiberius errichtet wurde, um das ganze Jahr über eine seiner Lieblingsspeisen, die Zuckermelone (*Cucumis melo*) – oder die Gurkenmelone (*Cucumis melo* var. *Flexuosus*), hier ist sich die Wissenschaft nicht einig – anbauen zu können. Es bestand aus gerahmten Platten aus transparentem Stein und war ein sehr früher Vorläufer dessen, was erst sehr viel später – im Korea des 15. Jahrhunderts – durch Hinzufügen eines einfachen Heizsystems und leichten Fenstern aus geöltem Papier – verbessert werden sollte. Im Europa des 17. Jahrhunderts, als große Glasplatten erhältlich waren, nahmen Glashäuser schließlich die Form an, wie wir sie heute kennen.

Im Laufe der folgenden Jahrhunderte verbreitete sich ihre Nutzung immer rascher auf der ganzen Welt und sie wurden, als neue, leichte Materialien verfügbar waren, beständig weiterentwickelt. In den 1970er-Jahren hat man schließlich die erste vollständig kontrollier- und programmierbare Anzuchtkammer in Betrieb genommen, das sogenannte Phytotron. Darin wurde Erde durch verschiedene andere Kultursubstrate, wie Steinwolle, ersetzt.

Es waren diese Innovationen – zu denen sich später die Hydroponik (hierbei wachsen Pflanzen in einer Nährlösung) und die energieeffiziente LED-Beleuchtung gesellten –, die es ermöglichten, Nutzpflanzen völlig unabhängig von der Natur zu züchten. Dies führte zum Konzept der vertikalen Indoor-Landwirtschaft, einem extrem landeffizienten modularen System, in dem Nutzpflanzen vertikal, also in mehreren Etagen, unter optimalen Klimabedingungen wachsen und weitaus mehr Nahrungsmittel pro Hektar produziert werden als in traditionellen Landwirtschaften, und die gleichzeitig weniger Wasser und Nährstoffe benötigen. In Zeiten des Klimawandels, schwindender Bodenressourcen, von Wetterextremen, Urbanisierung und einem wiederauflebenden Interesse an Reisen in den Weltraum machen solche Eigenschaften dieses Konzept extrem interessant.

Obwohl die vertikale Landwirtschaft unter finanziellen Gesichtspunkten noch nicht mit der traditionellen Landwirtschaft mithalten kann, was an hohen Energiekosten und mangelndem Umfang liegt, haben zahlreiche öffentliche und private Unternehmen aussichtsreiche Geschäftsmodelle rund um diese Idee konzipiert, sie legen den Fokus dabei zunächst auf Nutzpflanzen mit hohem Marktwert, wie etwa Microgreens. Städte untersuchen das Potenzial der vertikalen Landwirtschaft als Methode, um frisches Gemüse direkt im städtischen Umfeld zu produzieren, lange Lieferketten und damit auch einen Qualitätsverlust zu umgehen.

Außerhalb der Erde hat die Internationale Raumstation mit einigem Erfolg »Veggie« getestet, ein Pflanzenanbausystem für den Weltraum, während Forschungseinrichtungen auf der ganzen Welt nach den geeignetsten Pflanzen für zukünftige Missionen zu Mond und Mars suchen. All dies in Vorbereitung auf eine gar nicht mehr so ferne Zukunft, wenn die Erde nicht mehr der einzige Planet im Sonnensystem sein wird, auf dem Pflanzen gezogen werden.

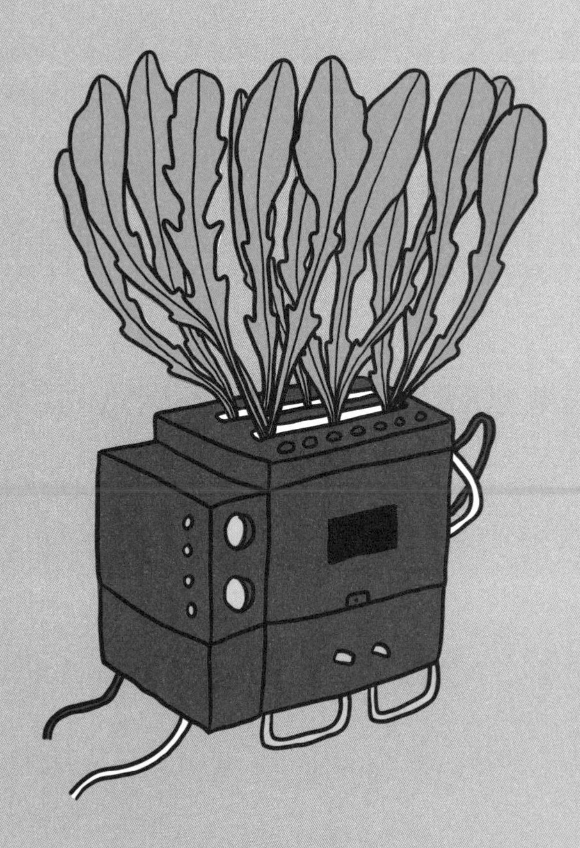

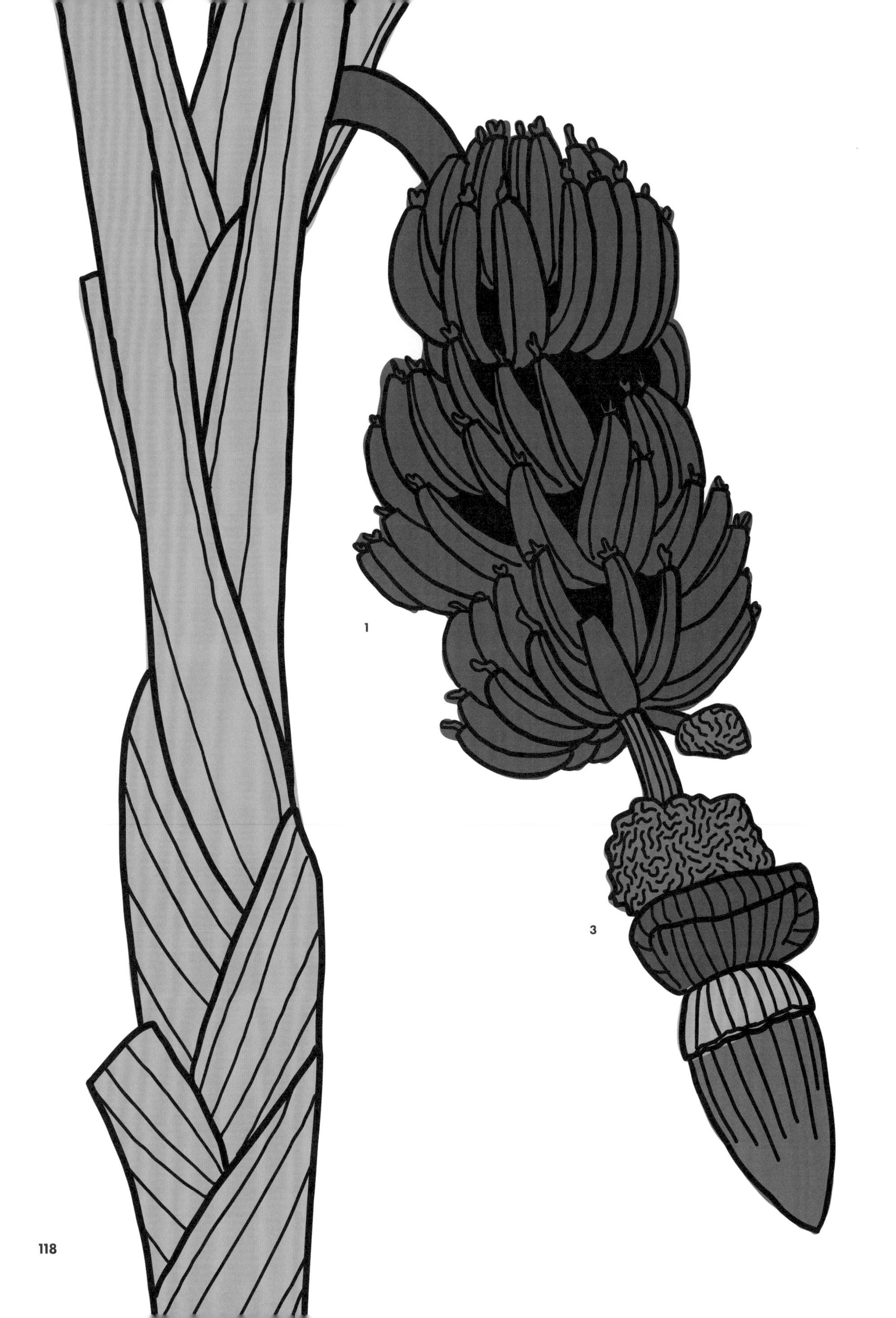
1
3

Rote Banane

Musa acuminata (Musaceae)

Als eine der beliebtesten Obstsorten der Welt taucht die Banane wohl eher unerwartet in diesem Buch auf. Die große Mehrheit der Bananen, die weltweit konsumiert werden, gehört zur selben Sorte, der Cavendish, wovon jedes Jahr 55 Millionen Tonnen gezogen werden. Es gibt aber mehr als tausend Bananensorten und die meisten davon werden nicht ausreichend genutzt. Die Rote Banane gewinnt jedoch zunehmend an Beliebtheit.

Die Banane, botanisch gesehen eine Beere, gibt es in klein und rund bis groß und so dick wie der Unterarm eines Menschen. Einige sind süß, andere sind säuerlich, manche sehr weich, andere wiederum hart. Wild wachsende Bananen enthalten eine Menge schwarzer Samen, was beim Essen unangenehm ist. Deshalb waren Bauern schon früh auf der Suche nach natürlich vorkommenden samenlosen Formen und setzten Ableger dieser ansonsten sterilen Pflanzen. Vor etwa 9000 Jahren wurde die Banane zu einer der frühesten vom Menschen domestizierten Nutzpflanzen. So begann die Reise zur Sorte Cavendish, verbunden mit den unvermeidlichen Folgen von geklonten Pflanzen und Monokulturen. Die weltweit beliebteste Bananensorte ist heute von einem Erreger, einem Schlauchpilz der Gattung *Fusarium*, bedroht, der die Pflanze sofort umbringt. (Cavendish selbst ist aus einem selektiven Zuchtprogramm hervorgegangen, um die weltweit erste kommerzielle Banane, Gros Michel, zu ersetzen, die in den 1950er-Jahren auch schon von einem Pilzstamm dahingerafft wurde.)

Die wilden Verwandten der Banane besitzen eher die genetische Vielfalt und Krankheitsresistenz, die Züchter benötigen, um neue und verbesserte Sorten zu entwickeln. Rote Bananen sind üblicherweise kürzer und runder als die Cavendish-Sorte, mit rosiger, roter bis rot-violetter Schale und weichem rosafarbenem Fruchtfleisch (1). Eine der beliebtesten Sorten ist die kommerziell produzierte Rote Dacca, die auf der Insel Mauritius kultiviert wird. Sie hat ein cremefarbiges, halbweiches Inneres in einer dicken roten oder kastanienbraunen Schale.

Rote Bananen, die in nährstoffreicher, leicht saurer Erde sehr schnell wachsen, sind eine großartige Basispflanze für tropische Agroforstsysteme. Rasch produzieren sie verkaufsfertige Früchte, aber auch eine große Menge leicht kompostierbarer Biomasse, was sie zu einer wertvollen Ressource macht, sowohl für den Bauern als auch für den Boden.

Bananentriebe (2), das Bananenherz (das weiche Innere des Stamms) und Bananenblüten (3) werden vor dem Verzehr in gesäuertes Wasser (Wasser mit Zitronensaft, Essig oder einer anderen Säure) gelegt. Kurz gekocht ist sogar die Schale essbar.

AUCH BEKANNT ALS
Red Banana, Claret Banana, Jamaican Red Banana

NATÜRLICHES VERBREITUNGSGEBIET
Ein Großteil des indischen Subkontinents, Sri Lanka und Südostasien

EINGEBÜRGERT
Florida, Costa Rica, Trinidad und Tobago, Ecuador, Juan-Fernández-Inseln, Spanien, Kanarische Inseln, Türkei, Senegal, Tansania und verschiedene Inseln im Westpazifik

WACHSTUMSBEDINGUNGEN
Gedeiht in feuchten tropischen Regionen mit einer Durchschnittstemperatur von 27 °C, in nährstoffreicher, leicht saurer Erde, die zuverlässig feucht, aber durchlässig ist. Bevorzugt volle Sonne oder Halbschatten. Für eine erfolgreiche Ernte müssen die Bananen im Äquatorgebiet wachsen, doch bei sorgfältiger Standortwahl und guter Pflege produzieren die Pflanzen auch in kühleren Zonen Früchte.

WO MAN SIE FINDET
Alle essbaren Teile sind immer öfter bei spezialisierten Händlern in Australasien, Südostasien, Afrika und Amerika erhältlich.

WIE MAN SIE ISST
Probieren Sie die reifen Früchte (reich an Kohlenhydraten) in Desserts. Die Schale ist eine Alternative zu Pulled Pork (siehe Seite 120), der Stiel wird in kurzgebratenen Pfannengerichten und in Säften verwendet, die Blüten in Eintöpfen und Salaten, die Triebe ähneln Spargel, während die Blätter als umweltfreundliche Teller dienen oder als Wraps ihren Geschmack an die eingewickelten Speisen abgeben.

Fortsetzung nächste Seite

Reife rote Bananen (4) haben einen süßen, leicht erdigen tropischen Geschmack mit Noten von Himbeere, Mango und Vanille, was sie erheblich von gelben unterscheidet. Man sollte die unreife Frucht entweder kochen – da das rohe Fruchtfleisch körnig, trocken und kreideartig ist – oder sie zu einem nährstoffreichen glutenfreien Mehl vermahlen. Ein beliebtes mauritisches Gericht besteht aus grob zerdrückter reifer roter Banane, Vanillemark, braunem Zucker und Salz, die Masse wird bei mittlerer Hitze eingekocht und dann als köstlicher tropisch schmeckender Tortenbelag verwendet. Unreife rote Bananen werden hingegen geschält, in Stifte geschnitten oder gerieben, frittiert und mit Salz und/oder Gewürzen als Pommes frites oder Chips serviert.

Die Herzen, Triebe und Blüten der roten Banane haben einen speziellen Geschmack, der an Artischocken, Palmherzen und Bambussprossen erinnert, mit einer leicht floralen Note. Als eine Lieblingszutat der traditionellen südindischen Hausmannskost wandern Bananenherzen in Currys, Pfannengerichte, Suppen, Chutneys und sogar in Säfte. Bananentriebe werden dagegen ebenso wie Spargel behandelt. In Indonesien werden sie zum Beispiel in heißer Asche geröstet. Bananenblüten haben eine Konsistenz, die an Fisch erinnert; in Sri Lanka werden sie frittiert, auf den Philippinen in Eintopf verkocht und in Thailand dünn geschnitten zum schmackhaften Salat *yam hua plee* verarbeitet.

Die Blätter sind zwar nicht direkt essbar, werden jedoch oft verwendet, um verschiedene Lebensmittel darin einzuwickeln und zu kochen, zu braten oder zu dämpfen, und sie geben ein subtil süßes, erdiges Aroma an jede Speise ab, die so zubereitet wird. Bio-Bananenschalen sind außerdem eine fantastische vegane Alternative für Fleischgerichte. Sauber gekratzt, mit einer Gabel zerteilt, kurz sautiert und mit Barbecue-Sauce vermischt, ergeben sie ein tolles »Pulled Pork«.

2
4

Yangmei

Myrica rubra (Myricaceae)

Von Alaska bis zu den Azoren, von Belgien bis Burundi, von Venezuela bis Vietnam – man könnte das ganze Alphabet aufsagen, um die Regionen und Länder aufzuzählen, in denen man der weitverbreiteten Gattung *Myrica* aus der Familie der Gagelstrauchgewächse begegnet. Die neunundvierzig verzeichneten Arten, bei denen es sich um niedrige Sträucher oder kleine Bäume handelt, sind in subtropischen und gemäßigten Klimazonen häufig anzutreffen. Der wissenschaftliche Name stammt vom griechischen Begriff für Duft ab, ein Verweis auf die harzigen Duftnoten der Pflanze (von der bislang 116 chemische Verbindungen isoliert wurden).

Trotz der weiten Verbreitung wurde in den Pflanzeninhaltsstoffen der Art nur eine geringe Variabilität festgestellt, es ist also kein Wunder, dass die Menschheit die zahlreichen Eigenschaften der einzelnen *Myrica* auf ganz ähnliche Weise genutzt hat. Die indigenen Völker Nordamerikas haben zum Beispiel *M. cerifera*, während sich in den schottischen Highlands und den Inseln *M. gale* findet, doch in beiden Verbreitungsgebieten wurden aus den jeweiligen Arten Heilmittel, Kerzen und Pestizide hergestellt. Die unterschiedlichen Arten ähneln sich auch in ihrer kulinarischen Anwendung, etwa als Würzmittel und als Zusatz zu Bier, um Schaum und Geschmack zu bilden. Oft werden sie als Zierpflanzen gezogen, häufig aber auch aus wirtschaftlichen Gründen, da ihre Rinde als Ausgangsmaterial für Papier und Seile dient, das Holz als Treibstoff verwendet wird und die Pflanze Biomasse und Früchte liefert. *Myrica* bringt nicht nur eine Fülle nährstoffreicher Beeren hervor, sondern stabilisiert auch den Boden und steigert die Bodenfruchtbarkeit, da die an ihren Wurzeln lebenden Knöllchenbakterien Stickstoff binden. All das macht sie zu einer vielversprechenden Nutzpflanze für unfruchtbare Berghänge.

Von den Arten, die ihrer Früchte wegen angebaut werden, ist *M. rubra* – Yangmei – von großer kommerzieller Bedeutung, vor allem in ihrer Heimat China. Die runden Sommerfrüchte werden 1,5 bis 2,5 Zentimeter groß und bestehen aus zahlreichen fleischigen Segmenten, typischerweise in Purpurrot, aber auch in Weiß oder Violett mit ähnlich farbigem oder hellerem Fruchtfleisch. Die Frucht, die einen kirschartigen Kern enthält, reift ausschließlich am Baum, was Ernte und Transport erschwert. Aus diesem Grund werden die Früchte vor Ort zu Produkten verarbeitet, die sich für den Export eignen. Die Frucht kann man roh oder gekocht essen. Die Beeren haben einen süßen, leicht herben Geschmack, der irgendwo zwischen Erdbeere, Cranberry und Granatapfel liegt, weshalb sie sich perfekt für Marmeladen und Gelees, Sirup, Saft und Obstwein eignen. Für Yangmei-Likör, einen erfrischenden chinesischen Sommerdrink, werden die reifen Beeren einige Monate lang in klaren, aus Reis oder Hirse destillierten Alkohol und Zucker eingelegt; an heißen Tagen wird er dann mit Eis serviert.

AUCH BEKANNT ALS
Pappelpflaume, Chinesischer Fruchthartriegel, Japanese Bayberry, Red Bayberry, Chinese Bayberry, Yumberry, Waxberry, Chinese Strawberry

NATÜRLICHES VERBREITUNGSGEBIET
China, Korea und Philippinen

EINGEBÜRGERT
Marianen- und Bonin-Inseln

WACHSTUMSBEDINGUNGEN
In Wäldern, an Berghängen und in Tälern im Halbschatten oder in voller Sonne. Winterfest bis mindestens -6 °C.

WO MAN SIE FINDET
Auf Bauernmärkten im gesamten Verbreitungsgebiet.

WIE MAN SIE ISST
Genießen Sie die köstlichen Beeren (reich an Vitamin C und Flavonoiden) frisch oder in Marmeladen, Gelees, Sirup, als Saft oder Obstwein.

Muskatnussbaum

Myristica fragrans (Myristicaceae)

AUCH BEKANNT ALS
Macis, Nutmeg

NATÜRLICHES VERBREITUNGSGEBIET
Molukken

EINGEBÜRGERT
Golf-von-Guinea-Inseln, Réunion, Mauritius, Komoren, Assam (Indien), Bangladesch, Laos, Süd- und Zentral-China, Thailand, Vietnam, Philippinen und Java

WACHSTUMSBEDINGUNGEN
Wächst wild auf nährstoffreicher vulkanischer Erde in heiß-feuchten tropischen Tieflandregenwäldern. Wird in nährstoffreicher, feuchter, neutraler bis leicht saurer Erde in voller Sonne oder im Halbschatten, geschützt vor Wind, in frostfreien Klimazonen kultiviert. Ausgewachsene Exemplare tolerieren auch leichten Frost. Der Baum trägt nach etwa fünf bis zehn Jahren, abhängig von den Bedingungen.

WO MAN SIE FINDET
Frisch oder kandiert auf Märkten im gesamten Verbreitungsgebiet.

WIE MAN SIE ISST
Verwenden Sie die Frucht (reich an Antioxidantien) in Säften, Marmeladen, Gelees und Eiscreme oder als Zutat zum Backen.

Während ihrer ganzen Geschichte hat die Menschheit essbare Pflanzen und deren Früchte aufgespürt und diese wertgeschätzt, geschützt oder kultiviert, um für Ernährungssicherheit zu sorgen. Natürlich kann man da, wo es etwas von Wert gibt, auch Geschäfte machen, und was als nachhaltiges lokales Unternehmen gestartet ist, wird allzu oft von Gier korrumpiert. Ein Beispiel dafür bietet *Myristica fragrans*, die von den Banda-Inseln in der indonesischen Provinz Maluku stammt. Dieser attraktive immergrüne Baum hat birnenförmige Früchte (1), die aufplatzen, sobald sie reif sind (2) und einen auffallenden rotbraun glänzenden Kern freigeben, der von einem unregelmäßigen netzartigen Arillus (Samenmantel) in leuchtendem Rot (3) umhüllt ist. Der Kern oder die Muskatnuss (4) wird für gewöhnlich gemahlen, während der Samenmantel (5) getrocknet als Macis oder Muskatblüte in den Handel kommt.

Diese beiden sowie die getrockneten Blütenknospen des *Syzygium aromaticum* (Gewürznelkenbaum) wurden über arabische Händler, die den Herkunftsort wohlweislich geheim hielten, auf der ganzen Welt bekannt. Dieses Monopol fiel jedoch, als der portugiesische Entdecker Vasco da Gama 1497 das Kap der Guten Hoffnung umsegelte und die Inselgruppe entdeckte, die später als »Gewürzinseln« bekannt werden sollte. Tragischerweise wurden viele der indigenen Völker, die diesen Archipel bewohnten, darunter auch die Bevölkerung der Banda-Inseln, während des Niederländisch-Portugiesischen Krieges (auch als »Gewürzkrieg« bekannt) niedergemetzelt.

Der Anbau von Muskatnuss und Macis ist heute weit verbreitet, vor allem in Asien, und neuerdings wendet sich die Aufmerksamkeit zunehmend der äußeren

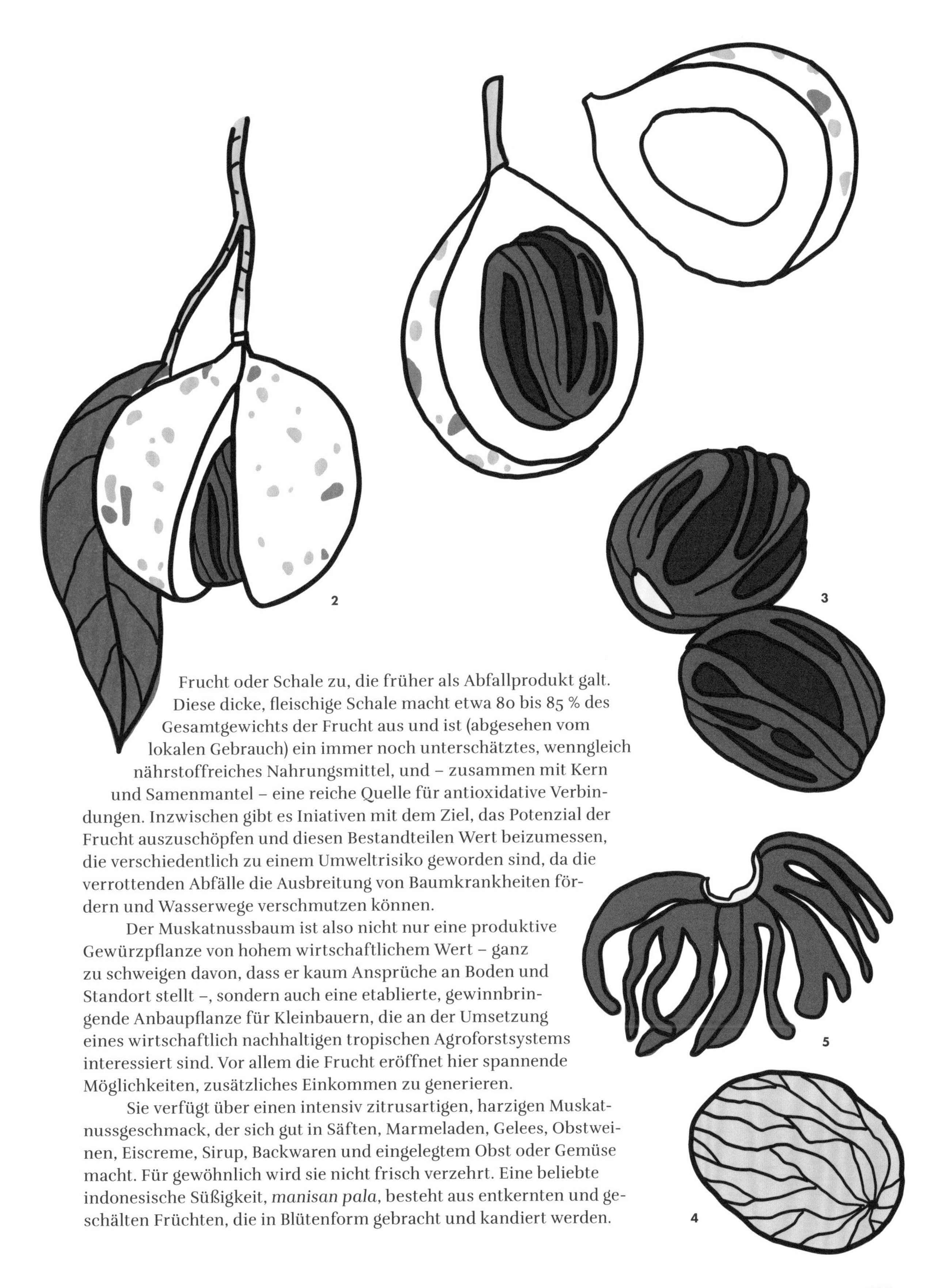

Frucht oder Schale zu, die früher als Abfallprodukt galt. Diese dicke, fleischige Schale macht etwa 80 bis 85 % des Gesamtgewichts der Frucht aus und ist (abgesehen vom lokalen Gebrauch) ein immer noch unterschätztes, wenngleich nährstoffreiches Nahrungsmittel, und – zusammen mit Kern und Samenmantel – eine reiche Quelle für antioxidative Verbindungen. Inzwischen gibt es Iniativen mit dem Ziel, das Potenzial der Frucht auszuschöpfen und diesen Bestandteilen Wert beizumessen, die verschiedentlich zu einem Umweltrisiko geworden sind, da die verrottenden Abfälle die Ausbreitung von Baumkrankheiten fördern und Wasserwege verschmutzen können.

Der Muskatnussbaum ist also nicht nur eine produktive Gewürzpflanze von hohem wirtschaftlichem Wert – ganz zu schweigen davon, dass er kaum Ansprüche an Boden und Standort stellt –, sondern auch eine etablierte, gewinnbringende Anbaupflanze für Kleinbauern, die an der Umsetzung eines wirtschaftlich nachhaltigen tropischen Agroforstsystems interessiert sind. Vor allem die Frucht eröffnet hier spannende Möglichkeiten, zusätzliches Einkommen zu generieren.

Sie verfügt über einen intensiv zitrusartigen, harzigen Muskatnussgeschmack, der sich gut in Säften, Marmeladen, Gelees, Obstweinen, Eiscreme, Sirup, Backwaren und eingelegtem Obst oder Gemüse macht. Für gewöhnlich wird sie nicht frisch verzehrt. Eine beliebte indonesische Süßigkeit, *manisan pala*, besteht aus entkernten und geschälten Früchten, die in Blütenform gebracht und kandiert werden.

Feigenkaktus

Opuntia ficus-indica (Cactaceae)

Bietet man Ihnen in Mexiko einen erfrischenden »Tuna-Smoothie« an, dann wundern Sie sich nicht. Es handelt sich dabei nicht um einen Thunfisch-Smoothie, *tuna* ist vielmehr die lokale Bezeichnung für die Frucht des Feigenkaktus. Zusammen mit der Drachenfrucht *(Selenicereus undatus)* gehört sie zu den häufigsten kommerziell angebauten und konsumierten essbaren Kaktusarten. Die Kaktusfeige hat für gewöhnlich die Größe einer durchschnittlichen Zitrone, ist jedoch birnenförmig und präsentiert sich in Schattierungen von Grün, Weiß, Gelb, Rot oder Violett. Ihr Geschmack ist süß, leicht säuerlich und wird seit Jahrtausenden genossen – von den frühesten Sammlern bis zu den heutigen Einwohnern Lateinamerikas, für die sie ein Grundnahrungsmittel ist.

Historisch gesichert ist, dass Feigenkakteen von Seefahrern als Proviant mitgeführt wurden, sie sollten vor Skorbut auf den Schiffen schützen – dadurch fanden die Pflanzen eine weite Verbreitung. Überdies bilden sie leicht Wurzeln, wenn sie an günstigen Stellen weggeworfen oder eingepflanzt werden. In vielen Ländern gilt der Kaktus heute als invasive Art, sein Anbau sollte also sorgfältig erwogen werden. Wenig überraschend begannen bereits die frühesten Züchter mit der Selektion dornenloser Exemplare, und heutige Bauern profitieren davon. Viele Feigenkakteen tragen jedoch unterschiedlich stark ausgeprägte Büschel stacheliger Dornen, die sowohl bei der Ernte als auch bei der Verarbeitung in der Küche schmerzhaft stechen können, obwohl Kaktusblätter normalerweise schon küchenfertig, also ohne Dornen, verkauft werden.

Der Feigenkaktus gilt als wichtige Nahrungsquelle der Zukunft im sich erwärmenden Klima und wird heute auch kommerziell angebaut. Er bietet ein ganzjähriges Einkommen mit hohen Erträgen bei wenig Aufwand, zudem lässt sich damit das Nahrungsangebot für Bauern und ihr Vieh erweitern. Er toleriert Temperaturen bis zu 65 °C, ist äußerst dürreresistent und wächst auch in extrem trockenen Böden, wie Sanddünen. Der Feigenkaktus lässt sich gleichzeitig als Windschutz und als lebender Zaun einsetzen, der einen Schutzwall gegen Wanderdünen bildet. Die dicken Wurzelmatten verankern sich nicht nur im Boden und verhindern dessen Erodieren, sie sterben auch schnell ab und wachsen wieder nach und reichern damit den Oberboden mit organischem Material an. Dank dieser Eigenschaften ist der Anbau von Feigenkaktushainen eine äußerst vielversprechende Methode, um zu Wüste gewordene Ökosysteme zu sanieren.

Kaktusfeigen, junge Blätter, Blüten und Knospen kann man gekocht oder roh verzehren, während die Samen und die ausgewachsenen Blätter sich zu Mehl verarbeiten lassen. Ein typisches mexikanisches

AUCH BEKANNT ALS
Kaktusfeige, Westindische Feige, Prickly Pear, Cactus Pear, Indian Fig, Christian Fig, Spineless Prickly Pear, Barbary Fig

NATÜRLICHES VERBREITUNGSGEBIET
Mexiko

EINGEBÜRGERT
Weitverbreitet in entsprechenden Klimazonen

WACHSTUMSBEDINGUNGEN
Gedeiht in semiariden und ariden Regionen mit milden, größtenteils trockenen Wintern mit unregelmäßigen Regenfällen, gefolgt von langen, heißen Sommern. Wächst für gewöhnlich in karger, auch in von Erosion bedrohter Erde, verträgt jedoch kein Salz, nassen Boden oder Frost. Pflanzen Sie den Kaktus am besten in sandige, sehr durchlässige Erde. Benötigt volle Sonne.

WO MAN SIE FINDET
Alle essbaren Teile sind zunehmend auf lokalen Märkten erhältlich, außerdem im spezialisierten Lebensmittelhandel.

WIE MAN SIE ISST
Probieren Sie die jungen Blätter und Knospen roh, in Salaten, mit Eiern gebraten, paniert, gekocht oder eingelegt. Die Früchte (reich an Vitamin C und Ballaststoffen) können Sie roh, als Saft, in Eiscreme oder als Marmelade verspeisen. Aus den Samen und ausgewachsenen Blättern lässt sich glutenfreies Mehl herstellen; die Blütenblätter machen sich hübsch als essbare Dekoration.

Fortsetzung nächste Seite

Gericht besteht aus von Dornen befreiten jungen Blättern – *nopales* –, die rasch gegrillt und über offenem Feuer geräuchert, dann in Streifen geschnitten in einer Pfanne mit Zwiebeln, Jalapeño-Chilis, Tomaten, Salz und Pfeffer gebraten werden, um schließlich eine köstlich rauchige Taco-Füllung abzugeben. Die Blätter lassen sich außerdem roh in Salaten essen, braten, panieren, in Eintöpfen verarbeiten und sogar einlegen. Die Konsistenz ist frisch und knackig, ein wenig schleimig, ähnlich Okraschoten, und die Aromen reichen von grünen Bohnen, Spinat und Spargel bis hin zu grünen Paprikaschoten und Zitrusfrüchten. Das glutenfreie Mehl, das man aus den Blättern herstellen kann, eignet sich zum Backen. Die Blüten sind köstliche Leckerbissen und sehen auf jedem Teller fantastisch aus, während die fleischigen, knackigen Knospen in Salaten und kurzgebratenen Pfannengerichten, aber auch gegrillt, gedämpft oder gekocht serviert werden können. In Geschmack und Konsistenz erinnern sie an die jungen Blätter, die Knospen sind jedoch ein wenig milder.

Die vielseitige Frucht wird geschält und frisch oder als Saft genossen. Sie bereichert eine Vielzahl von Süßigkeiten, alkoholischen Getränken und herzhaften Gerichten. Sie ist weich und luftig, ihr einzigartiges Aroma erinnert an Wassermelone mit Noten von Erdbeeren, Bananen, Zitrusfrüchten und sogar Kaugummi.

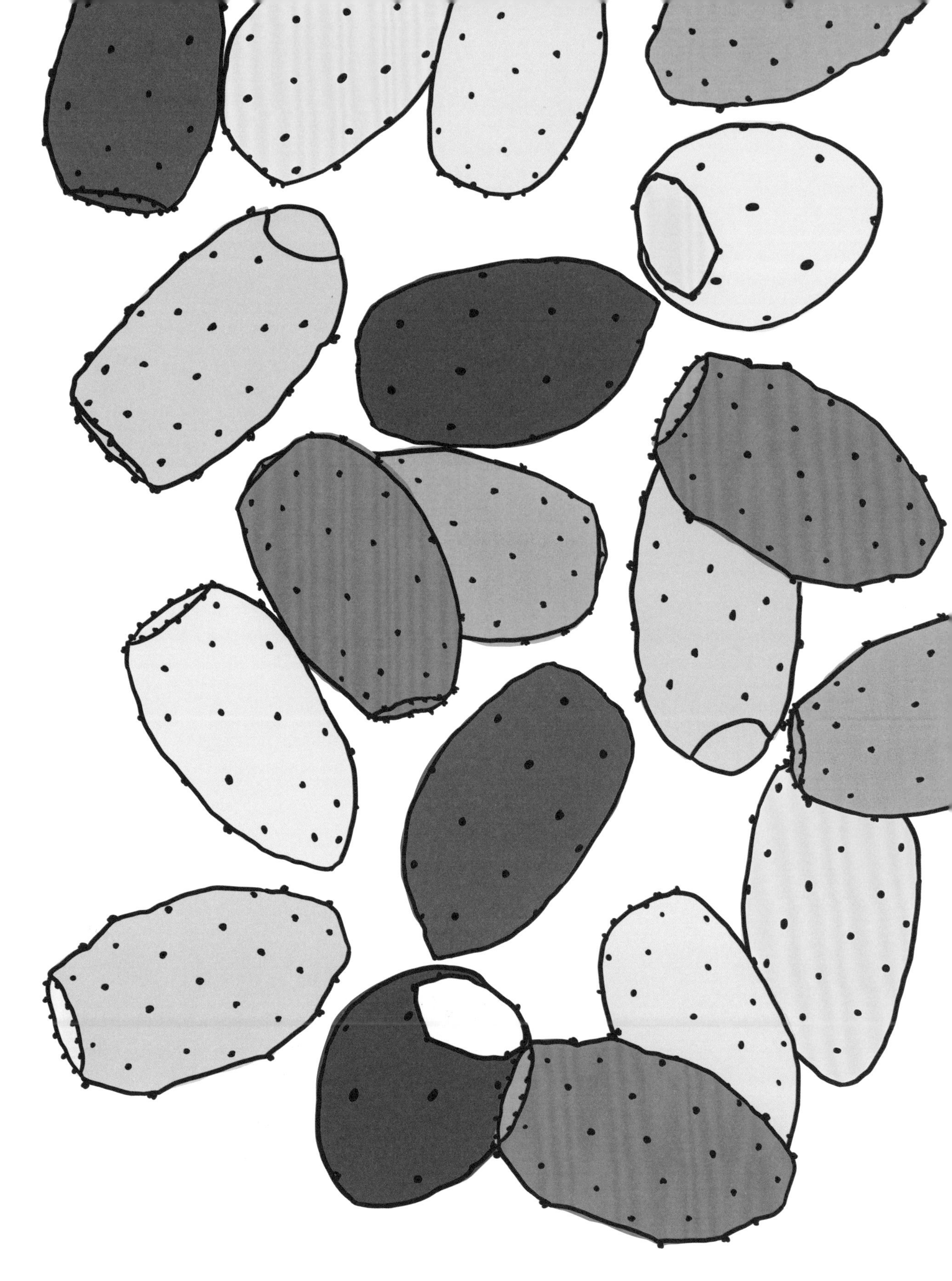

Afrikanischer Reis

Oryza glaberrima (Poaceae)

AUCH BEKANNT ALS
African Rice, Red Rice

NATÜRLICHES VERBREITUNGSGEBIET
Westafrika

EINGEBÜRGERT
China und Südamerika

WACHSTUMSBEDINGUNGEN
Volle Sonne, zwischen 25 und 35 °C für beste Ernte. Bevorzugt fruchtbare Böden, toleriert aber auch eine Vielzahl anderer Böden, sofern sie ausreichend feucht sind. Ist selbstbefruchtend und – je nach Bedingungen – für gewöhnlich nach 120 Tagen erntebereit.

WO MAN SIE FINDET
Zunehmend erhältlich auf Märkten und in Läden in ganz Westafrika.

WIE MAN SIE ISST
Verwenden Sie ihn so, wie Sie auch jeden anderen Reis zubereiten würden.

Reis gehört seit Jahrtausenden zu den bedeutendsten Grundnahrungsmitteln weltweit, und das wird er mit Sicherheit auch weiterhin bleiben. Sein Anbau und seine Zubereitung sind untrennbar mit Asien verbunden, so wurden in archäologischen Stätten am Unterlauf des Flusses Jangtsekiang in China Pflanzenreste und Nachweise für Anbaugräben gefunden, die sich etwa auf die Zeit um 7000 v. u. Z. datieren lassen.

Die kultivierte Art *Oryza sativa*, heute Teil der täglichen Ernährung von mehr als der Hälfte der Weltpopulation, stammt von einem wild wachsenden Vorfahren aus Süd- und Südostasien ab. Es gibt jedoch noch eine zweite, wenig bekannte domestizierte Reisart, die aus Afrika stammt. Unabhängig von ihren asiatischen Verwandten ging *O. glaberrima* vor zwei- bis dreitausend Jahren als Kulturpflanze aus dem wildwachsenden *O. barthii* hervor (1). Als das Sahara-Klima vor 70 000 Jahren zunehmend trockener und kühler wurde, wurde der Wildreis in die noch bestehenden Feuchtgebiete zurückgedrängt, was Bauern zwang, komplexe Anbautechniken wie Überflutung und genetische Auslese einzusetzen, um die Produktion aufrechtzuerhalten. Weithin als »Afrikanischer Reis« (2) bekannt, trug diese Art dazu bei, einen Großteil des Kontinents zu ernähren, und zwar bis zum Beginn des europäischen Kolonialismus und der Unterwerfung Afrikas. Ursprünglich wurde der Afrikanische Reis über das Meer verbreitet, vor allem nach Amerika; höchstwahrscheinlich, um die Opfer der hinterhältigen Sklavenhandels zu ernähren.

Fortsetzung auf Seite 133

2

3

4

Handel und koloniale Aneignung führten jedoch schließlich dazu, dass die ertragreicheren asiatischen Spezies auch den Reisanbau in Afrika dominierten. Obwohl der afrikanische Reis immer seltener erhältlich ist, gibt es ihn an einigen verstreuten Standorten noch immer, was zum einen auf seine Rolle in den heiligen Ritualen des Volkes der Jola im südlichen Senegal, zum anderen auf die Kleinbauern zurückzuführen ist, die seinen besonderen Geschmack bevorzugen.

Dem afrikanischen Reis mangelt es an Eigenschaften, die für die Massenproduktion notwendig sind, doch er weist einige spezifische Eigenheiten auf, die ihn von seinem asiatischen Verwandten abheben. Er ist beispielsweise widerstandsfähiger gegen einige gemeinsame Schädlinge und Krankheiten, außerdem toleranter gegenüber Überflutungen, unfruchtbarer Erde, Wetterextremen und Vernachlässigung bei der Pflege, zudem beschatten seine breiteren Blätter konkurrierendes Unkraut. Diese Eigenschaften lassen sich nicht nur innerhalb der vielen Sorten des afrikanischen Reises weiterentwickeln, sondern auch bei einer Kreuzung mit dem asiatischen Reis, wodurch dieses wichtige Getreide zukunftsfähig wird.

Das Reiskorn (3) (4) wird gekocht, gepufft oder zu Mehl vermahlen. Gedämpft dient Reis als Beilage zu Gerichten wie dem beliebten westafrikanischen *maafe*, das aus verschiedenen Fleischsorten besteht, die mit Erdnussbutter, Paprikaschoten, Gewürzen und einer Mischung von Wurzelgemüsen langsam gekocht werden. Wegen seiner roten Farbe und des intensiv nussigen Geschmacks kommt dem afrikanischen Reis auch bei der Herstellung von Süßigkeiten, Breien, Desserts, Sirup, Kuchen und anderen Backwaren sowie bei der Verarbeitung zu Frühstücksreisflocken eine wichtige Rolle zu.

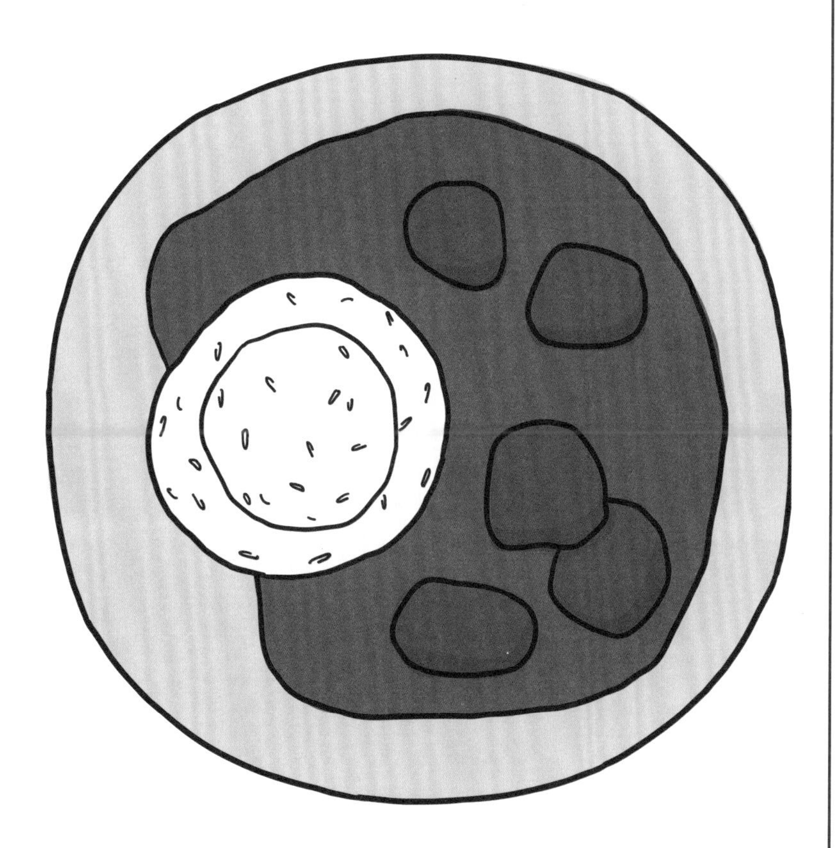

Saphubaum

Dacryodes edulis Syn. *Pachylobus edulis* (Burseraceae)

AUCH BEKANNT ALS
Afrikanische Pflaume, Busch-Butterbaum, Safou, Safoutier, Uva del País, Shoue, Tso, Native Pear, Bush Butter Tree, African Plum

NATÜRLICHES VERBREITUNGSGEBIET
West- und Zentralafrika

EINGEBÜRGERT
Malaysia und Honduras

WACHSTUMSBEDINGUNGEN
Feuchte tropische, nicht überflutete Wälder im Schatten anderer Bäume. Angepasst an eine Reihe von Böden und verschiedene Temperaturen, tolerant gegenüber Regen. Muss jedoch frostfrei gehalten werden.

WO MAN SIE FINDET
Auf Märkten in ganz West- und Zentralafrika, und zunehmend auch in kamerunischen, nigerianischen und gabunischen Lebensmittelläden weltweit.

WIE MAN SIE ISST
Die Frucht ist reich an mehrfach ungesättigten Fettsäuren, Proteinen und Mineralstoffen. Versuchen Sie sie im Ofen oder in der Pfanne gebraten, gedämpft, gefüllt oder gebacken.

Der Saphubaum ist ein weit verbreiteter Obstbaum, er stammt vom westafrikanischen Golf von Guinea. Das dort lebende Volk der Yoruba betrachtet ihn als Symbol für Fruchtbarkeit und Frieden, er soll sowohl den Körper als auch den Geist stärken. Er wird wegen seiner köstlichen Früchte verehrt, der Safou, die während der »Hungersaison« reifen, also zwischen den Ernten. Die verzweigten Köpfe der zahlreichen kleinen rostfarbenen, duftenden Blüten erscheinen in der Trockenzeit. Etwa acht bis zwölf Wochen später, je nach Sorte und Bedingungen, zeigt sich die äußerst dekorative zartrosa oder lila-violett glänzende Frucht, die oval und etwa 9 Zentimeter lang ist. Die kultivierten Bäume – mit etwa 10 Metern nicht so hoch wie wild wachsende Exemplare – sind üppig mit Früchten beladen, in je nach Reifegrad verschiedenen Farbschattierungen, ein faszinierender Anblick. Der Saphubaum wird für gewöhnlich in privaten Gärten und kleinen Familienplantagen angepflanzt und der Überschuss zu einem guten Preis auf dem lokalen Markt verkauft. Jeder Teil des Baumes findet Verwendung, ob als Nahrung, Futter, Heilmittel oder Baumaterial. Er gilt als perfekter Nachbar für Kakao- und Kaffeebaum in einem Agroforstsystem, und die Früchte sind heute, dank einer verbesserten Transportinfrastruktur, für den Export innerhalb von ganz Afrika und darüber hinaus bestimmt, sie reisen vor allem nach Europa, wo Auswanderer die Nachfrage steigern. Da der Saphubaum nicht nur große Mengen der kalorien- und nährstoffreichen Safou-Früchte als Lebensmittel hervorbringt, sondern daraus auch ein Speiseöl gewonnen wird, das die Lebensmittelindustrie ebenso schätzt wie die pharmazeutische und die kosmetische Industrie, ist er eine ideale, einträgliche Mehrzweckpflanze, die Landwirten eine Existenzgrundlage bietet.

Die Frucht kann man sowohl gekocht als auch roh verzehren, wobei sie für gewöhnlich doch gekocht bevorzugt wird. Für ein in Kamerun beliebtes Rezept wird die farbenprächtige Frucht erst in Wasser gekocht, dann mit Salz bestreut und mit Maniok, *Fufu* (einem Brei aus Maniok oder Yams und Kochbananen) oder Mais gegessen. Man kann sie im Ofen oder in der Pfanne braten, dämpfen, füllen und backen. Das gekochte Fruchtfleisch lässt sich durch Trocknen in der Sonne haltbar machen. Safou besitzen einen leicht säuerlichen, herben Geschmack, der an Oliven erinnert und beim Kochen milder wird. Die Konsistenz ist butterartig, ähnlich der einer Avocado.

1
2

Yambohne

Pachyrhizus erosus (Fabaceae)

Die Yambohne, eine Kletterpflanze mit attraktiven duftenden Blüten (1) ist in ganz Lateinamerika bekannt und wird seit den präkolumbischen Hochkulturen der Azteken und Maya angebaut. Über uralte Handelsrouten gelangte sie auch in die Karibik und in einen Großteil Asiens. Die ertragreiche Nutzpflanze der Subtropen gedeiht selbst in den kärgsten Böden und ist von Natur aus stickstoffbindend. Während die schmackhaften, nährstoffreichen Wurzelknollen (2) der Yambohne essbar sind, sind sämtliche oberirdischen Teile für Menschen giftig, da sie das natürliche Insektizid Rotenon enthalten, das Schädlinge und Krankheiten bekämpft und für den Einsatz bei anderen Nutzpflanzen verarbeitet werden kann. Von der Wissenschaft und der Botanik wurde das Potenzial der Yambohne als nachhaltiges, wenig pflegeaufwendiges Lebensmittel für den lokalen Konsum und den Export bereits erkannt. Durch selektive Hybridisierung enthalten die fünf *Pachyrhizus*-Arten genetische Voraussetzungen, die unter verschiedensten Wachstumsbedingungen zu hohen Erträgen führen könnten.

Die Yambohne gedeiht sowohl in tropischen als auch in trockenen Klimazonen und verfügt damit über ein großes Potenzial, um weltweit Ernährungssicherheit zu bieten. Ihre außergewöhnliche Widerstandsfähigkeit gegenüber Trockenheit und ihre Fähigkeit, Stickstoff zu binden, versprechen auch Unterstützung im Fall von durch Klimawandel bedingten Wetterextremen und Bodendegradation.

Die Knollen werden bis zu 40 Zentimeter groß, sie können roh oder gekocht verzehrt werden. In Mexiko werden zwei Hauptsorten kultiviert: *jícama de leche* und *jícama de aqua*. Erstere hat eine etwas dunklere Schale und einen weißen, milchigen Saft (*leche* bedeutet im Spanischen »Milch«), Letztere eine hellere Schale und einen klaren Saft (*aqua* bedeutet »Wasser«). Beide werden für gewöhnlich roh gegessen und haben eine knackige, apfelähnliche Konsistenz mit einem süßlichen Aroma. In einem typischen Maya-Rezept wird geschälte Yambohne in kleine Stifte geschnitten, mit Orangen, Mandarinen und Grapefruit vermischt und mit gehackten Habanero-Chilis, Koriander, Salz und Limettensaft gewürzt. Die Yambohne ist außerdem eine beliebte Zutat in einer Reihe von Salaten und lässt sich gut kombinieren mit Mangos, Avocados, Äpfeln, Wassermelonen, Tomaten oder Ananas. Spiralig geschnittene rohe Yambohne ist ein hervorragender glutenfreier Nudelersatz. Gekocht ist ihr Aroma etwas weniger intensiv, es dominieren dann die mehlige Konsistenz und ein leicht nussiger Geschmack.

AUCH BEKANNT ALS
Knollenbohne, Jicama, Bengkuang, Man Kaeo, Chop Suey Bean, Sweet Turnip, Mexican Yambean, Mexican Potato, Turnip Bean

NATÜRLICHES VERBREITUNGSGEBIET
Zentralamerika, vom Nordwesten Costa Ricas bis Südmexiko

EINGEBÜRGERT
Weit verbreitet in den entsprechenden Klimazonen

WACHSTUMSBEDINGUNGEN
Gedeiht an sommergrünen Waldrändern und in buschiger Vegetation in verschiedenen Bodenarten, von tiefem Ton bis zu sandigem Lehm. Bevorzugt die semiariden Tropen mit einer jährlichen Trockenzeit und mit Temperaturen zwischen 20 und 30 °C. In sandiger, durchlässiger Erde anpflanzen, in Gebieten mit konstant warmen Temperaturen. Um die Größe der Knollen zu maximieren, entfernen Sie die Blütenstände.

WO MAN SIE FINDET
Erhältlich in der Obst- und Gemüseabteilung von Supermärkten und mexikanischen Lebensmittelläden in Amerika, Australasien, Afrika, Südostasien und China.

WIE MAN SIE ISST
Probieren Sie die Yambohne, die reich an Ballaststoffen, Vitamin C und Mineralstoffen ist, roh, in Streifen geschnitten mit Chilipulver und Limette in einem Salat mit Zitrusfrüchten, Mangos, Ananas oder Tomaten, oder spiralig geschnitten als glutenfreie »Nudeln«. Frittierte Yambohnenstifte ergeben köstliche Pommes frites.

Pflanzenbasierte Ernährung

DIE WELTWEITE LANDWIRTSCHAFTLICHE NUTZFLÄCHE

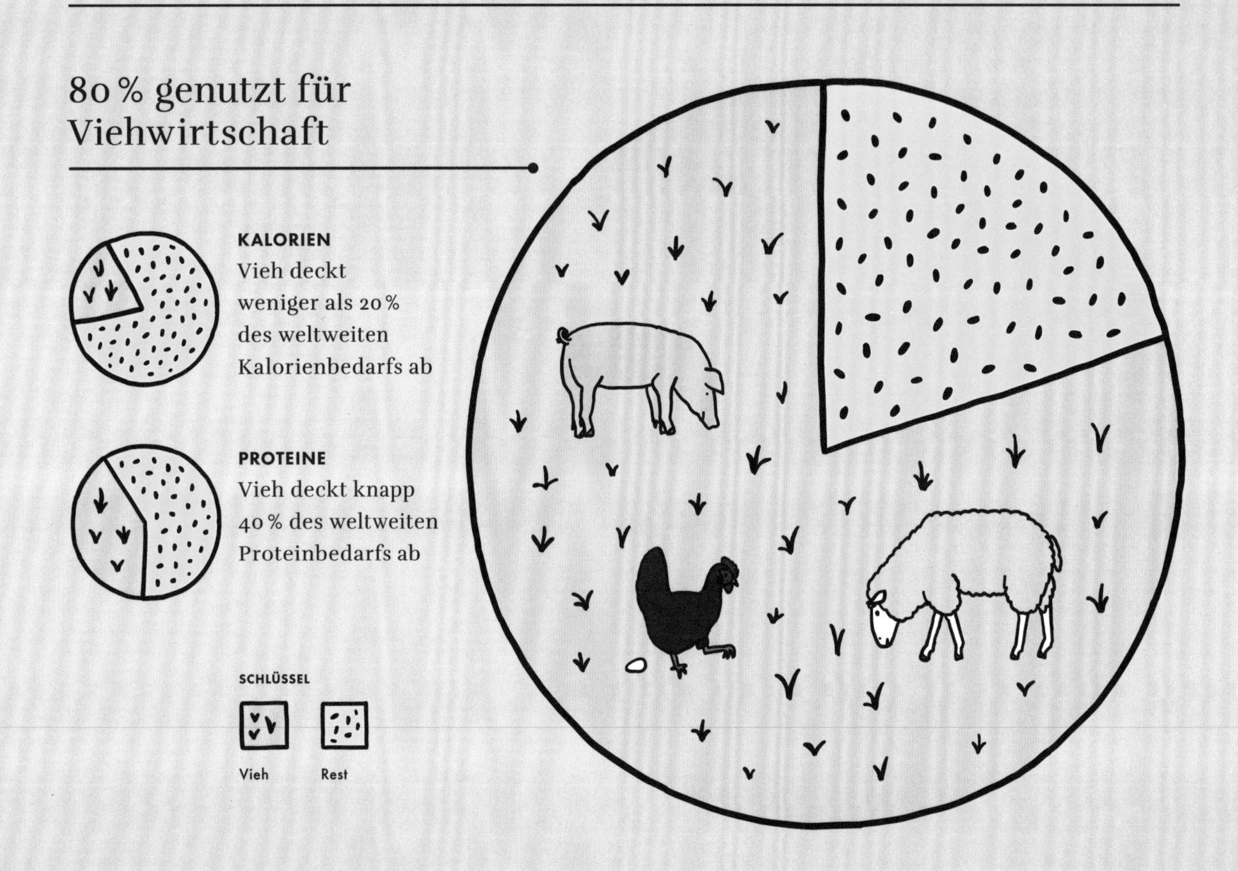

Ein Plädoyer für eine pflanzenbasierte Ernährung kann aus verschiedenen Perspektiven angegangen werden. Eines der überzeugendsten Argumente dafür muss jedoch an erster Stelle stehen: die Zahl 80 %. So viel der weltweit verfügbaren landwirtschaftlichen Nutzfläche wird für die Viehwirtschaft eingesetzt, entweder direkt, als Weidefläche, oder für die Produktion von Viehfutter. Dennoch liefert Vieh weniger als 20 % der weltweit benötigten Kalorien und kaum 40 % der Proteine. Diese Rechnung kann einfach nicht aufgehen.

Es ist bereits heute so, dass pflanzliche Lebensmittel die Welt ernähren, und das auf eine Art und Weise, die wesentlich besser ist für die Umwelt, das Klima und schlussendlich auch für die menschliche Gesundheit als Fleisch aus Massenproduktion. Doch das Potenzial ist noch erheblich größer: Beziehen wir einen noch höheren Anteil unserer Ernährung aus Pflanzen, könnten wir den Nahrungsmittelbedarf einer wachsenden Weltbevölkerung spielend leicht decken. Würden die vierundfünfzig Nationen auf der Welt mit hohem Einkommen diesen Ansatz aufgreifen, dann könnte eine Landfläche, die größer als Europa ist, aus der landwirtschaftlichen Produktion genommen werden und wieder der natürlichen Vegetation überlassen werden. Die jährlichen Emissionen landwirtschaftlicher Treibhausgase würden um unglaubliche 60 % sinken, während der Neubewuchs höchst diverser Ökosysteme nicht nur der Biodiversität zugutekommen, sondern auch erhebliche Mengen an Kohlenstoffdioxid binden würde.

Es gibt keinen Grund, weshalb eine solche Diversität nur jenseits der Anbauflächen existieren sollte. Mit bis zu 300 000 essbaren Pflanzen, die uns zur Verfügung stehen, können wir bereits jetzt äußerst produktive landwirtschaftliche Systeme erschaffen, die der Fülle der Natur in nichts nachstehen. Wenn wir dazu noch die Fortschritte in Wissenschaft und Lebensmitteltechnologie miteinbeziehen, die es uns ermöglichen, alternative Proteinquellen – wie auf Pflanzen basierende Fleisch- und Milchprodukte – herzustellen, dann wird sich unsere tägliche Auswahl an Lebensmitteln mehr als spannend gestalten. Pflanzliche Lebensmittel strotzen nur so vor neuen Geschmacksrichtungen, Texturen und Aromen und können selbst hartgesottene Fleischtiger davon überzeugen, mehr davon zu essen und damit gleichzeitig die Umwelt, das Klima und die eigene Gesundheit zu retten.

Hier einige Möglichkeiten, um köstliche pflanzliche Lebensmittel in Ihren Speiseplan einzubauen:

1. Probieren Sie die vegetarischen und veganen Gerichte auf der Speisekarte. Sie werden überrascht sein, wie köstlich diese mittlerweile schmecken.
2. Stellen Sie Gemüse, Obst, Getreide und Hülsenfrüchte ins Zentrum, wenn Sie darüber nachdenken, was Sie kochen könnten.
3. Lassen Sie sich beim Einkaufen von der Vielfalt des Angebots an Gemüse, Obst, Getreide und Hülsenfrüchten inspirieren. Stoßen Sie auf eine unbekannte Sorte, suchen Sie doch einfach online danach – und gleich auch nach den entsprechenden Rezepten.
4. Wenn Kochen gar nicht Ihr Ding ist: Es sind jede Menge köstliche vegetarische oder vegane Fertigmahlzeiten im Handel. Geben Sie ihnen, nach einem Blick auf die jeweilige Zutatenliste, eine Chance.
5. Werden Sie zum Salat-Meister! Es gibt nichts Pflanzliches, das sich nicht in einen herrlichen Salat verwandeln ließe.
6. Stellen Sie stets eine Schüssel mit Früchten auf den Tisch und beginnen Sie am besten Ihren Tag damit.
7. Finden Sie mehr über die Zubereitung und das Essen von Hülsenfrüchten heraus.
8. Bauen Sie Ihre eigenen essbaren Pflanzen an.

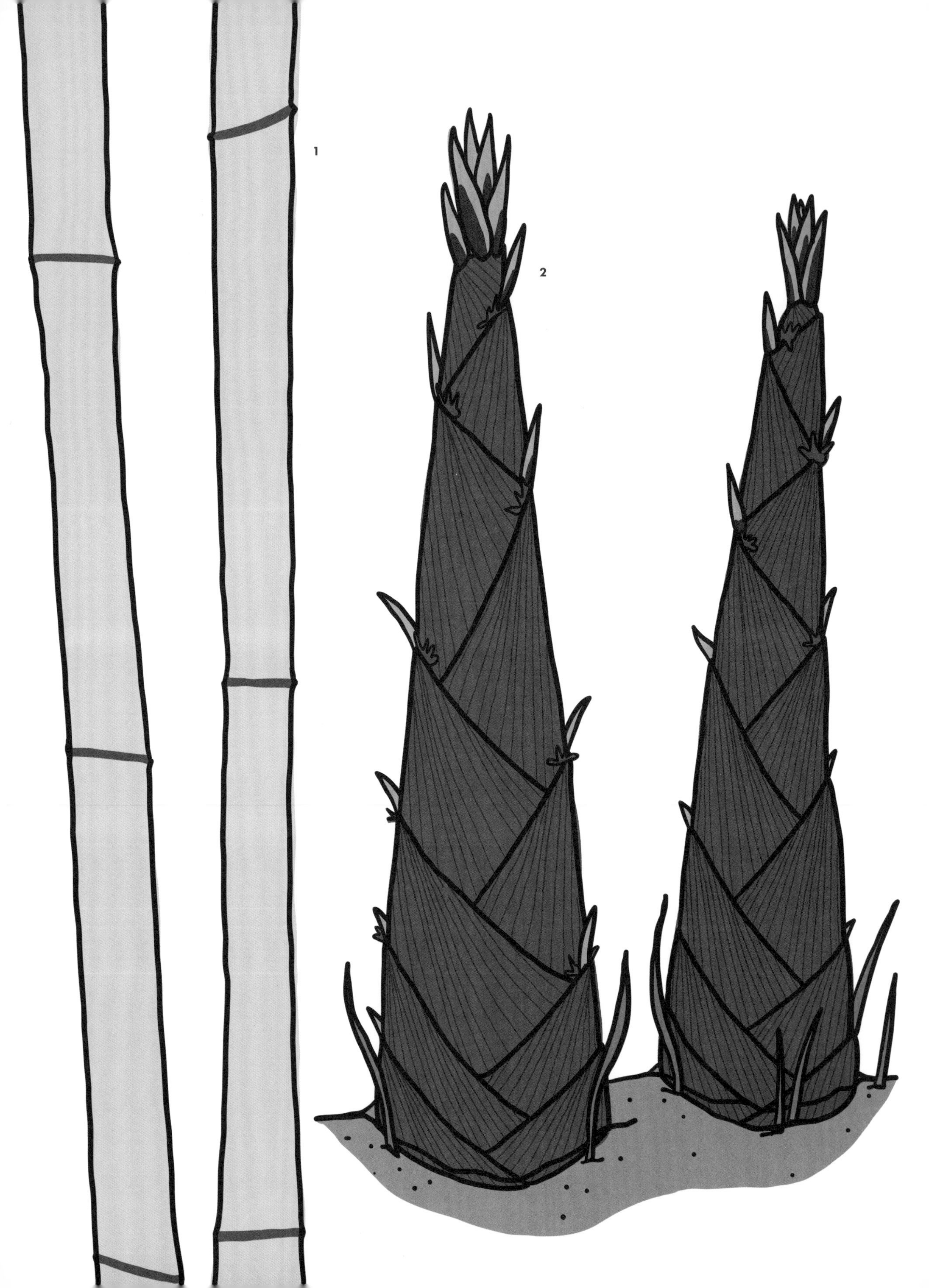
1
2

Schwarzrohrbambus

Phyllostachys nigra var. *henonis* (Poaceae)

Die meisten Menschen denken bei Bambus sofort an Asien. Tatsächlich sind viele der 115 bekannten Gattungen und etwa 1700 Arten dort zu finden und seit Jahrtausenden Bestandteil der lokalen Küche, Literatur, Kunst und Architektur. Bambus ist für gewöhnlich in tropischen, subtropischen und mild-gemäßigten Regionen der Welt beheimatet, darunter auch in den Vereinigten Staaten, deren einzige Bambus-Gattung, *Arundinaria*, auch den indigenen Völkern von großem Nutzen ist. Von weniger als kniehoch bis zu Arten, die Wälder von baumähnlichen Ausmaßen bilden, hat Bambus – eigentlich ein Mitglied der Familie der Gräser – immer schon zahlreiche Lebensformen unterstützt, darunter auch Tiere wie die chinesischen Großen Pandas und die Berggorillas in Zentralafrika.

Etwa 100 Bambusarten sind essbar, von denen jedoch nur eine Handvoll kommerziell angebaut werden und noch weniger es bis in den Exportmarkt schaffen. Der bemerkenswerteste davon ist der Moso-Bambus, *Phyllostachys edulis*. Heute besteht jedoch großes Interesse daran, widerstandsfähigere Arten zu züchten, da Moso-Bambus, obwohl er frosthart ist, in kälteren Klimazonen keine verlässliche Ernte hervorbringt. Schwarzrohrbambus, *P. nigra* var. *henonis* stellt hier eine denkbare Alternative dar. Seine dunkelgraugrünen Rohre (1), können mehr als 15 Meter hoch werden und sind an geschützten Standorten bis zu mindestens -20 °C frosthart. Die jungen Sprossen (2) schmecken am besten; sie werden geerntet, kurz nachdem sie sprießen, indem sie freigelegt und in einer Tiefe von ca. 30 Zentimetern gestochen werden, ähnlich wie Spargel.

Obwohl Bambus dafür berüchtigt ist, weite Landstriche in Windeseile zu überwuchern, ist er ein machtvolles Instrument gegen den Klimawandel. Da er zu den weltweit am schnellsten wachsenden Gräsern gehört, kann er in seinen Halmen rasch erhebliche Mengen an Kohlenstoffdioxid aufnehmen und binden. Sobald diese dann als Baumaterial für vielfältige Zwecke eingesetzt werden, bleibt dieses Kohlendioxid für Jahrhunderte gebunden. Bambuswälder, die auf Grenzertragsflächen angepflanzt werden, binden Kohlenstoff und eröffnen Bauern die Möglichkeit, Einnahmen aus dem Kohlenstoffmarkt zu generieren, zusätzlich zu den Gewinnen aus dem Verkauf von Bambusmaterial und der essbaren Sprossen.

Diese Sprossen haben eine zarte, knackige Konsistenz und einen erdigen, süßen, nussigen Geschmack, der an Jungmais erinnert. Sie schmecken am besten gegrillt, gebraten, gedämpft oder eingelegt. Für ein beliebtes chinesisches Rezept werden die Bambussprossen geschält, in Scheiben geschnitten und dann zusammen mit Ingwer in Sesamöl kurz angebraten, ehe sie mit heller und dunkler Sojasauce, Reiswein, Zucker und Brühe geschmort werden.

AUCH BEKANNT ALS
Henonis-Bambus, Schwarzer Bambus, Henin Bamboo, Giant Grey Bamboo

NATÜRLICHES VERBREITUNGSGEBIET
Südzentral- und Südost-China

EINGEBÜRGERT
Hawaii, Japan, Vietnam, Philippinen, Korea und nördliches Neuseeland

WACHSTUMSBEDINGUNGEN
In offenen Wäldern, an Hängen und in Tälern in einer Vielzahl nährstoffreicher, feuchter, jedoch nicht nasser, saurer bis leicht basischer Böden. Bevorzugt volle Sonne oder Halbschatten.

WO MAN SIE FINDET
Weltweit erhältlich, entweder frisch (bei spezialisierten Lebensmittelgroßhändlern) oder getrocknet bzw. eingelegt in den meisten Supermärkten.

WIE MAN SIE ISST
Genießen Sie die frischen, rehydrierten oder eingelegten Sprossen (reich an Ballaststoffen und Vitaminen) in kurzgebratenen Pfannengerichten, gegrillt, gedämpft oder gebraten.

Tomatillo

Physalis philadelphica (Solanaceae)

AUCH BEKANNT ALS
Tomato Verde, Tomatillo Pourpre, Husk Tomato, Groundcherry

NATÜRLICHES VERBREITUNGSGEBIET
Mexiko bis Mittelamerika, Kuba bis Haiti

EINGEBÜRGERT
Weithin in entsprechenden Klimazonen

WACHSTUMSBEDINGUNGEN
Eine einjährige oder kurzlebige mehrjährige Pflanze der Tropen und Subtropen, wo sie in bis zu 2600 Meter Seehöhe gefunden wird. Gedeiht in voller Sonne oder im Halbschatten in feuchten, durchlässigen Böden. Toleriert Tagestemperaturen zwischen 8 und 31 °C.

WO MAN SIE FINDET
Auf Bauernmärkten und zunehmend auch in Supermärkten weltweit.

WIE MAN SIE ISST
Verwenden Sie die reife Frucht (die reich an Vitaminen und Mineralstoffen ist) in Salaten und als Garnitur oder backen oder braten Sie sie im Ofen, um daraus Salsas, Suppen und Saucen zuzubereiten.

Seit Jahrtausenden ein Grundnahrungsmittel in der mexikanischen Küche, ist die Tomatillo (Spanisch für »kleine Tomate«) als Frucht außerhalb Amerikas relativ unbekannt, obwohl Liebhaber mexikanischen Essens sie vielleicht als Zutat in Suppen und Salsas kennen. Von ihrer ursprünglichen und historischen Heimat in Mexiko, Guatemala und dem Süden der Vereinigten Staaten aus, hat sie sich für Produktion und Verwendung bis nach Indien verbreitet und wird auch in Australien angebaut. In kühleren Klimazonen ist sie als Dosenprodukt erhältlich und findet dort ihren Weg inzwischen auch in andere Gerichte als *Salsa verde* und Curry. Die Pflanze lässt sich ganz einfach kultivieren, genauso wie Tomaten. Setzlinge werden zu den immer etwas instabil wirkenden Pflanzen mit mehr als einen Meter hohen Stängeln, die gestützt werden müssen, wobei Stängel, die in Kontakt mit dem Boden kommen, Wurzeln ausbilden und eigene, geklonte Pflanzen hervorbringen.

Die Gattung *Physalis* zeichnet sich durch ihre charakteristischen papierartigen Hülsen aus, die vielleicht besser bekannt sind von der beliebten Verwandten der Tomatillo, der Kapstachelbeere oder Physalis *(Physalis peruviana)*, die in Restaurants gerne als dekorative und köstliche Verzierung für Desserts verwendet wird. Die Hülle, botanisch gesehen der Blütenkelch der Pflanze, hat sich zum Schutz der reifenden Frucht ausgebildet, wie auch die unglaubliche 52 Millionen Jahre alte Tomatillo-Fossilie belegt, die 2017 in Argentinien entdeckt wurde. Der Name von Tomatillo und Tomate stammt vom aztekischen Wort *tomatal* ab, das eine wässrige, kugelförmige Frucht mit vielen Samen bezeichnet.

Als Pflanze, die in trockenen Regionen wächst, ist die Tomatillo an eine ganze Reihe karger Böden angepasst, sie toleriert zudem Dürre und sogar salzige Bedingungen. Die Hülle der Frucht dient als natürliche Verpackung, die ihre Haltbarkeit verlängert und die Tomatillo zu einer großartigen Nutzpflanze für Landwirte in trockenen Regionen macht.

Die Frucht kann man roh oder gekocht genießen. In Konsistenz und Geschmack ähnelt sie einer leicht unreifen Tomate und macht sich gut in erfrischenden sauren Getränken, als Garnitur, in Salaten, Suppen, Eintöpfen und Saucen, aber auch zu gegrilltem Gemüse. Für die zu Recht so beliebte mexikanische *Salsa verde* werden gekochte Tomatillos mit gehackten Zwiebeln, Koriander, Jalapeño-Chilis, Salz und frischem Limettensaft vermischt.

AUCH BEKANNT ALS
Tabor-Eiche, Camatina

NATÜRLICHES VERBREITUNGSGEBIET
Südöstliches Italien, Balkanhalbinsel bis Syrien

WACHSTUMSBEDINGUNGEN
Flache, neutrale Böden in semiaridem Klima mit warmen Wintern, in gemischten Laubwäldern bis in eine Höhe von 700 Metern. Für eine verlässliche Ernte ist ein mediterranes Klima Voraussetzung.

WO MAN SIE FINDET
Frische Eicheln kann man im gesamten Verbreitungsgebiet sammeln, Eichelmehl gibt es immer öfter bei spezialisierten Online-Lebensmittelhändlern.

WIE MAN SIE ISST
Eicheln, die reich an Kohlenhydraten, Vitaminen und Mineralstoffen sind, eignen sich gut für Suppen, Eintöpfe und vegetarische Burgerpatties oder in Pulverform für Gelees und verschiedene (glutenfreie) Backwaren. Die Frucht muss vor dem Verzehr eingeweicht (ausgelaugt) werden, um die Gerbstoffe zu entfernen.

Vallonea-Eiche

Quercus ithaburensis subsp. *macrolepis* (Fagaceae)

Die Gattung *Quercus*, allgemein als Eiche bekannt – von der es an die 500 Arten gibt – ist in der gesamten nördlichen Hemisphäre und im Süden bis zum Äquator weit verbreitet. Die Neotropen, vor allem das südliche Mexiko, können sich der größten Eichen-Vielfalt rühmen. Wo auch immer sie wachsen, werden diese Bäume ihrer Schönheit und oft auch ihres majestätischen Anblicks wegen verehrt, doch für die Menschen der Antike bedeuteten sie noch viel mehr: Man vergötterte sie als heilige Symbole der Stärke und des langen Lebens, ihr Holz diente zum Bau von Häusern und Schiffen oder als Brennstoff, von ihren Eicheln ernährten sich Menschen und Tiere.

Ihr Nutzen als Nahrungsmittel war so gut wie überall vergessen, mit Ausnahme einiger weniger indigener Kulturen. Es war der amerikanische Anthropologe Edward Winslow Gifford, der Anfang des 20. Jahrhunderts die große historische Bedeutung der Eichen als Nahrungsquelle erkannte. Er hatte sich der Erforschung des Lebens der indigenen Völker Kaliforniens gewidmet und fand heraus, dass die Eichel in der Vergangenheit ein Grundnahrungsmittel war. Daher gilt er als Begründer des Begriffes »Balanophagie«, der sich vom Griechischen *bálanos* (Eichel) und *phageîn* (essen) ableitet – also das Essen von Eicheln bezeichnet. Einst nur in der akademischen Welt bekannt, wird der Begriff zunehmend auch von kommerziellen Herstellern von Eichelprodukten und deren Derivaten verwendet. Gifford beschäftigte sich in erster Linie mit der Kalifornischen Stein-Eiche, *Q. agrifolia*, doch werden weltweit verschiedene Eichen und ihre nahen Verwandten genutzt. Die Koreaner, die den bei Weitem größten Eichelkonsum verzeichnen, bevorzugen etwa *Lithocarpus corneus*.

Im Jahr 2015 hat eine Initiative auf der griechischen Insel Kea die lokale Eichelindustrie erfolgreich wiederbelebt, unter Einsatz von *Quercus ithaburensis* subsp. *macrolepis*, einer Art der Vallonea-Eiche, die im Inselinneren wächst. Dieser Baum bringt große Eicheln von rund 30 Gramm hervor, deren Kappen lokal und überregional als Färbemittel verkauft werden oder auch an Gerbereien gehen, die die natürlichen Tannine den chemischen Alternativen vorziehen. Sobald die Eicheln so weit getrocknet sind, dass sie in ihren Schalen rasseln,

Fortsetzung auf Seite 147

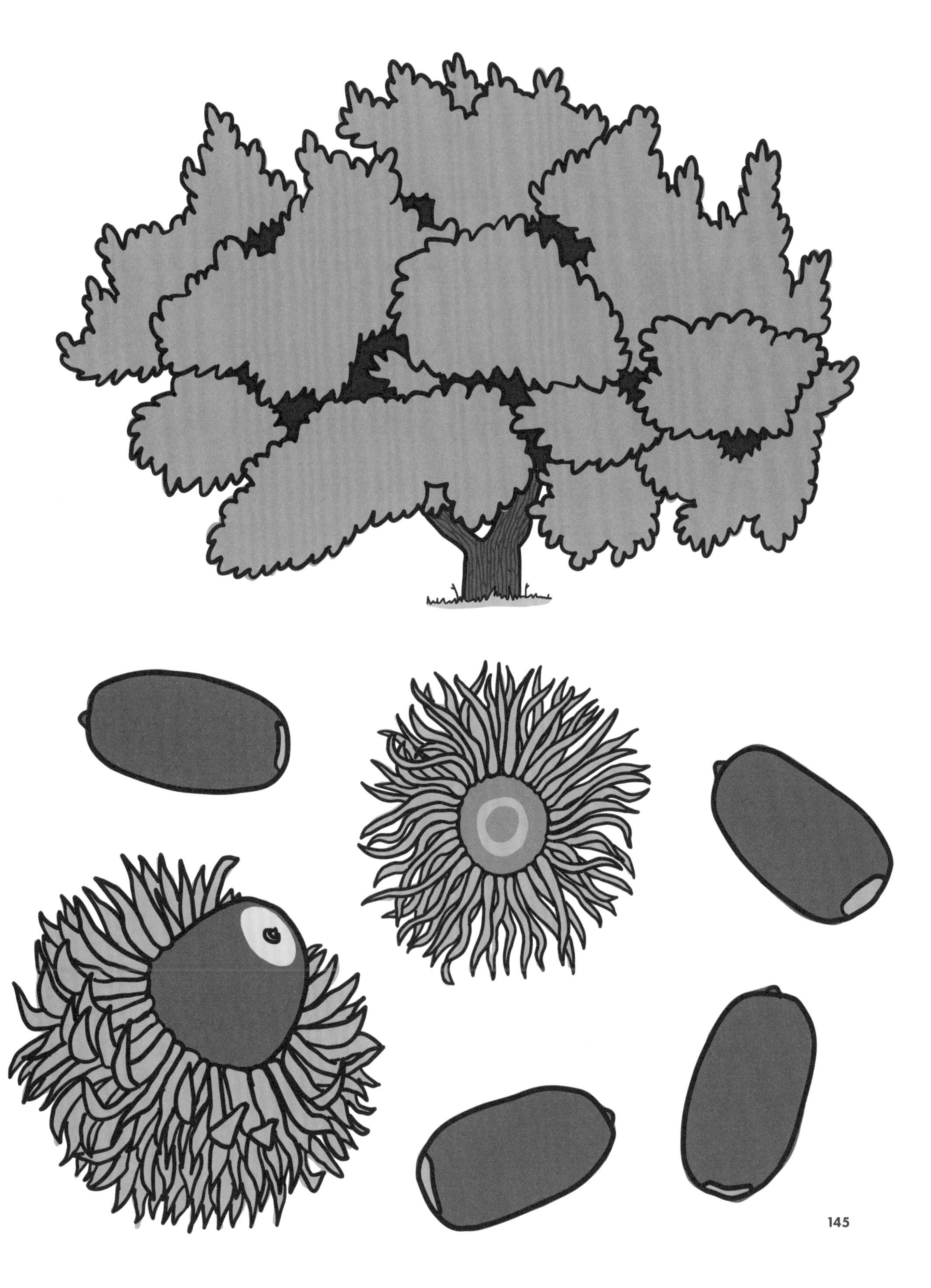

werden sie wiederholt in heißem oder lauwarmem Wasser eingeweicht, um die Gerbstoffe zu entfernen. Dann werden sie geschält und zunächst nur grob gemahlen, anschließend noch einmal eingeweicht, getrocknet und dann fein vermahlen. Das entstandene Mehl wird verpackt und auf dem Seeweg in alle Welt transportiert.

Die Vallonea-Eiche ist perfekt an das mediterrane Klima angepasst, sie kann in einer Vielzahl von Böden und in trockenen Klimazonen wachsen und stabilisiert die Erde mit ihren weitverzweigten Pfahlwurzeln. Sie trotzt auch Stürmen und bildet offene, parkähnliche Wälder. Damit ist sie ideal für die *Hutewald*-Bewirtschaftung in trockenen Regionen geeignet, wo weidende Tiere und Nutzbäume auf derselben Fläche existieren, was eine äußerst produktive, widerstandsfähige und vielfältige Landschaft zur Folge hat. Im Gegensatz zu den meisten Nussbäumen liefert die Vallonea-Eiche auch ohne menschliches Zutun, wie Düngemittel oder Bewässerung, hohe Erträge.

Sobald die Eichel von den Gerbstoffen befreit ist, kann sie gegessen werden. Ein koreanisches Eichelgelee, *dotori-muk*, besteht aus frischen Eicheln, die zu einem Pulver vermahlen werden, das in großen Behältnissen eingeweicht wird, um die Tannine auszuwaschen. Das Pulver wird erst getrocknet, dann noch einmal gemahlen und anschließend mit Wasser zu einer Art Pudding eingekocht. Dieser wird dann mit fein geschnittenen Chilis, Karotten, Salat und grünen Zwiebeln angerichtet und mit einer Mischung aus Sojasauce, Sesamöl und -körnern, Knoblauch, Chiliflocken und braunem Zucker gewürzt. Die ausgelaugten Eicheln haben eine leicht trockene Konsistenz, die der von Esskastanien gleicht, und einen ähnlich nussigen, süßen Geschmack, wodurch sie sich ausgezeichnet für Suppen und Eintöpfe eignen, aber auch für vegetarische Burgerpatties, als Kaffeeersatz oder sogar als Likör. Aus Eichelmehl lassen sich nicht nur glutenfreie Backwaren, sondern auch Nudeln herstellen.

Schwarzer Rettich

Raphanus raphanistrum subsp. *sativus*
(syn. *Raphanus sativus* var. *niger*) (Brassicaceae)

AUCH BEKANNT ALS
Langer Schwarzer, Schwarzer Winter-Rettich, Luo bo, Black Radish

NATÜRLICHES VERBREITUNGSGEBIET
Östlicher Mittelmeerraum

EINGEBÜRGERT
Weithin in den entsprechenden Klimazonen

WACHSTUMSBEDINGUNGEN
Eine Nutzpflanze für kühle Wetterlagen, die in durchgehend feuchten Böden in voller Sonne oder im Halbschatten gedeiht. Gute Luftbewegung und Bodendurchlässigkeit sind wichtig, um Pilzwachstum zu vermeiden.

WO MAN SIE FINDET
Auf Bauernmärkten im gesamten Verbreitungsgebiet.

WIE MAN SIE ISST
Verwenden Sie ihn so wie jeden anderen Rettich, in Salaten oder Salsas, oder essen Sie ihn gebraten, frittiert oder sautiert. Versuchen Sie die Blätter in einem Pfannengericht.

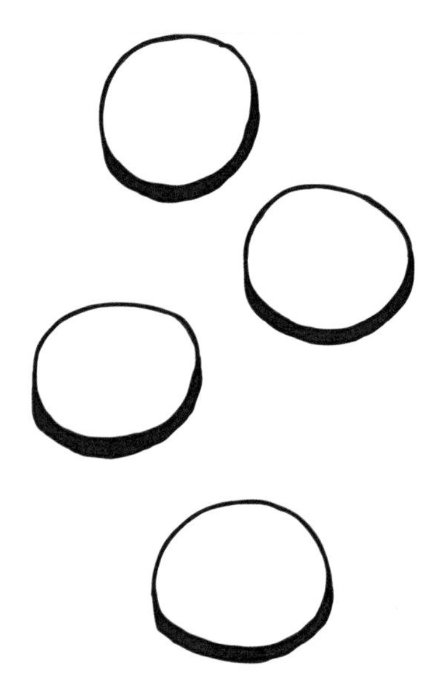

Heute weiß nahezu jeder Kenner der gehobenen Küche oder selbst gezogenen Gemüses, dass der bescheiden wirkende Rettich kulinarisch weitaus mehr zu bieten hat als die runden oder länglichen Radieschenvarianten. Da er seit Jahrtausenden weit verbreitet ist, sind auch seine Ursprünge recht umstritten. Wir werden wohl nie wissen, woher genau er stammt, da er als Kulturpflanze gilt, eine Pflanze, die vom Menschen durch selektives Züchten verändert wurde. Zuverlässige Quellen lassen jedoch auf zwei Zentren der Diversifizierung schließen: Zentralasien und den Mittelmeerraum.

Unter den alten kultivierten Sorten war der Schwarze Rettich die am weitesten verbreitetete. Heute feiert diese historische Sorte (korrekt eigentlich diese »Unterart«) so etwas wie ein Comeback und wird aufgrund ihres Geschmacks und ihrer wertvollen Nährstoffe geschätzt, Eigenschaften, die bereits im alten Ägypten, Griechenland und Rom gut bekannt waren. Der Schwarze Rettich gilt als Energielieferant, und man vermutet, dass er zwischen 2550 und 2490 v. u. Z. ein Grundnahrungsmittel der Pyramiden-Bauarbeiter war. Rettiche standen bei den alten Griechen so hoch im Kurs, dass sogar kleine Repliken in Gold hergestellt wurden; Rote Beten wurden in Silber gefertigt, Steckrüben in Blei. Im restlichen Europa ist der Rettichverzehr erst viel später belegt, in Deutschland erstmals im 13. Jahrhundert, 1548 dann in England. Gegen Ende des 16. Jahrhunderts wurden Rettiche in Nordamerika und in Mexiko angepflanzt.

Der Schwarze Rettich wächst als kräftige Pfahlwurzel in einer Vielzahl beständig feuchter Böden, damit bietet er eine Lösung für das Problem der Bodenverdichtung, und er wird sowohl in Europa als auch in Nordamerika immer öfter angebaut. Wird er als herbstliche Zwischenfrucht gesetzt, bohrt er sich tief in die Erde, bricht die wasserundurchlässige Ortsteinschicht auf und bahnt damit den nachfolgenden Nutzpflanzen den Weg.

Die knollenförmige Pfahlwurzel und die Blätter sind sowohl gekocht als auch roh essbar. Rohe Wurzeln haben eine knackige Konsistenz mit einem scharfen, leicht erdigen, bitteren Geschmack, der ein wenig an Meerrettich erinnert. Beim Kochen schwächen sich diese Aromen ab. Da die intensivsten Aromen in der Schale sitzen, schmeckt der Rettich geschält milder. Für ein klassisches bayrisches Rezept, den Radisalat, wird der rohe Schwarze Rettich geraspelt, gesalzen, leicht gezuckert, durchgeknetet und dann mit einem Schuss Wasser, Essig und Öl vermischt. Rettich kann auch roh in Salate gegeben, zu Salsa verarbeitet, milchsauer eingelegt oder sogar entsaftet, geröstet, gebraten oder sautiert werden. Die milder schmeckenden frischen Blätter machen sich auch kurzgebraten gut.

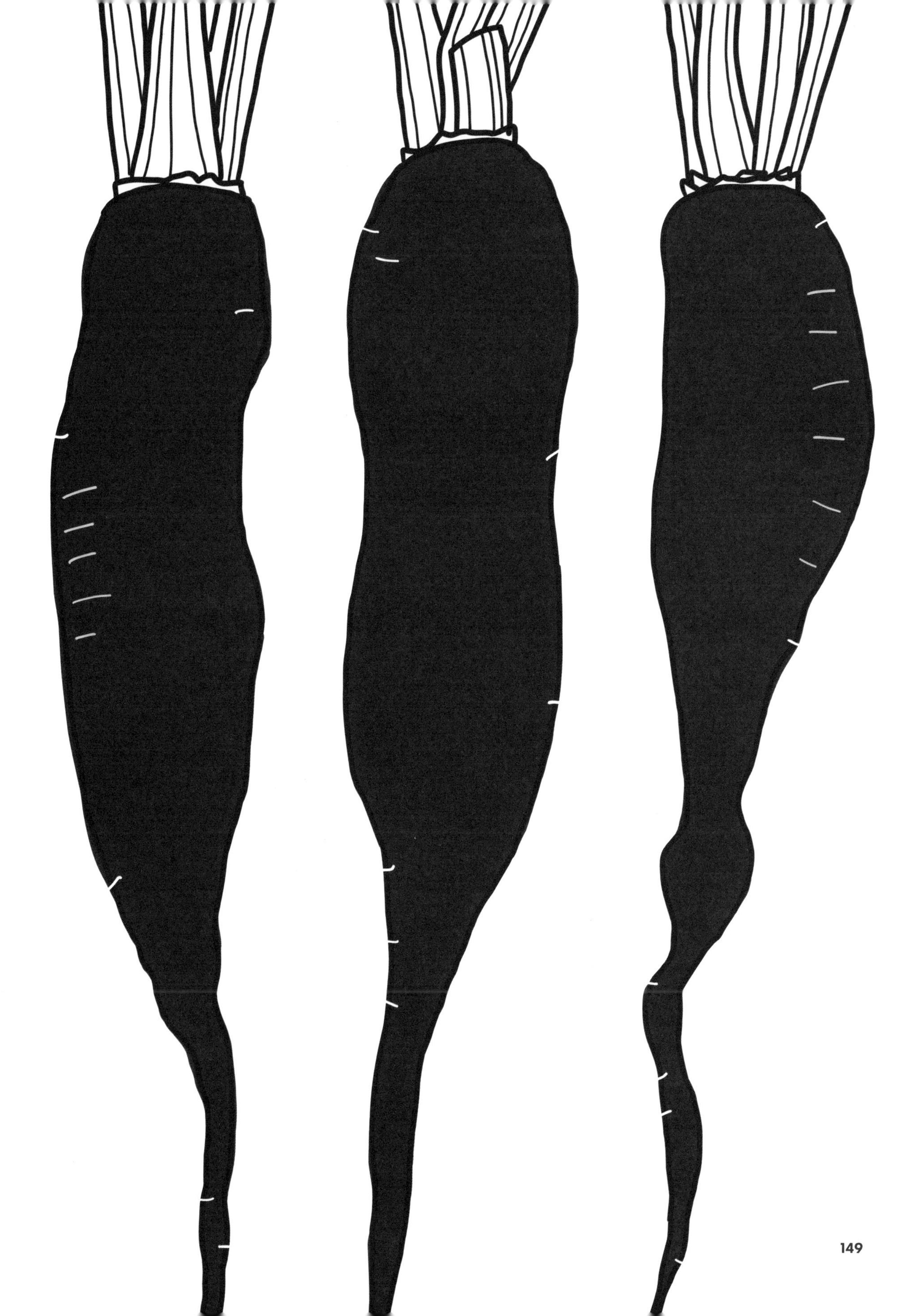

Bittere Reichardie

Reichardia picroides (Asteraceae)

Im Zeitalter des Komforts und der zunehmenden Verfügbarkeit von Lebensmitteln geht das traditionelle Wissen um die »essbaren Wildpflanzen« verloren. Noch nie bestand allerdings mehr Interesse am Ausgraben verlorenen oder kaum mehr vorhandenen Wissens, und diese Aufgabe wird oft von Ethnobotanikern übernommen. Ein Beispiel für ein solches Engagement geben die Bemühungen in Ländern des Mittelmeerraums, wo die Bittere Reichardie, *Reichardia picroides*, heimisch ist und wo sie historisch als Wildpflanze gesammelt wurde.

In Italien erfreute sich die Bittere Reichardie in ländlichen Gemeinschaften nach wie vor einer permanenten Nutzung, weshalb auch viele umgangssprachliche Bezeichnungen dafür existieren. Als Mitglied der Familie der Korbblütler bildet sie am Boden dichte Rosetten aus langen Blättern, deren Farbton von Hellgrün zu Blaugrün reicht, deren Ränder zart oder deutlich gelappt sind, und bis zu 45 Zentimeter lange Blütenstängel, die jeweils eine leuchtende sonnengelbe Strahlenblüte tragen. Die Pflanzen haben lange Pfahlwurzeln, die zwar auch essbar sind, jedoch zweitrangig hinter den Blättern stehen, die in Salaten verwendet werden und als *chòrta* bekannt sind, essbare grüne Wildpflanzen.

Sie sind von Natur aus an die schwierigen Bedingungen von küstennahen Salzböden sowie an die Trockenheit und Hitze im Binnenland angepasst und gedeihen üppig auf nahezu jedem Untergrund, etwa auf trockenen, felsigen Böden, antiken Monumenten und sogar Sanddünen. Die Bittere Reichardie ist extrem anpassungsfähig und produktiv, verfügt über ein gutes Potenzial zur kommerziellen Nutzung, erfordert wenig menschlichen Eingriff und ist eine schneckensichere Salatpflanze für traditionellen und hydroponischen Anbau.

Die Blätter sind reich an Antioxidantien und sowohl gekocht als auch roh essbar, während die Wurzeln geröstet und zu einem Kaffeeersatz-Pulver vermahlen werden können, ebenso wie der Löwenzahn. In Italien werden die frischen Blätter als *caccialepre* bezeichnet und roh, mit Olivenöl, Salz und einem Spritzer Zitronensaft angemacht, als Salat gegessen. Sie haben eine leicht fleischige, knackige Konsistenz mit einem milden, angenehm bittersüßen Geschmack, zu dem sich eine gewisse Salzigkeit gesellt, wenn die Pflanze an der Küste wächst. Man kann sie auch kochen, als Belag für Gemüsequiches, in Pasta oder in Eiergerichten verwenden. Interessanterweise sind die ausgewachsenen Blätter schmackhafter als die jungen, was sehr ungewöhnlich ist.

AUCH BEKANNT ALS
Bitterkraut-Reichardie, Südlicher Bitterlattich, Cosconilla, Caccialepre, French Scorzonera, Common Brighteyes

NATÜRLICHES VERBREITUNGSGEBIET
Mittelmeerraum

EINGEBÜRGERT
Golfstaaten, Hawaii, Westaustralien

WACHSTUMSBEDINGUNGEN
Wächst in einer ganzen Reihe Böden, von sauer bis basisch, sandig, Lehm und Ton, gedeiht in voller Sonne und im Halbschatten. Angepasst an ausgesetzte Küstenregionen, ist sie jedoch auch auf bepflanzten Feldern, an Weg- und Straßenrändern, auf gestörten Flächen, in Waldgebieten und in steinigem Buschland anzutreffen. Toleriert Temperaturen bis zu -10 °C in mageren, durchlässigen Böden.

WO MAN SIE FINDET
Erhältlich bei Foragern im gesamten Mittelmeerraum oder als Samen, die Sie im Garten aussäen können.

WIE MAN SIE ISST
Probieren Sie die Blätter (reich an Antioxidantien) frisch in Salaten oder in Gemüsequiches, Pasta oder Eiergerichten. Die Wurzeln lassen sich rösten und zu einem Kaffeeersatz-Pulver vermahlen.

Loquat

Rhaphiolepis bibas (Rosaceae)

AUCH BEKANNT ALS
Japanische Wollmispel, Wollmispel, Mispero, Nespolo, Nispero, Luju, Biwa, Néflier du Japon, Yenidünya, Japanese Medlar

NATÜRLICHES VERBREITUNGSGEBIET
China

EINGEBÜRGERT
In Regionen mit entsprechendem Klima

WACHSTUMSBEDINGUNGEN
Wächst in semi-subtropischen Klimazonen in verschiedenen Böden. Benötigt ein mildes (maritimes) Klima für maximalen Ertrag.

WO MAN SIE FINDET
Weltweit, als frische Frucht oder in verarbeiteter Form.

WIE MAN SIE ISST
Die Loquat ist reich an Kalium und Antioxidantien. Genießen Sie sie reif, mit Lammhackfleisch gefüllt, oder in Marmeladen, Gelees, als Saft oder Wein.

Die Familie der Rosengewächse bringt eine Fülle verschiedenartiger Früchte hervor, darunter Äpfel, Mandeln, Aprikosen, Pflaumen, Kirschen, Erdbeeren und – natürlich – auch Rosenblüten. Eine dieser Früchte halten viele Menschen für die Köstlichste von allen: die Loquat, *Rhaphiolepis bibas* (früher *Eriobotrya japonica* genannt). Der Baum eignet sich in Ländern mit entsprechendem Klima wunderbar für den Garten, die Früchte sind aber auch in Supermärkten erhältlich.

Alles nahm vor mehr als 2000 Jahren seinen Anfang, als Wildpflanzen aus der chinesischen Provinz Hubei kultiviert wurden. In *Flora sinensis* (»Die Flora Chinas«), dem Buch des polnischen Missionars Michał Boym von 1656, wird die Loquat mutmaßlich das erste Mal erwähnt. Seitdem sind, durch ökologische Anpassung und bewusste Selektion, zahlreiche Kultursorten verfügbar, ursprünglich kamen sie aus China und Japan, später auch aus Mittelmeerländern, dann aus den Vereinigten Staaten.

Die weitere Verbreitung der Loquat ist jedoch einigen einschränkenden Faktoren unterworfen. Von ihrer Familie hebt sie sich insofern ab, als sie im Herbst oder frühen Winter blüht und die Früchte im Frühling oder Frühsommer reif werden. Damit ist ausgeschlossen, dass die Früchte auch in kühleren Klimazonen reifen, da die Bäume zwar Temperaturen bis -12 °C tolerieren, die Blüten und Früchte jedoch frostempfindlich sind und einigermaßen helle, trockene Bedingungen benötigen, um sich zu entwickeln. Weitere Hindernisse sind die leichte Verderblichkeit der Früchte und ihre Anfälligkeit für mechanische Beschädigung, obwohl eine Kombination aus Kulturpflanzen-Selektion, natürlicher Vorbehandlung (etwa das Bestreichen mit Zimtöl), verbesserte Maschinen und Logistik dafür sorgen werden, dass noch mehr Menschen in den Genuss der Früchte kommen können.

Die anpassungsfähige Loquat gedeiht in einer Reihe von Böden. Sie ist immergrün und sehr schnittverträglich, eignet sich also als sehr ertragreicher

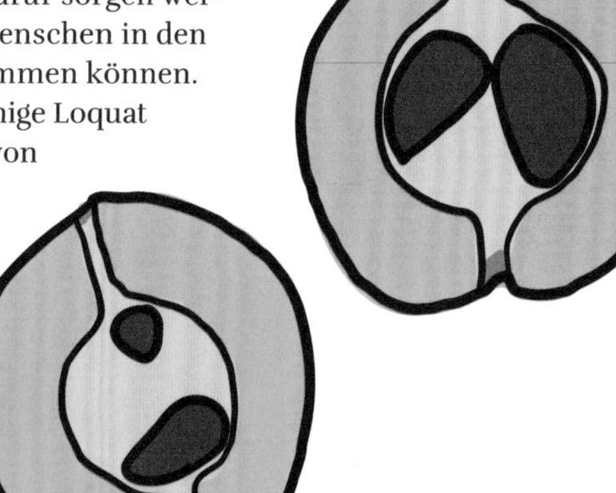

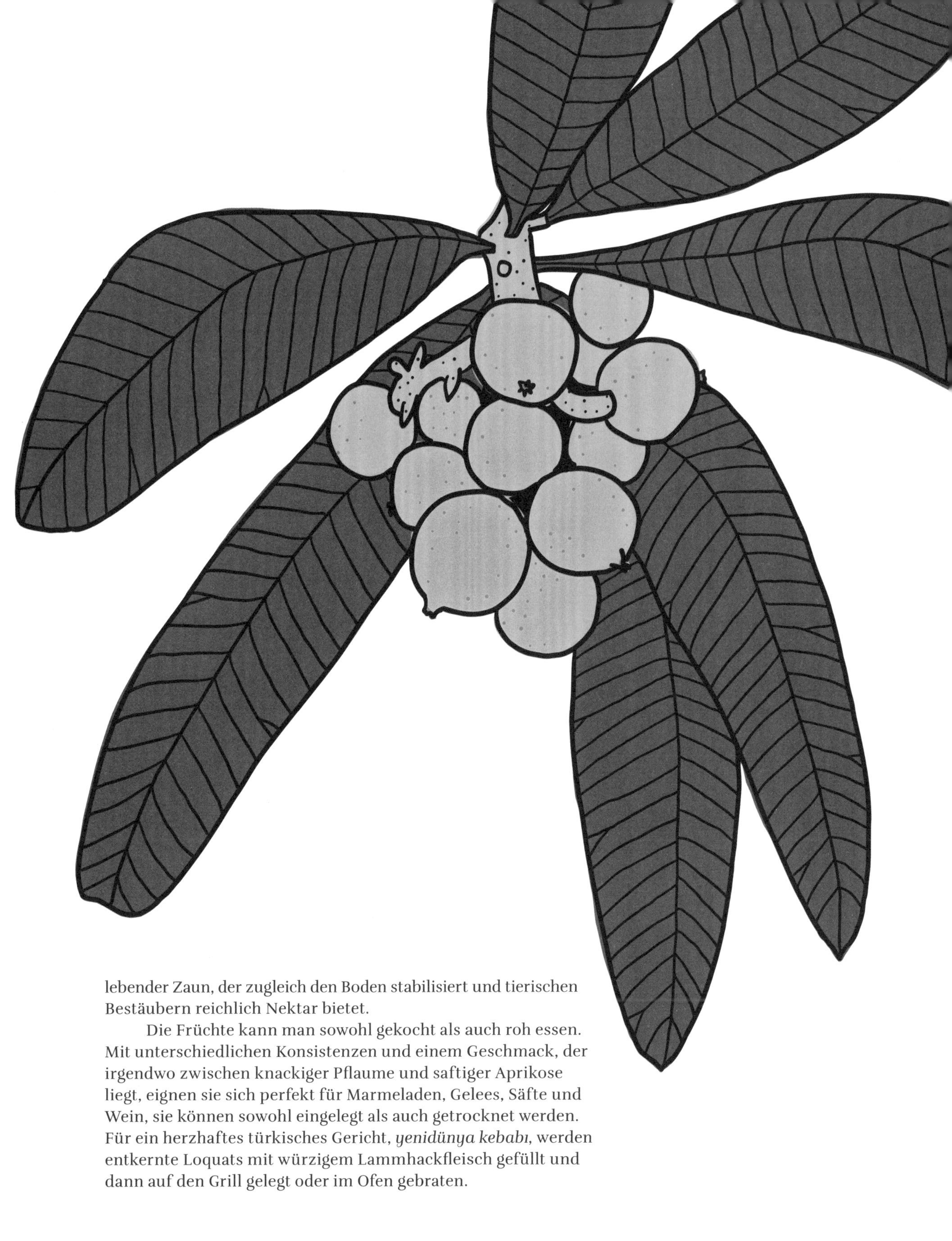

lebender Zaun, der zugleich den Boden stabilisiert und tierischen Bestäubern reichlich Nektar bietet.

Die Früchte kann man sowohl gekocht als auch roh essen. Mit unterschiedlichen Konsistenzen und einem Geschmack, der irgendwo zwischen knackiger Pflaume und saftiger Aprikose liegt, eignen sie sich perfekt für Marmeladen, Gelees, Säfte und Wein, sie können sowohl eingelegt als auch getrocknet werden. Für ein herzhaftes türkisches Gericht, *yenidünya kebabı*, werden entkernte Loquats mit würzigem Lammhackfleisch gefüllt und dann auf den Grill gelegt oder im Ofen gebraten.

AUCH BEKANNT ALS
Glasschmelz, Glasschmalz, Meeresbohne, Seespargel, Glasört, Zeekraal, Espárrago de Mar, Salicornes, Almyrides, Marsh Samphire, Glasswort

NATÜRLICHES VERBREITUNGSGEBIET
Belgien, Niederlande, Dänemark, Norwegen, Finnland, Schweden, Frankreich, Deutschland, Großbritannien, Irland, Spanien

WACHSTUMSBEDINGUNGEN
Gezeitenküsten und Binnengewässer in Salzwiesen, Schlickwatt, Sandwatt, Meeresarmen; hinter Küstenbefestigungen in Schlick, feiner Tonerde und Kies.

WO MAN SIE FINDET
Auf Märkten, in Supermärkten und in spezialisierten Lebensmittelläden weltweit.

WIE MAN SIE ISST
Die frischen Triebe (reich an Vitamin A, Mineralstoffen und Antioxidantien) lassen sich roh in Salaten, als schmackhafte Garnitur für Meeresfrüchte, blanchiert, gedämpft, eingelegt oder in Pfannengerichten genießen.

Europäischer Queller

Salicornia europaea (Amaranthaceae)

Im Laufe des vergangenen Jahrhunderts ist das Meeresniveau weltweit gestiegen. Eine unvermeidliche Folge sind auch die immer häufiger auftretenden Sturmfluten, die weiter und weiter ins Landesinnere vordringen, den Salzgehalt des Bodens erhöhen und damit ein Problem für traditionell landbasierte Nutzpflanzen verursachen. In einigen Fällen haben sich die Pflanzen an die salzige Umgebung angepasst – man nennt sie Halophyten (»Salzpflanzen«). Einige davon sind essbar, so wie jene der Gattung *Salicornia*, die oftmals als »Glasschmelz« bezeichnet wurde, da die Asche der Pflanze zur Zubereitung von Soda und dieses früher bei der Glasherstellung benutzt wurde.

Queller finden sich in weiten Teilen Eurasiens, Nordamerikas und Südafrikas, und dazu gehört auch *S. europaea*. Traditionell haben in seinem nördlichen und westlichen europäischen Verbreitungsgebiet ansässige Kulturen dieses nährstoffreiche Gemüse in lokalen Gerichten verarbeitet, wenn die Vorräte für den Winter erschöpft waren. Einst war sie nur die Domäne lokaler Sammler, doch wurde seit der Wende zum 21. Jahrhundert viel über die Pflanze und ihre kulinarischen Qualitäten berichtet, was einen Run auf wild wachsende Exemplare zur Folge hatte. Die erhöhte Nachfrage führte zu Innovationen im Anbau, manchmal in Verbindung mit Meeresaquakultur, da die Pflanze auch ein effektiver natürlicher Filter ist.

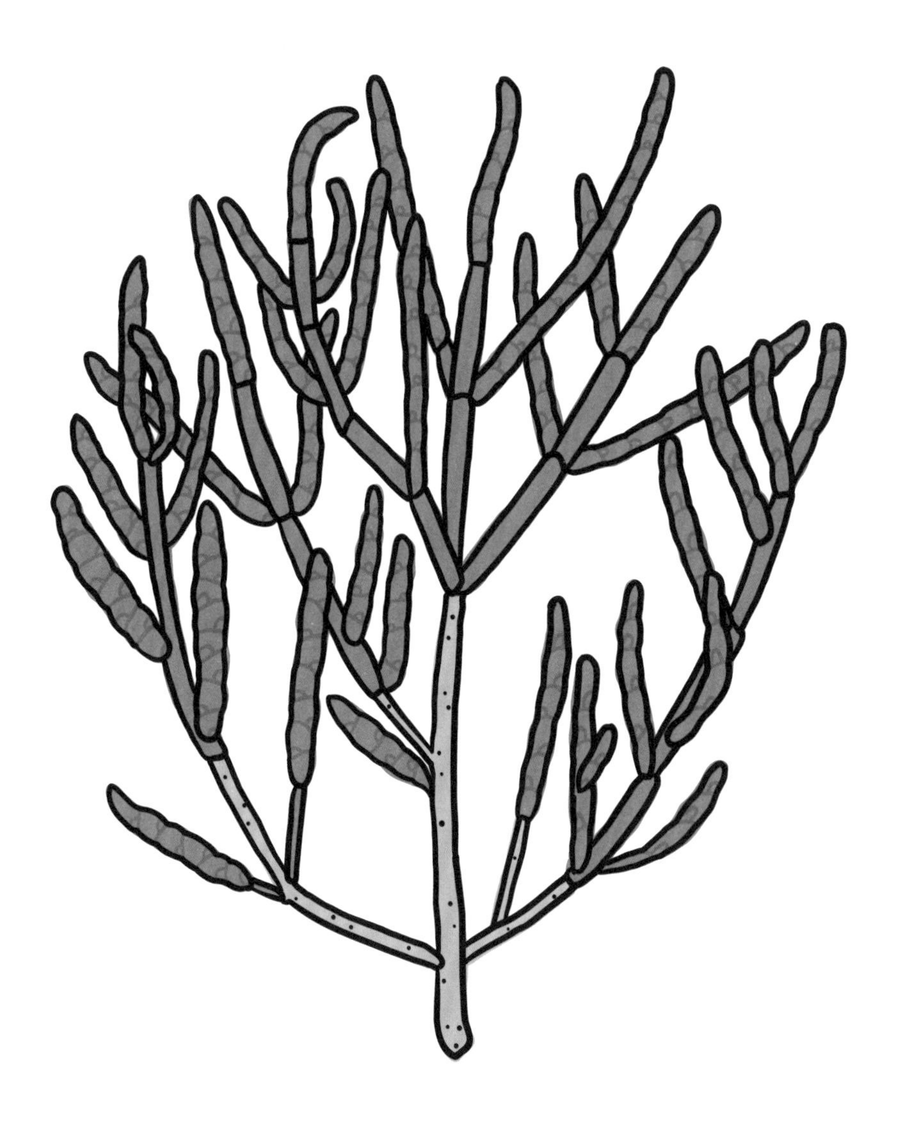

Der Europäische Queller gilt als eine der salztolerantesten Pflanzen der Welt. Indem er dazu beiträgt, Küsten und Meeresarme zu stabilisieren, kann er die Küstenerosion verhindern. Er ist zudem in der Lage, Salz, Schwermetalle und Stickstoff aus schadstoffbelastetem Wasser und Boden herauszufiltern, sowohl an der Küste als auch im Binnenland. Dies macht ihn zu einer idealen Phytosanierungspflanze, die eingesetzt wird, um anfällige Ökosysteme auf der ganzen Welt zu schützen und zu retten, was zahlreiche Möglichkeiten für eine regenerative Landwirtschaft eröffnet.

Europäischer Queller ist reich an Vitamin A, Mineralstoffen und Antioxidantien. Seine Triebe sind roh oder gekocht essbar, aus den Samen lässt sich ein nährstoffreiches Öl gewinnen. In einem einfachen französischen Gericht, *Salicornes sautées en persillade*, wird der blanchierte Europäische Queller mit zerdrücktem Knoblauch in Butter sautiert und mit fein gehackter Petersilie und frisch gemahlenem schwarzem Pfeffer serviert. Die knackigen, fleischigen Triebe haben ein frisches Meeresaroma, das sich gut macht in Salaten, als Garnitur für Meeresfrüchte, gedämpft, in Suppen und Saucen oder auch eingelegt.

Überraschende Pflanzenaromen

Es gibt sechs grundlegende Geschmacksrichtungen, die wir mit den Geschmacksknospen auf der Zunge wahrnehmen können: süß, salzig, sauer, bitter, umami (herzhaft) und – wie es jüngste Studien nahelegen – fett. Sie vermitteln uns bereits einen ersten Eindruck von unserem Essen, doch erst die Rezeptoren in der Nase erlauben es uns, komplexere und nuanciertere Aromen zu erfassen, wie Vanille, Erdbeere und Schokolade. Deshalb schmeckt auch alles so fade, wenn man eine Erkältung hat und die Nase verstopft ist.

Diese beiden Systeme arbeiten zusammen (gemeinsam mit der Stimulation des Trigeminusnervs, die es uns erlaubt, die Konsistenz und die Temperatur unseres Essens zu erkennen) und vermitteln uns ein komplexes Bild unserer täglichen Lebensmittellandschaft. So können wir die süß-saure Knackigkeit eines frisch gepflückten Apfels wahrnehmen oder die mehlige, ganz leicht karamellige Süße einer im Ofen gebackenen Süßkartoffel.

Diese Systeme dienen jedoch auch dazu, uns vor giftigen Substanzen zu warnen, wie Rizin oder Zyanid. Insbesondere bittere Aromen aktivieren unser ursprüngliches Frühwarnsystem, doch auch saure Noten stehen auf der Watchlist. Nachdem dies unseren Vorfahren auf der Suche nach Nahrung unzählige Male das Leben gerettet hat, hält es uns auch heute davon ab, verdorbene Lebensmittel zu uns zu nehmen. Leider hält es uns auch davon ab, viele absolut genießbare, sogar sehr gesunde Pflanzen zu essen – wie Grünkohl und andere Mitglieder der Kohl-Familie, die bittere Substanzen erzeugen, um Tiere davon abzuhalten, sie zu fressen, und um Schädlinge und Krankheiten abzuwehren. Bei den meisten Kultursorten essbarer Pflanzen, die heute allgemein verfügbar sind, wurden bittere und saure Aromen weggezüchtet, ein Anflug dieser Geschmacksrichtungen bleibt jedoch immer erhalten.

Was können Sie also tun, um Ihr Repertoire an essbaren Pflanzen zu erweitern, wenn Sie nicht gerade versessen auf Bitteres und Säuerliches sind? Nehmen Sie sich einfach ein Beispiel an zahllosen Kaffeetrinkern. Wenn Sie ein bestimmtes Lebensmittel zu bitter finden, essen Sie kleine Mengen davon, gemischt mit einem Gemüse, das Sie mögen, oder fügen Sie andere Zutaten hinzu, um den Geschmack zu überdecken. Moderate Mengen nach Umami schmeckender Sojasauce und/oder natürliche Süßungsmittel, wie Ahornsirup, sind beispielsweise für Brokkoli das, was Milch und Zucker für schwarzen Kaffee sind. Säure lässt sich durch verschiedene Fette, aber auch durch Süßungsmittel neutralisieren.

Im Laufe der Zeit können Sie die »Dosis« des erwünschten Lebensmittels erhöhen, bis Sie sich eines Tages an den Geschmack gewöhnt haben. Im Handumdrehen können Sie eine ganz neue Welt von gesunden und köstlichen Pflanzenaromen genießen. Und wenn Sie etwas wirklich gar nicht mögen, dann gibt es immer noch eine Menge anderer essbarer Pflanzen, die es sich zu probieren lohnt.

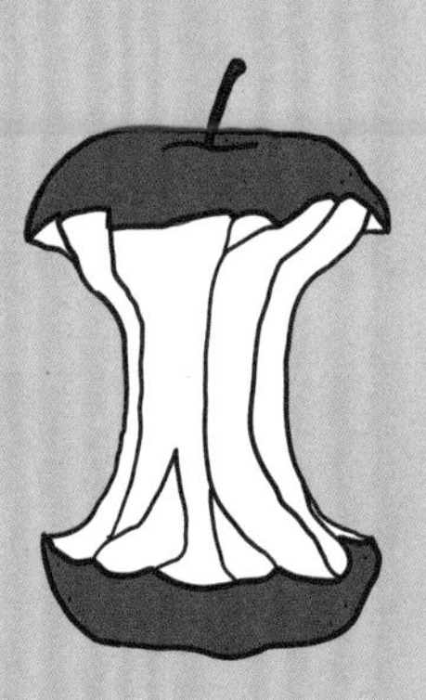

Es gibt zahlreiche faszinierende Aromen zu entdecken, die bei Weitem das übersteigen, was Sie im Supermarkt-Angebot so finden:

- Die **SAFOU**, mit einer buttrigen Konsistenz, wie die der Avocado, und einem leicht säuerlichen, herben Aroma, das an Oliven erinnert.
- **MEERESTRAUBEN**, die beim Reinbeißen herrlich ploppen und ein salziges, leicht süßliches Umami-Aroma freigeben.
- Die unreifen Samen der **PALMYRAPALME**, mit der geleeartigen Konsistenz von Litschis und einem erfrischenden Geschmack, der an Kokosnuss erinnert.
- Die gekochten jungen Triebe des **GEMÜSEFARNS**, mit seiner knackigen oder leicht schleimigen Textur und einem Aroma, das an Spargel denken lässt, mit einer leicht herben Süße.
- Gekochte **BESENRADMELDE** mit ihrer festen, knackigen Konsistenz außen, der buttrigen Cremigkeit im Inneren und einem Geschmack, der an Brokkoli und Artischocken erinnert.
- Die saftige Frucht der **WINTERGRÜNEN ÖLWEIDE**, die leicht herb schmeckt und Assoziationen mit wild wachsenden Kirschen und roten Johannisbeeren hervorruft.

Diese Pflanzen, die eine Vielfalt an aufregenden Geschmacksrichtungen, Konsistenzen und Aromen bieten, sind nur einige der Beispiele für Gewächse, die in ihren Herkunftsregionen bereits eine wichtige Rolle spielen und über das Potenzial verfügen, die globale Geschmackslandschaft zu revolutionieren.

2
4
3
1

Marula-Baum

Sclerocarya birrea (Anacardiaceae)

Nahrung, Medizin, Kultur und Spiritualität: Ein ganzes Mosaik afrikanischen ethnobotanischen Erbes ist in einem einzigen majestätischen Baum vereint, *Sclerocarya birrea*, weithin als Marula bekannt. Seine drei Unterarten bedecken große Gebiete der eher trockenen Regionen Afrikas, von Mauretanien bis Äthiopien, östlich bis zu den Inseln Mayotte und Madagaskar, bis hinunter nach Südafrika. Die Entdeckung 150 000 Jahre alter archäologischer Zeugnisse mit Fragmenten von Marulafruchtsamen im heutigen Simbabwe lässt darauf schließen, dass diese nährstoffreiche Frucht zur aufkommenden Dominanz des *Homo sapiens* beitrug. So begann die lange und wechselseitig förderliche Beziehung der Menschheit zu diesem botanischen Schatz, an den eine Vielzahl lokaler Namen, Bräuche und Einsatzmöglichkeiten geknüpft sind. Rosafarbenen Blüten **(1)** folgt eine Frucht, die grün vom Baum fällt **(2)**, gelb ausreift **(3)** und etwa so groß wie eine Pflaume ist. Ein einziger wild oder halbwild wachsender ausgewachsener Baum kann jährlich bis zu 500 Kilogramm Früchte hervorbringen. Je nach Region sind die Bäume im Eigentum der Gemeinschaft oder einzelner Familien und unterstehen deren Schutz und Pflege. Anekdoten von Elefanten und anderen Wildtieren, die betrunken aufgefunden wurden, nachdem sie sich am gärenden Fallobst gütlich getan hatten, gehen Jahrhunderte zurück, wurden jedoch – obwohl sehr amüsant – durch aktuelle Studien widerlegt.

Der Marula-Baum, der sich unter den härtesten Bedingungen des subsaharischen Afrika behauptet, gedeiht in einer Vielzahl von Böden, von äußerst mageren und steinigen bis hin zu sehr salzigen. Er wächst rasch, liefert große Mengen an Früchten und ist bereits für zahlreiche Gemeinschaften eine überlebenswichtige Nahrungs- und Einkommensquelle, was seine Bedeutung in einer unsicheren, vom Klimawandel bestimmten Zukunft noch steigern wird.

Die Früchte und Kerne **(4)** des Marula-Baumes lassen sich gekocht oder roh verzehren. Die reife Frucht ist von einer lederartigen Schale umhüllt; ihr saftiges Fruchtfleisch hat ein süßes, nussiges und leicht herbes Aroma. Sie eignet sich perfekt für Marmelade, Gelee, Saft, Cider, Chutney, Kuchenbelag und, vielleicht am bekanntesten, für Amarula-Cremelikör. Die Nuss, die ein wenig nach Macadamia schmeckt, wird roh, geröstet und als Nussmus gegessen, zu einem glutenfreien Mehl vermahlen, als Suppenzutat verwendet oder zu einem wertvollen Speiseöl gepresst. Das sehr beliebte, aus Swasiland stammende alkoholische Getränk *buganu* entsteht, indem geschälte und zerdrückte Marulafrüchte mit Wasser und Zucker vergoren werden.

AUCH BEKANNT ALS
Elefantenbaum, Morula, Mufula, Maroola, Ukanyi, Jelly Plum, Cat Thorn, Cider Tree

NATÜRLICHES VERBREITUNGSGEBIET
Mauretanien bis Äthiopien, Richtung Osten zu den Inseln Mayotte und Madagaskar, und hinunter nach Südafrika

EINGEBÜRGERT
Australien, Indien, Israel und Sultanat Oman

WACHSTUMSBEDINGUNGEN
Bewaldetes Grasland, Waldland und Buschland, auf felsigen Hügeln, in sandigen Böden und gelegentlich in sandigem Lehm, der leicht sauer bis neutral und für gewöhnlich nährstoffarm ist.

WO MAN SIE FINDET
Die frische Frucht ist auf Märkten in ganz Subsahara-Afrika erhältlich, während man viele als verarbeitete Lebensmittel (wie Öl und Likör) weltweit bei spezialisierten Lebensmittelhändlern bekommt.

WIE MAN SIE ISST
Genießen Sie die saftigen Früchte frisch oder in Marmelade, Gelee oder als Getränk. Der Kern ist roh ebenso köstlich wie geröstet, zu Nussmus oder zu glutenfreiem Mehl verarbeitet.

AUCH BEKANNT ALS
Erdapfel, Grundbeere, Grundbirne, Spud, Papa, Patata, Batata, Viazi, Kentang

NATÜRLICHES VERBREITUNGSGEBIET
Nordwestliches und südliches Argentinien, Bolivien, Chile, Peru, Kolumbien, Ecuador und Venezuela

EINGEBÜRGERT
Weit verbreitet in den entsprechenden Klimazonen

WACHSTUMSBEDINGUNGEN
Verlangt einen offenen, frostfreien Standort in tiefer, fruchtbarer, feuchter, durchlässiger Erde, die idealerweise neutral bis leicht sauer ist; toleriert aber auch leicht basische Böden.

WO MAN SIE FINDET
Auf Märkten weltweit.

WIE MAN SIE ISST
Genießen Sie die Knollen (reich an Kohlenhydraten und Mineralstoffen) gekocht in einer Vielzahl von Gerichten, von Suppen bis hin zu Backwaren, und sogar als Milch auf Pflanzenbasis.

Alte Kartoffelsorten

Solanum tuberosum (Solanaceae)

Die Kartoffel – die weltweit fünftwichtigste Nutzpflanze nach Zuckerrohr, Mais, Reis und Weizen – wird im Ranking aller Voraussicht nach noch weiter nach oben klettern. Dieses bescheiden wirkende Gemüse kann größere Ernteerträge liefern als Getreide auf einer gleich großen Fläche, und das in kürzerer Zeit. Damit spielt sie eine wichtige Rolle als Garantin der Ernährungssicherheit von Entwicklungsländern. Es werden gemeinschaftliche Anstrengungen unternommen, um gegen eine Reihe von Kartoffel-Krankheiten anzugehen, an deren Spitze die Pilzerreger stehen, die Dürrfleckenkrankheit und Kartoffelfäule hervorrufen.

Die Kartoffel wurde vor etwa 10 000 Jahren in den südamerikanischen Anden erstmals aus wild wachsenden Pflanzen domestiziert. Heute gibt es, Schätzungen zufolge, in der Region mehr als 3000 Sorten. Nach Europa gelangte die Kartoffel erst vor etwa fünf Jahrhunderten und etablierte sich dort rasch als Grundnahrungsmittel. Es ging dabei im Wesentlichen um die einfache Aufzucht und hohe Ernteerträge, daher gab es nur wenige Anstrengungen, etwas anderes als die beliebtesten Kultursorten anzupflanzen, die sich durch den Kolonialismus überall verbreiteten. Trotzdem – auch aufgrund der Tatsache, dass die Kartoffel in so unterschiedlichen Klimazonen wie in Russland und Ruanda gedeiht – haben viele Länder ihre eigenen Varietäten entwickelt, von denen manche als alte Kultursorten gelten. Diese Sorten, die in den vergangenen Jahren ein Revival erlebt haben, nutzen lokalen Züchtern, bringen kulinarische Vielfalt auf Ihren Teller und sichern das Erbgut für weitere Züchtungen.

Die heute meistverbreiteten Kartoffelsorten sind aufgrund der beträchtlichen Veränderungen durch den Klimawandel und ihrer schmalen genetischen Grundlage vor erhebliche Herausforderungen gestellt. Sie müssen sich an Hitze, Dürre, Schädlinge, Krankheiten, schwere Regenfälle und Staunässe anpassen können und gleichzeitig schneller wachsen und früher reifen. Indem wir zu den Anfängen zurückkehren und das Erbgut von wild wachsenden Pflanzen, Kulturpflanzen und alten Kultursorten nutzen, können Wissenschaft und Expert:innen in dem Bereich solche Risiken verkleinern und im Laufe des Prozesses auf der Grundlage von Geschmack, Nährstoffen und Klimazone eine Reihe von Sorten schaffen. Alte Kultursorten, die perfekt an ein breites Spektrum von Böden und Klimazonen angepasst sind, halten den genetischen Schlüssel für zukünftige Resilienz bereit, die nicht bloß auf ein paar Sorten basiert, die weltweit angepflanzt werden, sondern auf einer reichen Vielfalt an regionalen Kartoffelsorten.

Die berühmten Knollen müssen, wie wir wissen, vor dem Essen gekocht werden. Ein herzhaftes peruanisches Straßenessen, *papas rellenas*, besteht aus einem Teig aus gestampften Kartoffeln, der gefüllt, zu Kugeln geformt und anschließend frittiert wird.

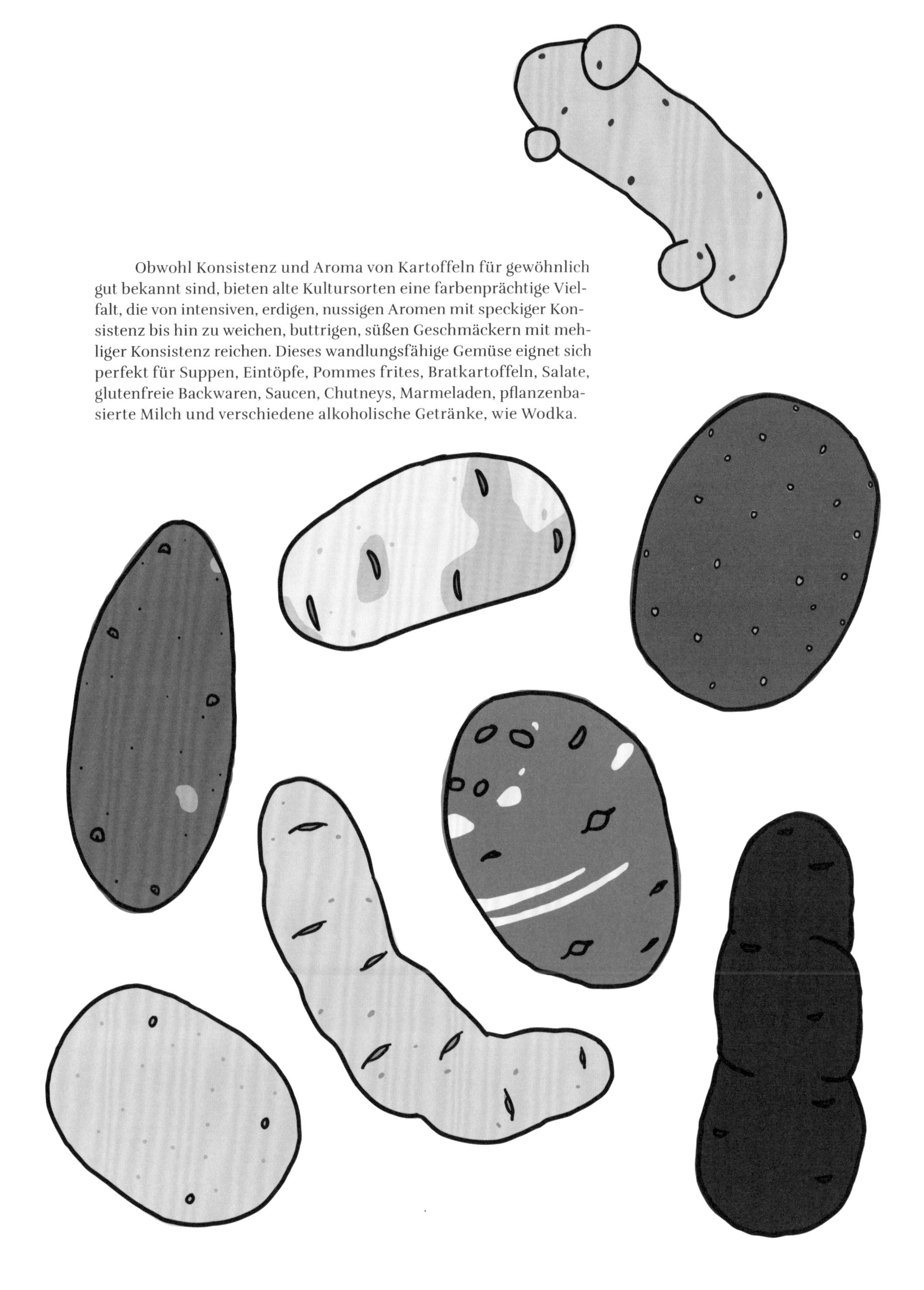

Obwohl Konsistenz und Aroma von Kartoffeln für gewöhnlich gut bekannt sind, bieten alte Kultursorten eine farbenprächtige Vielfalt, die von intensiven, erdigen, nussigen Aromen mit speckiger Konsistenz bis hin zu weichen, buttrigen, süßen Geschmäckern mit mehliger Konsistenz reichen. Dieses wandlungsfähige Gemüse eignet sich perfekt für Suppen, Eintöpfe, Pommes frites, Bratkartoffeln, Salate, glutenfreie Backwaren, Saucen, Chutneys, Marmeladen, pflanzenbasierte Milch und verschiedene alkoholische Getränke, wie Wodka.

Tamarinde

Tamarindus indica (Fabaceae)

AUCH BEKANNT ALS
Indische Dattel, Sauerdattel, Tamarind, Indian Date

NATÜRLICHES VERBREITUNGSGEBIET
Madagaskar und die Komoren

EINGEBÜRGERT
Tropisches Asien, Arabische Halbinsel, tropisches Amerika, Karibik, Australien und viele Inseln im Pazifischen und Indischen Ozean

WACHSTUMSBEDINGUNGEN
Trockene und semiaride Savanne und Buschland. Gedeiht auch in Tälern, am Ufer von Bächen, Teichen und Flüssen.

WO MAN SIE FINDET
Frische Tamarinde gibt es auf Märkten im gesamten Verbreitungsgebiet, während verschiedene Produkte (wie Paste, Getränke und getrocknetes Fruchtfleisch) weltweit erhältlich sind.

WIE MAN SIE ISST
Verwenden Sie das Fruchtfleisch (reich an Antioxidantien) in erfrischenden süß-sauren Getränken, Chutneys und Currys. Die Blüten und Blätter ergeben ein erstklassiges Gemüse, während sich aus den Samen ein glutenfreies Mehl mahlen lässt.

Der mächtige Tamarindenbaum, *Tamarindus indica*, bietet einen unvergesslichen Anblick. Er wird bis zu 30 Meter hoch und hat eine dichte Krone, die in immergrünes akazienähnliches Blattwerk gehüllt ist, mit zahlreichen Blättchen, die sich in der Nacht zusammenfalten. An den duftenden Blüten, die an Orchideen erinnern, sitzen drei cremeweiße, rot geäderte sowie zwei winzige fadenartige und kaum sichtbare Blütenblätter. Auf die kurze Sommerblüte folgen pralle zimtbraune Samenhülsen von 15 Zentimeter Länge, die erkennen lassen, dass die Tamarinde zur Familie der Hülsenfrüchtler gehört.

Aufgrund der Beliebtheit der Früchte und des Holzes war der Baum schon in prähistorischer Zeit weit verbreitet, dennoch konnte nach botanischer Detektivarbeit Madagaskar als mutmaßlicher Ursprungsort identifiziert werden. Arabische Seehändler, die im westlichen Indien auf den Baum stießen, fanden, das Fruchtfleisch ähnle ihren Datteln, und so entstand der Name »Tamarinde« aus den arabischen Wörtern für Dattelpalme *(tamr)* und Indien *(hind)*.

Obwohl die Tamarinde in den gesamten Tropen Verbreitung gefunden hat, ist sie in Madagaskar bedroht, da dort die Wälder für Brennholz und zur Landgewinnung brandgerodet werden. Tamarindenbäume verhindern die Keimung eigener Samen und der Samen anderer Arten unter ihrem Blätterdach mithilfe natürlich vorkommender Allelochemikalien, um die Konkurrenz um Licht und Ressourcen zu beschränken. Die Tamarinde ist eine bedeutende Nahrungsquelle für die Katta, eine Lemurenart, die zur Verbreitung der Samen beiträgt. Ein Fehlen von anderen Baumarten in der Umgebung bedeutet, dass die Tamarinde keine neuen Territorien besiedeln kann, da ihre Samen nur unter ihren eigenen Zweigen ausgeschieden werden. Dies gefährdet das gesamte Ökosystem, da isolierte Gruppen von Tamarinden und Lemuren entstehen, was die Biodiversität unterbricht, für die sie von grundlegender Bedeutung sind.

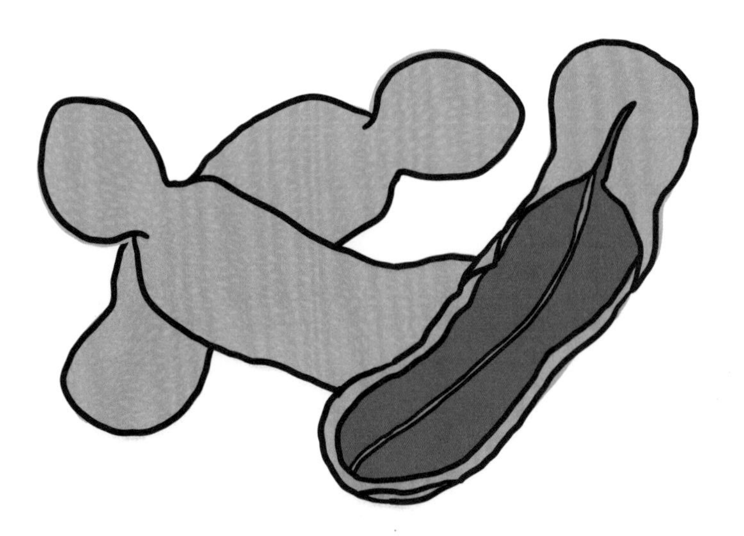

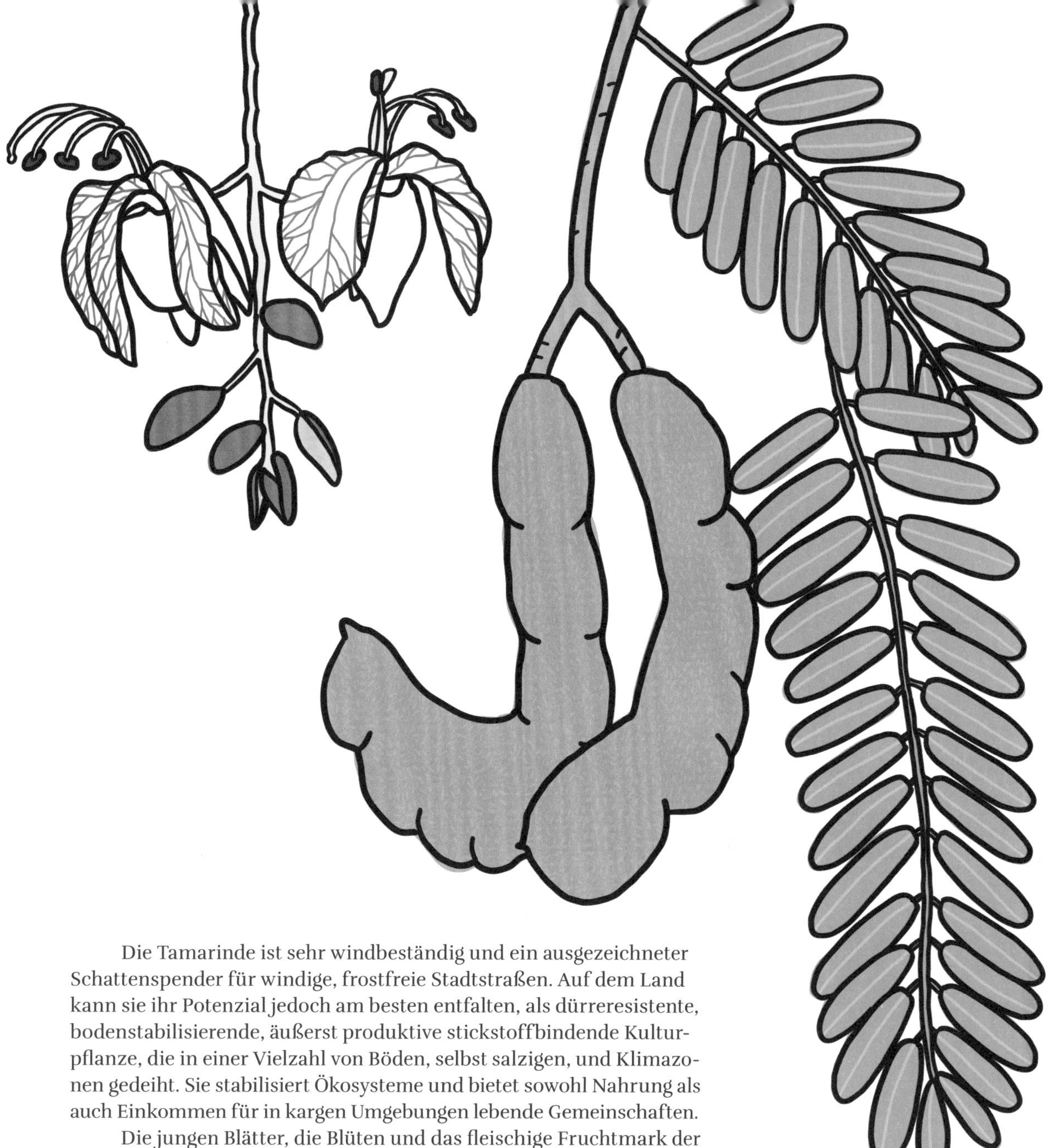

Die Tamarinde ist sehr windbeständig und ein ausgezeichneter Schattenspender für windige, frostfreie Stadtstraßen. Auf dem Land kann sie ihr Potenzial jedoch am besten entfalten, als dürreresistente, bodenstabilisierende, äußerst produktive stickstoffbindende Kulturpflanze, die in einer Vielzahl von Böden, selbst salzigen, und Klimazonen gedeiht. Sie stabilisiert Ökosysteme und bietet sowohl Nahrung als auch Einkommen für in kargen Umgebungen lebende Gemeinschaften.

Die jungen Blätter, die Blüten und das fleischige Fruchtmark der Samenhülsen kann man gekocht oder roh verwenden, doch die Samen und die ausgewachsenen Blätter müssen gekocht werden. Ein erfrischendes eisgekühltes Sommergetränk aus der Türkei, *demirhindi şerbeti*, entsteht durch das Köcheln des aus den Hülsen gelösten Tamarinden-Fruchtmarks, das dann mit Kardamom, Muskatnuss, Ingwer, Zimt und Zucker gewürzt wird. Mit seiner dattelähnlichen Konsistenz und dem süß-sauren Geschmack, der an Zitrusfrüchte und Karamell erinnert, ist das reife Fruchtfleisch ideal für Marmeladen, Säfte, Currys, Chutneys, Saucen, Getränke und Wein. Eingeweicht, gekocht und von ihrer Hülle befreit, können die Samen geröstet oder zu einem Pulver vermahlen werden und dienen als Verdickungsmittel oder glutenfreies Mehl. Die Blätter und Blüten machen sich als saures Gemüse gut in Chutneys, Currys, Chilis und eingelegt.

Gewöhnlicher Löwenzahn

Taraxacum officinale (Asteraceae)

Wie seine Samen in einem Windstoß haben sich die Meinungen und Emotionen, die der leuchtend gelb blühende Löwenzahn auslöst, im Laufe der Geschichte mal in diese, mal in jene Richtung bewegt. Von den etwa 2500 Arten der Gattung Löwenzahn, die sich in erster Linie in den warm-gemäßigten Zonen der nördlichen Hemisphäre finden, ist *Taraxacum officinale* die wohl bekannteste und am gründlichsten erforschte. Sie gehört zu den wenigen Gartenblumen, die Kinder ohne Erlaubnis pflücken dürfen, und natürlich bieten ihre wunderschönen, flauschigen, durchscheinenden runden Samenköpfe Spaß ohne Ende. Bläst man die feinen federartigen Flugschirmchen in die Luft, darf man sich etwas wünschen. Trotz solch schöner Kindheitserinnerungen betrachten viele Erwachsene den Löwenzahn als Unkraut, das im akkurat gestutzten Rasen nicht willkommen ist.

Diese negative Wahrnehmung ist relativ neu, denn im Laufe der Geschichte wurde Löwenzahn von Chinesen, Ägyptern, Römern und Arabern als Heilpflanze und Nahrungsmittel geschätzt. Tatsächlich kommt der lateinische Name *Taraxacum* vom Griechischen *táraxos* (Störung) und *ákos* (Heilmittel). Genau wie die anderen *Taraxacum*-Arten, die wegen ihrer kulinarischen Einsatzmöglichkeiten beliebt sind, ist der Gemeine Löwenzahn einfach zu sammeln, im Garten oder in tiefen Töpfen zu ziehen und verdient es, als gleichwertig mit herkömmlichen Salatpflanzen betrachtet zu werden.

Als äußerst robuste, schnell wachsende Pflanze hat der Löwenzahn eine glänzende Zukunft, sowohl auf unserer Erde als auch darüber hinaus. Auf diesem Planeten lockern seine tiefreichenden, kräftigen Pfahlwurzeln harte Erde, während die ganze Pflanze Erde regenerieren kann, die mit Schwermetallen belastet ist (wodurch sie selbst natürlich ungenießbar wird). Experimente haben gezeigt, dass Löwenzahn sehr gut auf simulierter Mars-Erde wächst, was ihn zu einer idealen, weil äußerst nährstoffreichen Nutzpflanze für zukünftige Raumfahrtmissionen machen würde.

Alle Teile des Löwenzahns sind gekocht oder roh essbar. Die jungen Blätter haben eine frische, knackige Konsistenz und einen angenehm bittersüßen Geschmack, je älter die Pflanze ist, desto bitterer wird sie. Für ein beliebtes österreichisches Rezept, den Röhrlsalat, werden grob gehackte junge Löwenzahnblätter mit in Scheiben geschnittenen gekochten Kartoffeln vermischt und mit Kürbiskernöl, Apfelessig, Senf und Salz angemacht. Löwenzahnknospen lassen sich einlegen wie Kapern, während die geöffneten Blüten in Salaten verwendet, frittiert, zu Sirup, Tee, Bier oder Limonaden verarbeitet werden können. Die geschälte Pfahlwurzel kann ebenso zubereitet werden wie Pastinaken, geröstet und vermahlen ergibt sie einen Ersatz für Kaffee.

AUCH BEKANNT ALS
Pusteblume, Kuhblume, Løvetand, Diente di León, Paardenbloem, Dandelion, Faceclock, Blowball, Pissenlit

NATÜRLICHES VERBREITUNGSGEBIET
Europa und Asien

EINGEBÜRGERT
Weltweit

WACHSTUMSBEDINGUNGEN
Verbreitet auf Wiesen und kultivierten Flächen in gemäßigten Klimazonen, wo er nährstoffreiche, feuchte, leicht saure bis leicht basische durchlässige Böden in voller Sonne oder im Halbschatten bevorzugt. Passt sich sowohl an leichte, sandige Böden als auch an schwere, lehmige und sehr basische Böden an. Toleriert auch maritime Bedingungen. In tropischen Klimazonen kann er im Schatten als saisonales Gemüse gezogen werden.

WO MAN SIE FINDET
Die frischen Blätter sind zunehmend auf Märkten weltweit erhältlich, oder man kann sie selber auf naturbelassenen Feldern, Weiden oder Wiesen sammeln. Kaffee aus Löwenzahnwurzeln gibt es in Naturkostläden weltweit.

WIE MAN SIE ISST
Genießen Sie die jungen Blätter (eine gute Quelle für Vitamine und Mineralstoffe) in Salaten, Pfannengerichten und Omeletts oder einfach gedämpft. Die geöffnete Blüte ergibt einen köstlichen Tee, während die geschälten Wurzeln wie Pastinaken zubereitet werden können.

Prekese

Tetrapleura tetraptera (Fabaceae)

AUCH BEKANNT ALS
Aridan, Kikangabalimu, Uhio, Ighimiakia, Ikoho, Ebuk, Gum Tree

NATÜRLICHES VERBREITUNGSGEBIET
Tropisches Westafrika bis Kenia und Angola

WACHSTUMSBEDINGUNGEN
Findet sich in Sekundärwäldern und bevorzugt die Ränder von Tiefland-Regenwäldern, wächst aber auch in den südlichen Savannen-Waldgebieten und Waldausläufern im afrikanischen Flachland. Toleriert eine Vielzahl von Böden, bevorzugt jedoch leicht sauren, lehmigen Sand. Setzlinge benötigen den vollen Schatten umgebender Bäume, ehe sie an volle Sonne gewöhnt werden können.

WO MAN SIE FINDET
Auf Märkten im gesamten Verbreitungsgebiet oder weltweit bei spezialisierten Online-Händlern.

WIE MAN SIE ISST
Verwenden Sie Prekese als aromatisches Gewürz (eine gute Quelle für Mineralstoffe) in Suppen, Eintöpfen, Saucen, Limonaden, Tees und Spirituosen.

Prekese, was im Tiwi-Dialekt Ghanas »Suppenduft« bedeutet, ist nur einer von zahlreichen umgangssprachlichen Namen, mit denen *Tetrapleura tetraptera* bezeichnet wird, ein mittelgroßer laubabwerfender Baum der Familie der Hülsenfrüchtler. Die Einsatzmöglichkeiten dieses geschätzten Baumes sind vielfältig und sehr unterschiedlich: Seine entzündungshemmenden Eigenschaften werden genutzt, um Arthritis, Rheuma oder erhöhtes Cholesterin zu behandeln, während ein Verzehr seiner Früchte oder der daraus hergestellten Gewürze hilft, Moskitos zu vertreiben, die sich – im Gegensatz zu Menschen – nichts daraus machen. Andere regionale Namen lassen auf mystische Eigenschaften schließen: *Aridan* im Yoruba-Dialekt Nigerias bedeutet »wendet Zauber ab«, und *kikangabalimu* heißt im Rwamba-Dialekt Ugandas »verschreckt Geister«. Die Blüten sind zunächst creme-rosa und reifen dann Ende Februar zu kurzen orangefarbenen Blütenständen, denen dunkle violettbraune, leicht gekrümmte, bis zu 25 Zentimeter lange Hülsen folgen, die von September bis Dezember reifen. Zwei der vier eigenständigen länglichen Flügel der Hülsen enthalten ein weiches, süßes, aromatisches Fruchtfleisch, das die samenverteilende Megafauna anziehen soll, heute ist das der Afrikanische Waldelefant. Abholzung und Wilderei haben die Bestände sowohl der Bäume als auch der Elefanten, deren beider Schicksale untrennbar miteinander verbunden sind, dezimiert – und die Zukunft beider hängt wiederum davon ab, welche Anstrengungen die lokalen Initiativen unternehmen, um die Schäden vergangener Generationen zu reparieren.

Prekese, die in einer Vielzahl verschiedener Böden in halbimmergrünem Waldland der Tieflandtropen wächst, ist ein dürreresistenter Baum, der als wertvolle Gewürzpflanze mit langer Haltbarkeit über ein erhebliches Potenzial für Agroforstsysteme in Trockengebieten verfügt. Der Baum könnte Bedarfslandwirte in Subsahara-Afrika und darüber hinaus eine wertvolle Einkommensquelle bieten.

Die Fruchthülse wird als Gewürz verwendet. Eine traditionelle Suppe aus Ghana und Nigeria, *banga*, besteht aus verschiedenen Fleisch- und Fischsorten, die mit Zwiebeln, Paprikaschoten, Bittergemüse, Ingwer, Tomaten und Palmkernextrakt gekocht und kurz vor dem Servieren mit Prekese und anderen Gewürzen abgeschmeckt wird. Die Hülse ist äußerst aromatisch, leicht adstringierend, mit herzhaft-zuckrigen Noten, die Suppen, Eintöpfe, gekochtes Fleisch, Limonaden, Sirup, Süßigkeiten oder Tee aufpeppen. Auch Spirituosen lassen sich damit aromatisieren.

3
1

Chinesischer Surenbaum

Toona sinensis (Meliaceae)

Xiāngchūn (chinesisch für »duftender Frühling«), hier bekannt als Chinesischer Surenbaum, ist im Norden Chinas von alters her als saisonaler Lieferant von Holz, Gemüse und Heilkräutern bekannt. Die zarten jungen Triebe (1) dieses Baumes, die reich an Vitaminen und Antioxidantien sind, werden für gewöhnlich Ende April/Anfang Mai als Tonikum zur Stärkung des Immunsystems nach dem Winter eingesetzt. Daher ist der Baum auch ein wichtiger Bestandteil der Feierlichkeiten anlässlich *Gu Yu* (»Saatregen«), der sechsten der vierundzwanzig Sonnenperioden des chinesischen Mondkalenders: die Hauptzeit für das Säen von Reis und Getreide.

2019 wurde der Chinesische Surenbaum zum Gegenstand eines sich selbst befeuernden merkwürdigen Medienhypes, als lokale Berichte über seinen steigenden Preis dazu führten, dass er eine Zeitlang mit Hummer und anderen Luxusgütern gleichzog. Dabei entstand der Ausdruck »Xiāngchūn-Freiheit«, der auf jene Menschen angewandt wurde, die wohlhabend genug waren, um sich einen solchen Luxus leisten zu können. In den Fokus der internationalen Presse geraten, fand der Chinesische Surenbaum daraufhin großes

Fortsetzung nächste Seite

2

AUCH BEKANNT ALS
Chinesischer Gemüsebaum, Chop-Suey-Baum, xiāngchūn, Red Toon, Chinese Toon, Chinese Cedar, Chinese Mahogany

NATÜRLICHES VERBREITUNGSGEBIET
Indischer Subkontinent bis Zentral- und Südchina sowie westliches Malesien

EINGEBÜRGERT
Tansania, Uganda, Afghanistan, Korea und Maryland (USA)

WACHSTUMSBEDINGUNGEN
Wächst in mäßig feuchten bis feuchten subtropischen und mittleren bis hohen tropischen Klimazonen in Wäldern, auf steilen Berghängen, in Schluchten und in der Nähe von Wasserläufen in voller Sonne oder im Halbschatten. Gedeiht in einer Reihe von feuchten, durchlässigen Böden. Die Frühjahrstriebe sind frostanfällig; sobald der Baum jedoch eingewöhnt ist, verträgt er Temperaturen bis -25 °C. Keimt gut unter passenden Bedingungen und in entsprechenden Klimazonen, wo er durch das Austreiben von Schösslingen invasiv werden kann.

WO MAN SIE FINDET
Auf Märkten in ganz China und Malaysia.

WIE MAN SIE ISST
Genießen Sie die zarten jungen Triebe (reich an Vitamin B) und Blätter in Salaten, Suppen, kurzgebratenen Pfannengerichten und Eierspeisen.

Interesse als Gemüsepflanze, die auch abseits ihres natürlichen Verbreitungsgebietes sowohl im eigenen Garten als auch kommerziell gezogen werden kann. Xiāngchūn wird weithin als Zierpflanze betrachtet – vor allem in kühleren Gefilden. Der Ruf der asiatischen Küche hat westliche Foodies dazu motiviert, lokale Bäume aufzuspüren und die jungen Triebe selbst zu probieren – oft zur großen Verwirrung von Gartencenter-Mitarbeitern und Berufsgärtnern. Die im Frühjahr sprießenden leuchtend rosa Triebe der Sorte »Flamingo« (2), denen im Sommer weiß-rosa Blütenköpfe (3) und schließlich die Früchte (4) folgen, machen den Baum zu einer vielfältigen essbaren Pflanze für den Garten.

Der sehr rasch wachsende Baum ist resistent gegen Frost und Krankheiten und hat nicht nur kulinarisch einiges zu bieten, sondern liefert auch ein ausgezeichnetes Holz für edle Möbel. Diese seltene Kombination von Vorteilen macht den Chinesischen Surenbaum zur perfekten Nutzpflanze für Agroforstwirte, die eine schnelle Rendite anstreben, indem sie jedes Jahr eine Ladung der sehr begehrten Frühlingstriebe ernten, denen jedoch auch an einem gesicherten Ertrag in Form von Holz liegt. Vor allem die herzhaften, leicht nach Rindfleisch schmeckenden jungen Blätter sind vielversprechend; sie eröffnen spannende natürliche Möglichkeiten auf dem sich rapide entwickelnden Gebiet pflanzenbasierter Fleischalternativen.

Die jungen Triebe und Blätter (5) werden gekocht verspeist. Die Triebe haben eine angenehm knackige Konsistenz und ein ungewöhnliches Aroma, das an Rind und Pilze erinnert. Sie eignen sich perfekt für Salate, Suppen, kurzgebratene Pfannengerichte, Eiergerichte, können eingelegt, gedämpft oder zu einer Würzpaste verarbeitet werden. Auch ein wohlschmeckender Tee lässt sich daraus zubereiten. Ein beliebtes chinesisches Salat-Rezept, *xiāngchūn bàn huāshēngmǐ* (6), besteht aus blanchierten und grob gehackten Trieben des Chinesischen Surenbaumes und frisch gerösteten Erdnüssen, die mit schwarzem Essig, Olivenöl, zerdrücktem Knoblauch, roter Chilischote und ein wenig Zucker angemacht werden.

6

5
4

Essen als Medizin

»Eure Nahrung sei eure Medizin, und eure Medizin sei eure Nahrung« ist eine Maxime, die oftmals dem berühmten griechischen Arzt Hippokrates (um 460-370 v. u. Z.) zugeschrieben wird. Ob er das nun tatsächlich gesagt hat oder nicht, die Ernährung gilt heute bei uns – und in zahlreichen Kulturen seit Jahrtausenden – als ganz wesentlicher Teil der Gesundheitsvorsorge; bei der Vorbeugung und Behandlung von Krankheiten ist sie von zentraler Bedeutung. Gute Ernährung geht unmittelbar einher mit einem stärkeren Immunsystem, komplikationslos verlaufender Schwangerschaft und Geburt, einem geringeren Risiko für nicht-übertragbare Krankheiten und einer längeren Lebenserwartung.

Sie kann sogar als eine Form der medizinischen Behandlung dienen und bei der Bewältigung oder der Umkehr von Krankheitsverläufen helfen. Die Gründe dafür sind komplex und wissenschaftlich noch nicht vollkommen ergründet. Es mehren sich jedoch die Hinweise darauf, dass das Mikrobiom unseres Darms dabei eine Schlüsselrolle spielt, die Kommunikation von Billionen von Bakterien, Protozoen, Viren und Pilzen, die in unseren Eingeweiden leben. Ihre Zahl übersteigt die der menschlichen Zellen bei Weitem, sie bestehen aus Tausenden unterschiedlicher Spezies, die eine Reihe bedeutender Funktionen innehaben; sie tragen vor allem zur Verwertung der Nahrung und insgesamt zur Verdauung bei sowie zur Kontrolle des Immunsystems und des zentralen Nervensystems. Während die meisten dieser Mikroorganismen sich sehr günstig auf unsere Gesundheit auswirken, können einige ihr auch schaden.

Obwohl in der Wissenschaft immer noch keine Einigkeit besteht, was genau ein gesundes Darmmikrobiom ausmacht, weisen etliche aktuelle Studien auf eine möglichst große Artenvielfalt der Mikroorganismen als positiven Indikator hin. Diese Diversität scheint zum einen mit den ererbten Genen, Umwelteinflüssen und der Einnahme von Medikamenten zusammenzuhängen, zum anderen jedoch mit der Auswahl und der Vielfalt der verzehrten Lebensmittel, vor allem, ob es sich dabei um minimal verarbeitete pflanzliche Nahrung handelt. Eine in erster Linie aus Obst, Gemüse, Nüssen, Samen, Kernen, Vollkorngetreide und Hülsenfrüchten, aber auch – wenn erwünscht – geringen Mengen von tierischen Erzeugnissen, wie Fleisch, Eiern und Milchprodukten, bestehende Ernährung wird heute weithin als die gesündeste Wahl betrachtet – und zugleich ist sie die ökologisch verantwortungsvollste, denn eine pflanzenbasierte Ernährung gilt als *die* Lösung für zahlreiche Umweltprobleme.

Dennoch ist es nicht nur die Vielfalt der Lebensmittel, die eine wichtige Rolle für unsere Gesundheit zu spielen scheint, sondern auch deren Qualität. Damit Pflanzen alle für uns wesentlichen Nährstoffe, Vitamine und Antioxidantien liefern können, müssen sie selbst in gesunden Ökosystemen mit fruchtbarer Erde wachsen. Die florierenden Ökosysteme, die wir erschaffen können, bringen also ihrerseits Nahrung hervor, die unsere Gesundheit nährt: ein schönes Zusammenwirken, das wir immer vor Augen haben sollten.

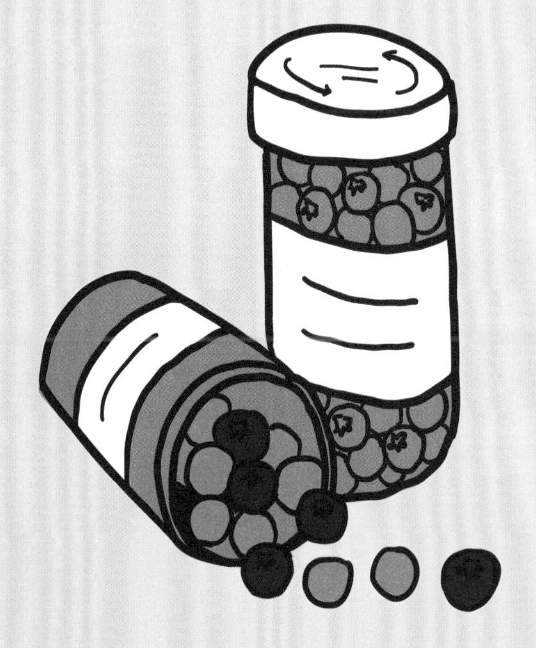

Wassernuss

Trapa natans (Lythraceae)

AUCH BEKANNT ALS
Wasserkastanie, Jesuitennuss, Seenuss, Singhara, Kasaronja, Water Caltrop, Buffalo Nut, Bat Nut

NATÜRLICHES VERBREITUNGSGEBIET
Spanien und Schweden (heute in beiden Ländern ausgestorben), Eurasien und Nordwestafrika

EINGEBÜRGERT
Vereinigte Staaten und Kanada

WACHSTUMSBEDINGUNGEN
Gedeiht am üppigsten in warmgemäßigten Süßwasser-Ökosystemen in ruhigen Gewässern mit unterschiedlichen Wassertiefen. Für gewöhnlich einjährig, in tropischen und subtropischen Regionen auch mehrjährig.

WO MAN SIE FINDET
Auf Märkten in ganz Asien, kann in Nordamerika in naturbelassenen Gewässern geerntet werden. In Europa steht sie teilweise unter Naturschutz.

WIE MAN SIE ISST
Die kohlenhydratreichen Samen gekocht und leicht gesalzen als Snack, in Pfannengerichten, als Füllung von Teigtaschen oder sogar kandiert. Getrocknet und vermahlen ergeben sie ein glutenfreies Mehl.

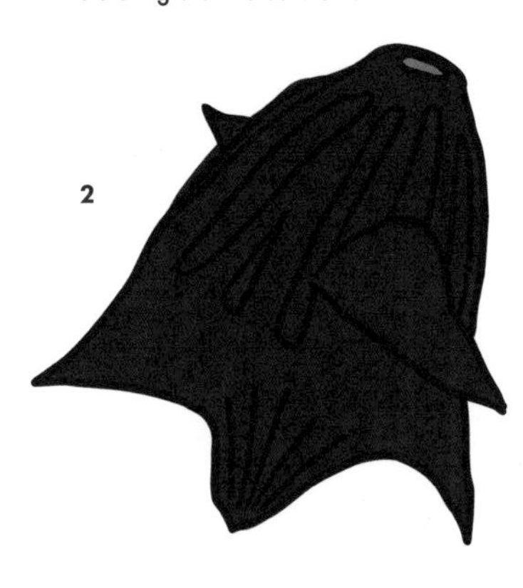
2

Allgegenwärtig, ausgestorben, essbar, ungenießbar, Bedrohung des Ökosystems, Rettung des Ökosystems, Jesuitennuss, Teufelsschote: Nur wenige Pflanzen haben eine so faszinierende Geschichte und so unterschiedliche Wahrnehmungen erlebt wie die Wassernuss, *Trapa natans*. Obwohl sie häufig als »Wasserkastanie« bezeichnet wird, hat sie nichts mit der aus China-Restaurants bekannten gleichnamigen Pflanze zu tun, der *Eleocharis dulcis*.

Die Wassernuss ist eine Pflanze, deren Stängel bis zu 5 Meter tief unter Wasser liegen, mit sehr feinen, Photosynthese betreibenden Wurzeln, die es ihr erlauben, auch in schadstoffbelasteten Gewässern zu gedeihen, ja diese sogar zu reinigen. Die Blätter bilden auf der Wasseroberfläche treibende Rosetten (1), die im darunter liegenden Sediment verankert sind, während die mit Luft befüllten Blattstiele für den Auftrieb sorgen. Kleinen weißen Blüten folgt die charakteristische Frucht (2), die sich verteilt, indem sie einfach forttreibt oder von vorbeikommenden Tieren vertragen wird.

In ihrem natürlichen Verbreitungsgebiet gilt die Wassernuss als bedeutende historische und/oder aktuelle Nahrungsquelle. Es existieren eine Menge archäologischer und kultureller Belege, beispielsweise wurden Überreste aus der Zeit 4200 v. u. Z. in den unter Wasser ausgegrabenen Pfahlbauten in Cham-Eslen am Zuger See in der Schweiz gefunden. In der Türkei entwickelten in der Nähe des Schwarzen Meeres lebende Menschen eine neue Erntetechnik: Sie versenkten mit Steinen beschwerte Teppiche unter dichte *Trapa*-Bestände, und diese brachten, wenn sie nach einiger Zeit wieder hochgeholt wurden, eine reiche Ernte zutage. Die Frucht wird dort *chilim* (vom türkischen Wort für Kelim, Webteppich) genannt.

Die Wassernuss ist eine effektive Besiedlerin, die sich gut für den Anbau in überfluteten Feldern einsetzen lässt, wird in Teilen von Nordamerika und auch andernorts jedoch nur mehr als schädliches Unkraut betrachtet. Dabei sollte man in diesem rasch wachsenden und ertragreichen Süßwassergewächs eine faszinierende Nutzpflanze mit hohem Potenzial erkennen.

3

Sie kann große Mengen Stickstoff aus flachem Wasser aufnehmen und damit die Gefahr des Kippens von Gewässern reduzieren – ein Phänomen, das auch als »Eutrophierung« bezeichnet wird. Nachdem die Wassernuss die überschüssigen Nährstoffe aus dem Wasser aufgenommen hat, bietet die Ernte ihrer Biomasse, darunter die großen Samen (die reich an Kohlenhydraten, Ballaststoffen und Proteinen sind), ein Festmahl. Es kommt selten vor, dass ein ökologisches Problem durch die bloße Ernte gelöst werden kann. Die auffällig geformten Samen **(3)** der Wassernuss können gekocht verzehrt werden. Taiwanesische Straßenhändler verkaufen sie einfach geröstet; ihre knackige Konsistenz, in Verbindung mit ihrem ganz eigenen Geschmack nach gerösteten Maronen und gekochten Kartoffeln, macht sich gut in Snacks, in kurzgebratenen Pfannengerichten, als Füllung für Teigtaschen, kandiert als Süßigkeit oder zu einem glutenfreien Mehl vermahlen, das sich gut zum Backen eignet.

1
2
3

Mattenbohne

Vigna aconitifolia (Fabaceae)

Vigna aconitifolia ist eine uralte Hülsenfrucht von großer praktischer und kultureller Bedeutung in ihrem natürlichen Verbreitungsgebiet, wo sie seit Jahrtausenden ein unverzichtbares Grundnahrungsmittel ist. Für gewöhnlich ist sie als Mattenbohne oder auch als Mottenbohne bekannt, was sich von ihrem Hindi-Namen *moth* ableitet. Bohne und Schote sind Bestandteil zahlreicher Gerichte, die Pflanze selbst liefert Futter für das Vieh und wird als Gründünger dort eingesetzt, wo sich ansonsten ausgelaugte, unfruchtbare Erde finden würde. In der Landwirtschaft gilt die Mattenbohne als die dürreresistenteste Hülsenfrucht für heiße, trockene bis semiaride Regionen, wo sie bei nur 60 Milliliter jährlichem Niederschlag gedeiht. Das erste schriftliche Zeugnis für die Mattenbohne findet sich im *Taittirīya Brāhmana*, einer Sammlung mehr als 2400 Jahre alter heiliger Texte, die einen Kommentar zu dem noch viel älteren *Yajurveda* (»Wissen von den Opfersprüchen«) darstellen.

Der einjährige kletternde Bodendecker aus der Familie der Hülsenfrüchtler trägt kleine leuchtend gelbe Blüten (1), darauf folgen Schoten von etwa 4 Zentimeter Länge (2), in denen ungefähr sechs Samen (3) stecken, die von September bis Dezember geerntet werden. Die Mattenbohne, die in rauen, trockenen Lebensräumen mit wenigen oder ganz ohne menschliche Eingriffe gedeiht, ist eine ausgezeichnete Proteinquelle für Gemeinschaften von Bedarfslandwirten auf nährstoffarmen marginalen Flächen. Ihre Fähigkeit, Stickstoff zu binden, trägt zur Verbesserung der Böden bei, während die rasch wachsenden Wurzeln die Erde stabilisieren. Zudem ist sie dank ihres kleinen Genoms eine aussichtsreiche Anwärterin auf eine Rolle als Modellpflanze, die Wissenschaftlern verstehen hilft, was Pflanzen besonders widerstandsfähig für extreme Umgebungen macht. Ein solches Wissen ist unerlässlich für die Züchtung widerstandsfähiger Nutzpflanzen.

Die grünen Schoten, Samen und Triebe der Mattenbohne müssen gekocht oder zu Mehl vermahlen werden. Die Bohne hat einen vollmundigen, nussigen, recht erdigen Geschmack und wird im Ganzen oder gekeimt in Currys, Salaten, kurzgebratenen Pfannengerichten, Teigen und Dals verwendet. Das Mehl dient zum Backen, die gekochten grünen Schoten als Gemüse. *Bikaneri bhujia*, ein beliebter indischer Snack, besteht aus einem Teig aus Mattenbohnen- und Kichererbsenmehl, der mit Chili, schwarzem Pfeffer, Kardamom, Gewürznelken und Salz gewürzt und durch ein Sieb gedrückt wird. Die dabei entstehenden Teigfäden werden dann in Pflanzenöl knusprig frittiert.

AUCH BEKANNT ALS
Mottenbohne, Mückenbohne, Math, Matki, Moth Bean, Dew Bean, Dew Gram, Turkish Gram

NATÜRLICHES VERBREITUNGSGEBIET
Süd- und Zentralchina, Indien, Pakistan, Sri Lanka und Myanmar

EINGEBÜRGERT
Eritrea, Jemen

WACHSTUMSBEDINGUNGEN
Wächst in einer Reihe saurer und basischer Böden, bevorzugt mit leichter, sandiger Struktur. Toleriert schwach maritime Bedingungen, jedoch keine Staunässe. Volle Sonne und mäßig bis wenig Niederschlag bei Temperaturen zwischen 24 und 32 °C, obwohl sie auch höhere Temperaturen toleriert.

WO MAN SIE FINDET
Bei spezialisierten indischen Lebensmittelhändlern weltweit.

WIE MAN SIE ISST
Genießen Sie die nährstoffreichen gekeimten Samen (eine wunderbare Proteinquelle) in Dals, Currys, Salaten oder Brei, oder verwenden Sie das Mehl zum Backen.

Bambara-Erdnuss

Vigna subterranea (Fabaceae)

AUCH BEKANNT ALS
Erderbse, Angola-Erbse, Kriechender Erdbohrer, Voandzou, Njugo Bean, Congo Earth Pea, Bambara Groundnut, Hog Peanut, Congo Groundnut, Madagascar Groundnut, Stone Groundnut

NATÜRLICHES VERBREITUNGSGEBIET
Kamerun, Zentralafrikanische Republik, Tschad, Nigeria und Sudan

EINGEBÜRGERT
Weite Teile Afrikas und darüber hinaus (inkl. Madagaskar), Indien, Java und Dominikanische Republik

WACHSTUMSBEDINGUNGEN
Gedeiht in trockenen, kargen, für gewöhnlich sandigen Böden in Höhen bis zu 2000 Metern. Tolerant gegenüber Dürre, Frost und hohen Temperaturen, der Ertrag ist in feuchten Böden und bei Tagestemperaturen zwischen 30 und 35 °C jedoch höher. Für eine reiche Ernte die Pflanze in sandigen Lehm setzen, der reich an organischem Material ist. Bevorzugt volle Sonne, toleriert aber auch leichten Schatten.

WO MAN SIE FINDET
Auf Märkten und in afrikanischen Lebensmittelläden in Afrika, Australien, Europa, Amerika und Südostasien.

WIE MAN SIE ISST
Genießen Sie die proteinreichen Samen frisch, gekocht oder zu Mehl vermahlen.

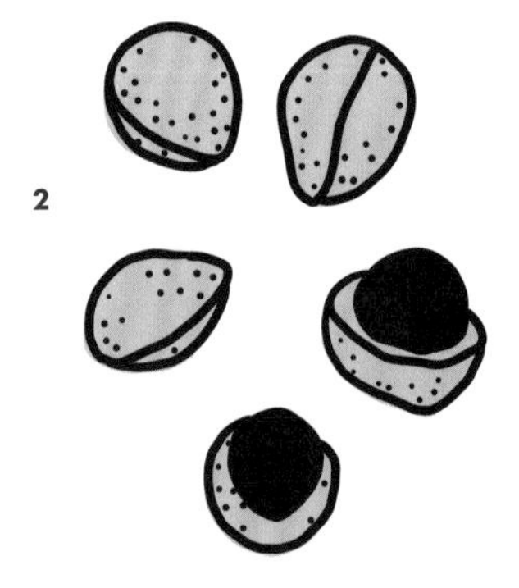
2

Die Bambara-Erdnuss, *Vigna subterranea*, eine niedrig wachsende einjährige Pflanze, die im gesamten subsaharischen Afrika angebaut wird, ist auf den ersten Blick recht unscheinbar. Doch diese bescheiden wirkende Hülsenfrucht gilt als *das* pflanzenbasierte Protein der Zukunft. Diese so optimistische Einschätzung basiert auf Jahren lokaler und internationaler Arbeit von Expert:innen verschiedener Disziplinen. Zwar würde man durchaus erwarten, dass Agrar- und Ernährungswissenschaftler:innen an dieser Arbeit beteiligt sind, nicht jedoch notwendigerweise Anthropolog:innen und Soziolog:innen. Fachleute der erstgenannten Fachbereiche identifizierten die Bambara-Erdnuss als ein »komplettes Lebensmittel« von internationalem Interesse, während sich die Kolleg:innen aus den Sozialwissenschaften für die Frage interessierten, warum das lokale Potenzial der Pflanze bislang größtenteils ignoriert wurde. Die neben Mais, Hirse, Sorghum und Cassava angepflanzte Bambara-Erdnuss galt als weniger wertvoll, als bloße Reserve für schwache Ernten wichtigerer Nutzpflanzen. Eine andere Hürde für eine weitere Nutzung bestand in verschiedenen soziokulturellen Praktiken und ihren strikten Regeln, die mit Furchtbarkeit, Heilung und Schutz zu tun hatten.

Dies ist nicht ungewöhnlich, da im Laufe der Geschichte immer wieder Pflanzen, oft die nützlichsten, in lokale Glaubensvorstellungen eingebunden waren. In diesem Fall ist es so, dass die Bambara-Erdnuss in Ostafrika traditionell als »Frauen«-Pflanze gesehen und ihr nachgesagt wird, dass sie der Familie den Tod bringe und dass nur eine Mutter, die bereits ein Kind verloren habe, die Pflanze setzen und die Bohnen zubereiten könne, da sie von weiterem Verlust verschont bliebe. Heute wird die Bambara-Erdnuss sowohl als nährstoffreiche Pflanze wie auch als wertvolles Exportgut betrachtet. Forscher arbeiten an Zucht und Auswahl ertragreicher Sorten, dabei bauen sie auf ihre Fähigkeit zur Stickstoffbindung und ihre Anspruchslosigkeit, sie gedeiht auch unter heißen, semiariden Bedingungen und in magerer Erde. Die Blüten liegen unter dem Blattwerk am Boden verborgen und sobald sie bestäubt sind, wird die sich entwickelnde Frucht in die Erde gesteckt (1), als Schutz gegen Insekten.

Die Bambara-Erdnuss ist als ganzjährige Nutzpflanze für tropische und subtropische Klimazonen und als Sommer-Nutzpflanze auch im mediterranen Klima eine vielversprechende Kulturpflanze der Zukunft; sie wird heute zunehmend kommerziell angebaut. Selbst in schlechtesten Böden noch ertragreich und sowohl gegen Dürre als auch heftige Regenfälle resistent, ist sie gut ausgerüstet, um mit Wetterextremen umzugehen. Angesichts ihres hohen Proteingehalts, ihrer Fähigkeit, magere Böden zu verbessern, und ihrer Unabhängig-

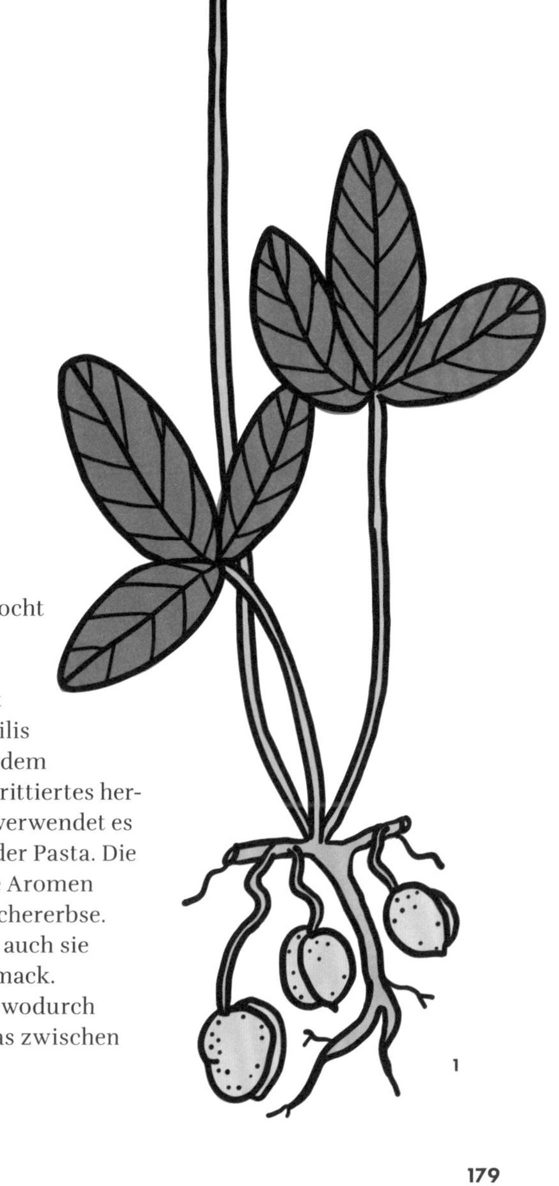

keit von landwirtschaftlichen Eingriffen, fragt man sich tatsächlich, weshalb sie nicht längst weiter verbreitet ist.

Die frischen Hülsen (2) und Samen (3) kann man gekocht oder roh essen, die getrockneten Samen werden oftmals zu Mehl vermahlen. In einem typisch nigerianischen Frühstücksrezept, *okpa*, wird Bambara-Erdnussmehl mit Palmöl, Gemüsebrühe, Salz und gehackten Habanero-Chilis gemischt, dann in Bananenblätter gepackt und in kochendem Wasser gegart. Aus dem Mehl lässt sich ein Backteig für Frittiertes herstellen oder man mischt es mit anderen Mehlsorten und verwendet es für verschiedene Backwaren, wie Brot, Kekse, Porridge oder Pasta. Die getrockneten Samen lassen sich wie Bohnen kochen, ihre Aromen reichen von süß zu erdnussartig mit einem Hauch von Kichererbse. Die frischen Samen werden bisweilen auch roh verspeist, auch sie haben einen mehligen, trockenen, erdnussartigen Geschmack. Meistens kocht man die frischen Hülsen jedoch mit Salz, wodurch sie eine weiche Konsistenz bekommen und ein Aroma, das zwischen Erdnüssen und weißen Bohnen liegt.

Fuchsrebe

Vitis labrusca (Vitaceae)

AUCH BEKANNT ALS
Erdbeerrebe, Tessiner Rebe, Fox Grape, Northern Fox Grape, Labruscan Vineyard Grape

NATÜRLICHES VERBREITUNGSGEBIET
Südöstliches Kanada bis Osten der Vereinigten Staaten

EINGEBÜRGERT
Süd- und Mitteleuropa, Madeira, Azoren, West-Russland, Tadschikistan, Turkmenistan, Ukraine, Usbekistan, Vietnam, Illinois (USA)

WACHSTUMSBEDINGUNGEN
Toleriert eine ganze Reihe von Böden (mit Ausnahme von nassen), bevorzugt tiefe, lehmige, humusreiche und feuchte, aber durchlässige Böden.

WO MAN SIE FINDET
In ganz Nordamerika erhältlich; in Europa auf Bauernmärkten und bei Züchtern.

WIE MAN SIE ISST
Die frischen Früchte sind reich an Antioxidantien. Genießen Sie sie als Garnitur oder in Marmeladen, Gelees, Säften, Eiscreme, Kuchen oder als Wein. Die gekochten jungen Blätter können Sie als Gemüse verspeisen, das Traubenkernöl findet beim Kochen Verwendung.

Trauben werden seit Jahrtausenden kultiviert, der Großteil davon für die Weinproduktion. Die meisten Menschen gehen davon aus, dass diese Praxis in Italien oder Griechenland ihren Anfang genommen hat, doch jüngste Zeugnisse weisen nach Georgien. An diesem antiken Schnittpunkt von Europa und Asien fanden sich Beweise dafür, dass dort bereits seit 8000 Jahren Weinanbau betrieben wird. Von dort aus hat sich die hier wachsende Spezies *Vitis vinifera* nach Süden und Nordwesten verbreitet, wo sie solche beliebten Sorten wie Cabernet Sauvignon, Pinot Noir oder Chardonnay hervorgebracht hat und seitdem die internationale Weinherstellung dominiert.

Obwohl in Nordamerika an die 25 der weltweit 78 Traubensorten vertreten waren, darunter auch *V. labrusca*, der »gewöhnliche Wein«, wurde *V. vinifera* Mitte des 16. Jahrhunderts von nach Nordamerika eingewanderten Produzenten bevorzugt. Doch noch davor hatten die ersten Europäer, die Nordamerika erkundeten, die Wikinger aus Grönland, es als »Vinland« bezeichnet, was auf große Bestände von wildem Wein anspielt. Einige indigene Völker Amerikas stellten zu jener Zeit, neben anderen fermentierten Getränken, eine Form von schwachem Wein her. Die Versuche europäischer Siedler, importierte Sorten zu etablieren, schlugen zunächst fehl, da diese von einheimischen Schädlingen und Krankheiten befallen wurden. Erfolgreicher war man schließlich in den spanischen Königreichen von Las Californias und Santa Fe de Nuevo México – der Beginn der heutigen Weinindustrie in Kalifornien und New Mexico.

Jahrzehntelang ließen Kenner die in Amerika heimischen Trauben links liegen und verglichen ihre Aromen mit denen von »Tierpelzen« und »kandierten Früchten«. Der unselige Verweis auf Pelze blieb in einem der verbreitetsten Namen von *V. labrusca* erhalten: Fuchsrebe. Diese galt lange lediglich als Basis für die Veredelung von *vinifera*-Sorten. Heute wird sie jedoch als genetische Ressource mit noch nicht erschlossenen Aromen und Eigenschaften betrachtet, die Wissenschaft und Rebenzucht unter Einsatz von DNA-Analysen und Kreuzungstechniken nutzen können.

Die Fuchsrebe toleriert eine ganze Reihe an Klima- und Bodenbedingungen und ist in Zeiten des Klimawandels empfindlicheren traditionellen Kultursorten überlegen. Damit ist sie die erste Wahl für Kreuzungen, die nicht nur Resilienz und Diversität in bestehende Weingärten bringen, sondern die auch Regionen mit üblicherweise zu ungünstigem Klima neu für den Weinanbau erschließen können. Sie besitzt unglaublich intensive Aromen und Farben und könnte die Grundlage für spannende neue und andersartige Weine bilden.

Die Früchte der Fuchsrebe werden gekocht oder roh genossen, während die jungen Blätter gekocht werden müssen. Aus den Samen

lässt sich ein Speiseöl pressen. Eine Süßigkeit der indigenen nordamerikanischen Völker der Cherokee und Choctaw, *panki' alhfola* in der Chickasaw-Sprache, besteht aus einem Teig aus Mais- oder Weizenmehl, Backpulver, Traubensaft, Zucker und Öl oder Butter, der ausgewellt, in kleine Vierecke geschnitten und dann in einem Topf mit kochendem Traubensaft gegart wird. Das aromatische, süße, erdige Muskatbukett der Fuchsreben eignet sich perfekt für Marmeladen, Säfte, Eiscreme und Pastetenfüllungen. Die leicht säuerlichen jungen Blätter sind gekocht ein delikates Gemüse oder können als Verpackung für Frittiertes dienen.

Gelbhornstrauch

Xanthoceras sorbifolium (Sapindaceae)

Der Gelbhornstrauch ist eine monotypische Pflanze, also die einzige Art der Gattung *Xanthoceras*; er ist – bislang – außerhalb seines natürlichen Verbreitungsgebietes nur wenig bekannt. Seit Langem wird er als essbare Pflanze und wegen seiner Heilkräfte geschätzt, ganz zu schweigen von seiner Schönheit und seiner Resilienz gegen Widrigkeiten. Er wurde bereits 1406 in einer chinesischen Textsammlung über die Wirkung von Heilpflanzen unter dem Namen *Wen Guan Hua* erwähnt, doch erst jetzt, mehr als 600 Jahre später, beginnen Wissenschaftler:innen, Züchter:innen und Landwirt:innen im heutigen China allmählich zu verstehen, welches Potenzial in diesem außergewöhnlichen kleinen laubabwerfenden Strauch steckt, und sind bestrebt, es zu maximieren. Überliefertes Wissen verbündet sich mit moderner Wissenschaft, um die Nachfrage der Lebensmittel- und Biotreibstoffindustrie, der pharmazeutischen und kosmetischen Branche und der grünen Industrien anzukurbeln. Eine große Hürde für die weitere Kommerzialisierung des Gelbhornstrauchs ist seine Selbstinkompatibilität, ein evolutionäres Merkmal, das Inzucht verhindern soll, das aber bei isolierten Populationen mit geringer Diversität den – wenn auch natürlichen – Nachteil hat, dass die Ernte nur gering ausfällt. Im Falle des Gelbhornstrauchs ist das doppelt problematisch, da sowohl männliche als auch zweigeschlechtliche Blüten auf derselben Pflanze wachsen, die normalerweise vegetativ, also durch Stecklinge, vermehrt wird.

Fortsetzung nächste Seite

AUCH BEKANNT ALS
Eschenblättriger Gelbhorn, Sahnenussbaum, Yellowhorn, Shiny Leaf Yellowhorn, Goldenhorn, Chinese Flowering Chestnut

NATÜRLICHES VERBREITUNGSGEBIET
China, Mongolei und Korea

EINGEBÜRGERT
Usbekistan

WACHSTUMSBEDINGUNGEN
Steinige Hänge, Hügel und Bergflanken in voller Sonne auf einer Reihe von trockenen, sauren und basischen Böden, auch auf mageren Böden. Feuchte Bedingungen behagen dem Gelbhornstrauch jedoch nicht.

WO MAN SIE FINDET
Die Kerne und jungen Blätter sind im Verbreitungsgebiet erhältlich, das Öl kann über chinesische Online-Händler bezogen werden.

WIE MAN SIE ISST
Essen Sie die geschälten Kerne entweder wie sie sind oder rösten oder kochen Sie sie. Es lässt sich auch ein gesundes Speiseöl, das reich an ungesättigten Fettsäuren ist, daraus gewinnen.

2017 haben Wissenschaftler sechs unterschiedliche Populationen gefunden, deren genetische Diversität die Grundlage für produktivere Züchtungen bildet.

Als Mitglied der Familie der Seifenbaumgewächse, zu der auch Schönheiten wie die Rosskastanie, die Ohio-Rosskastanie und der Ahorn gehören, enttäuscht der Gelbhornstrauch auch optisch nicht. Im späten Frühjahr sind seine Zweige überladen mit weißen Blüten, in deren Mitte ein gelbes Auge sitzt, das sich später karminrot färbt. Die Unterseiten der Blüten tragen hornartige Auswüchse, deshalb auch der Name »Gelbhorn«.

Der Gelbhornstrauch gilt als eine der aussichtsreichsten agroforstwirtschaftlichen Pflanzen; im Norden Chinas sind bereits Pflanzungen erfolgt, um die Versteppung aufzuhalten, da dieser Baum nicht nur resistent gegenüber Dürre, Wind und Sand ist, sondern auch bis mindestens -25 °C winterhart. Seine ölhaltigen Samen eröffnen interessante Möglichkeiten in den Bereichen Biotreibstoff und biobasierte Chemikalien; der Gelbhornstrauch lässt sich jedoch auch zur Sanierung verödeter Landschaften einsetzen. Damit ist er eine interessante Markt- und Nahrungspflanze für Landwirte auf Grenzertragsland.

Die jungen Blätter und Samen sind gekocht essbar, aus den Samen lässt sich zudem ein gesundes Öl gewinnen, das reich an ungesättigten Fettsäuren ist. In den Anbaugebieten liegt der Fokus zumeist auf dem Öl, die geschälten Samen werden jedoch auch roh, geröstet oder gekocht gegessen. Sie haben eine leicht wachsartige Konsistenz und einen Geschmack, der an Cashews erinnert, und lassen sich zu einem glutenfreien Mehl vermahlen. Die jungen Blätter und Blüten werden hingegen für gewöhnlich gekocht verspeist.

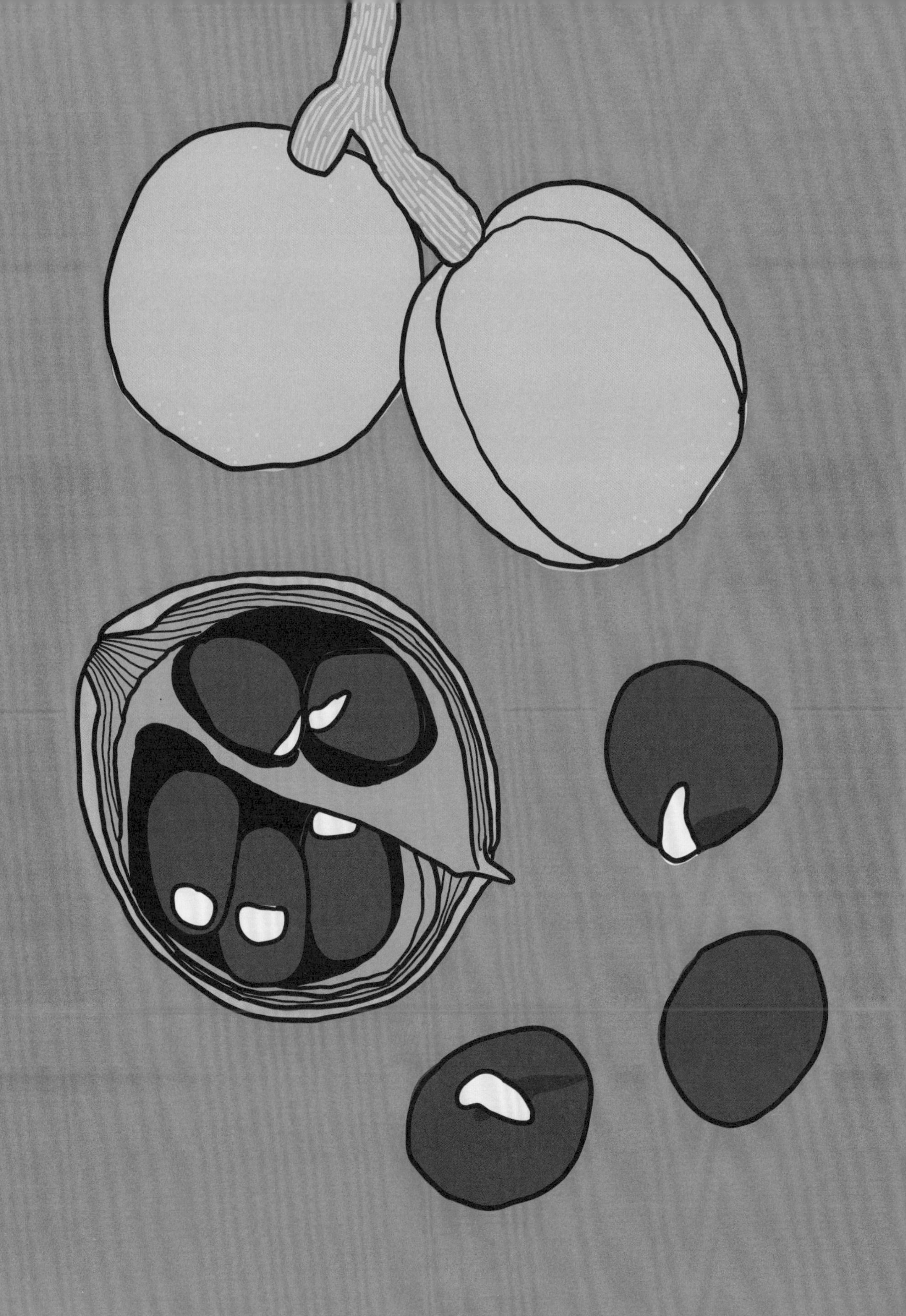

1

Sanshō

Zanthoxylum piperitum (Rutaceae)

Ob Pflanzenforscherin, Gärtner oder Koch, viele haben sich schon dazu verleiten lassen, die winzige Frucht einer *Zanthoxylum*-Spezies in einer Art Initiationsritus zu kauen. Angesichts der Tatsache, dass nur eine Handvoll seiner etwa 250 Arten auch als Szechuanpfeffer in den Handel kommen, scheint das Essen einer der Früchte direkt vom Busch ein wenig gewagt, macht sich doch auf der Zunge oder in und um den Mund sogleich ein taubes Gefühl breit, das, je nach Art und Reifegrad, unterschiedlich intensiv ist. Denn diese Früchte sind für gewöhnlich in eine winzige mit Öl gefüllte Kapsel gehüllt, die die chemische Verbindung Hydroxy-Alpha-Sanshool enthält. Diese stimuliert die Rezeptoren und hat einen ähnlichen Effekt wie ein lokales Betäubungsmittel. Trinkt man direkt darauf einen Schluck Wasser, hat man unter Umständen das Gefühl, einen leichten elektrischen Schlag auf der Zunge zu erhalten, ein beliebter Partytrick bei Kennern. *Z. armatum*, das in einer Region beheimatet ist, die vom indischen Subkontinent bis in die gemäßigte Zone Ostasiens reicht, ist eine der Hauptquellen für Szechuanpfeffer und auch Bestandteil des beliebten chinesischen Fünf-Gewürze-Pulvers.

Obwohl er sich oftmals hinter der schwammigen Bezeichnung »Szechuan« verbirgt, gewinnt *Z. piperitum*, als Sanshō bekannt, auch außerhalb seiner Heimat zunehmend an Bekanntheit. Die äußerst begehrte Gewürzpflanze, die in einer ganzen Reihe von Böden in Frost und Hitze gedeiht, dabei aber auch Schatten toleriert, eignet sich ausgezeichnet für mittlere Schichten in regenerativen Agroforst-Baumsystemen.

Die Früchte, jungen Blätter und Triebe von Sanshō werden gekocht oder roh verzehrt. Eine eigenwillige japanische Süßigkeit ist *kirisanshō*, ein süßer *mochi* (Reiskuchen), der mit gemahlenem Sanshō gewürzt wird. Die Frucht hat ein intensiv pfeffriges Zitrusaroma (die Gattung ist tatsächlich mit den Zitrusgewächsen verwandt); sie ist das Standardgewürz für den marinierten, gegrillten japanischen Süßwasseraal *unagi-kabayaki*, peppt aber auch andere Gerichte auf. Meist wird die reife rote Frucht (1) getrocknet, von den aroma-abschwächenden Samen getrennt und zu einem Pulver vermahlen. Doch auch die frische grüne Frucht (2), fälschlicherweise oft als »Beere« bezeichnet, kann eingelegt oder zum Aromatisieren von Ölen, Saucen oder sogar Likör verwendet werden. Die jungen Blätter und Triebe kommen als Garnitur für Fisch, in Suppen, Saucen oder Pestos zum Einsatz.

AUCH BEKANNT ALS
Japanischer Pfeffer, Anispfeffer, Kona-zanshō, Chopi, Japanese Prickly Ash, Toothache Tree

NATÜRLICHES VERBREITUNGSGEBIET
Östlicher Himalaya, Japan, Korea

WACHSTUMSBEDINGUNGEN
Der große Strauch, der bis mindestens -20 °C frosthart ist, gedeiht in einer Reihe feuchter, neutraler oder leicht saurer bis leicht basischer Böden, von sandig bis sehr lehmig, jedoch durchlässig.

WO MAN SIE FINDET
Die frischen Teile gibt es auf Märkten in Japan und Korea, das getrocknete Gewürz ist bei spezialisierten Lebensmittelhändlern weltweit erhältlich.

WIE MAN SIE ISST
Verwenden Sie dieses pfeffrige, zitrusartige Gewürz für Suppen, Saucen und Fischgerichte, aber auch zum Aromatisieren der süßen *mochi*.

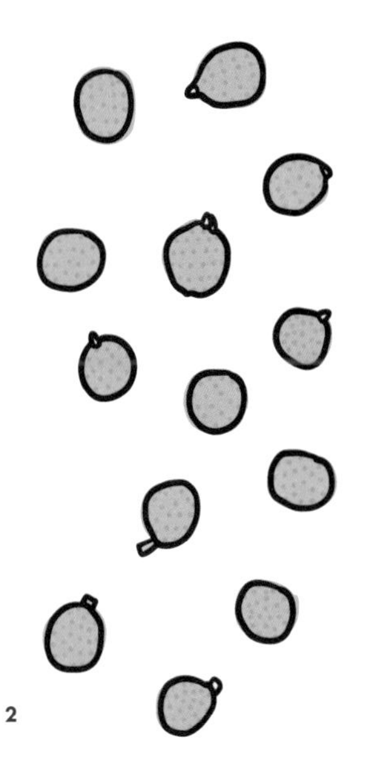

Jujube

Ziziphus jujuba (Rhamnaceae)

AUCH BEKANNT ALS
Rote Dattel, Chinesische Dattel, Kumul-Dattel, Chinesische Jujube, Rote Brustbeere, Daechu, Azufaifa, Chinese Date Tree, Red Date

NATÜRLICHES VERBREITUNGSGEBIET
Kühlere Regionen vom Norden und Osten Chinas bis Südkorea

EINGEBÜRGERT
Asien im Allgemeinen, Europa, Nord- und Westafrika sowie Nord- und Südamerika

WACHSTUMSBEDINGUNGEN
In einer ganzen Reihe von Böden in bergigen Regionen bis Wüstengebieten verbreitet, wo sie als laubabwerfender großer Strauch wächst oder einen kleinen Baum mit langer Pfahlwurzel ausbildet. Eingewöhnte Exemplare tolerieren für kurze Zeit auch leichte Minusgrade.

WO MAN SIE FINDET
Frisch erhältlich auf Märkten im gesamten Verbreitungsgebiet und getrocknet in Naturkostläden weltweit.

WIE MAN SIE ISST
Genießen Sie die frische oder getrocknete Frucht (reich an Vitamin C) als Tee, in Gelees, Suppen und Backwaren.

Ausgehend von einem Kompendium althergebrachter pflanzlicher Heilmittel wurde die Gattung *Ziziphus*, die etwa 76 anerkannte Arten umfasst, Anfang des 21. Jahrhunderts zum Thema einer ganzen Flut wissenschaftlicher Studien, die zu dem Ergebnis kamen, dass es sich hierbei um das neueste Superfood handle. Eine solche Auszeichnung muss Menschen im Bereich der Tropen, Subtropen und warmgemäßigten Klimazonen der Welt, wo diese Spezies beheimatet ist, mit amüsierter Genugtuung erfüllen, da die Wissenschaft hier seit Generationen überliefertes Wissen bestätigt. Denn die Frucht dieses Strauches oder mittelgroßen Baumes wird schon seit Jahrtausenden eingesetzt, um eine Vielzahl an Leiden zu kurieren. Die Pflanze ist mit spitzen Dornen bewehrt, um weidende Pflanzenfresser abzuschrecken und die unauffälligen gelben Blüten zu schützen, denen olivenförmige orangerote Früchte folgen, die bei manchen Arten von einer köstlichen Süße sind.

Eine dieser Arten ist *Z. jujuba*, für gewöhnlich Jujube genannt, von der es an die 400 Kultursorten gibt, die auf Geschmack, Größe und Ernteertrag hin gezüchtet wurden. Wenig überraschend bevorzugen Landwirte die dornenlosen Sorten. Die Pflanze ist sowohl in Korea als auch in China beheimatet, in der Provinz Henan gruben Archäologen verkohlte Jujubekerne aus, die darauf schließen lassen, dass die Frucht auch schon vor über 7000 Jahren gesammelt und domestiziert wurde. Schriftliche Quellen belegen die Beliebtheit der Jujube in ihrer Heimat und darüber hinaus, denn sie gelangte auch

in warm-gemäßigte Klimazonen, etwa nach Italien und in Teile Frankreichs. Die älteste überlieferte Gedichtsammlung Chinas, das aus dem 7. Jh. v. u. Z. stammende *Shijing* (»Buch der Lieder«), berichtet, dass die »Jujube-Frucht im August gepflückt wird«. Die Jujube gehörte lange zu den bedeutendsten Obstkulturen Chinas, und in der Vergangenheit war die Produktion bestimmten Steuern unterworfen, die von den Behörden streng kontrolliert wurden.

Die Pflanze widersteht nicht nur Hitze, Dürre und Kälte, sie gedeiht auch in sämtlichen Bodenarten, von kargen, ausgesetzten Klippen bis zu salzigen Ebenen. Dazu kommen noch das rasche Wachstum, ihre natürliche Neigung, ein dichtes Gebüsch zu bilden, und eine hohe Schnittverträglichkeit, die sie zu einer perfekten essbaren Hecke machen und zum Windschutz prädestinieren.

Die Frucht ist reich an Vitamin C und kann roh oder gekocht verzehrt werden. Die frische Frucht besitzt eine apfelähnliche Konsistenz und auch einen entsprechenden Geschmack, der zudem leicht an Datteln erinnert. Sie kann getrocknet, gekocht, geschmort, gebacken und kandiert werden und wird für Gelees, Kuchen, Süßspeisen oder Suppen verwendet. In Korea bereitet man einen gesunden Tee, *daechu-saenggangcha*, zu, für den getrocknete Jujube-Früchte einige Stunden mit frischem Ingwer köcheln und der Sud dann abgegossen wird.

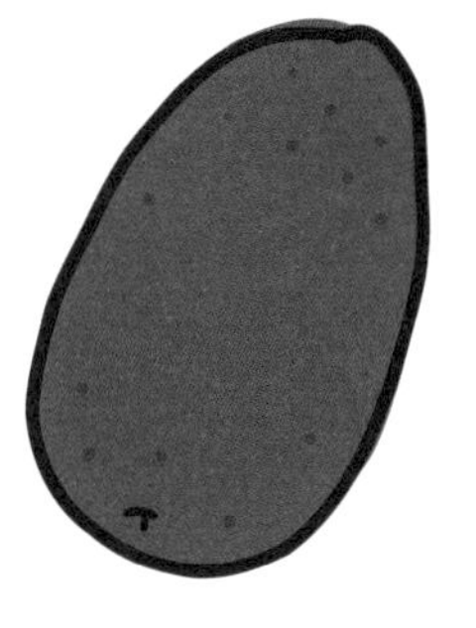

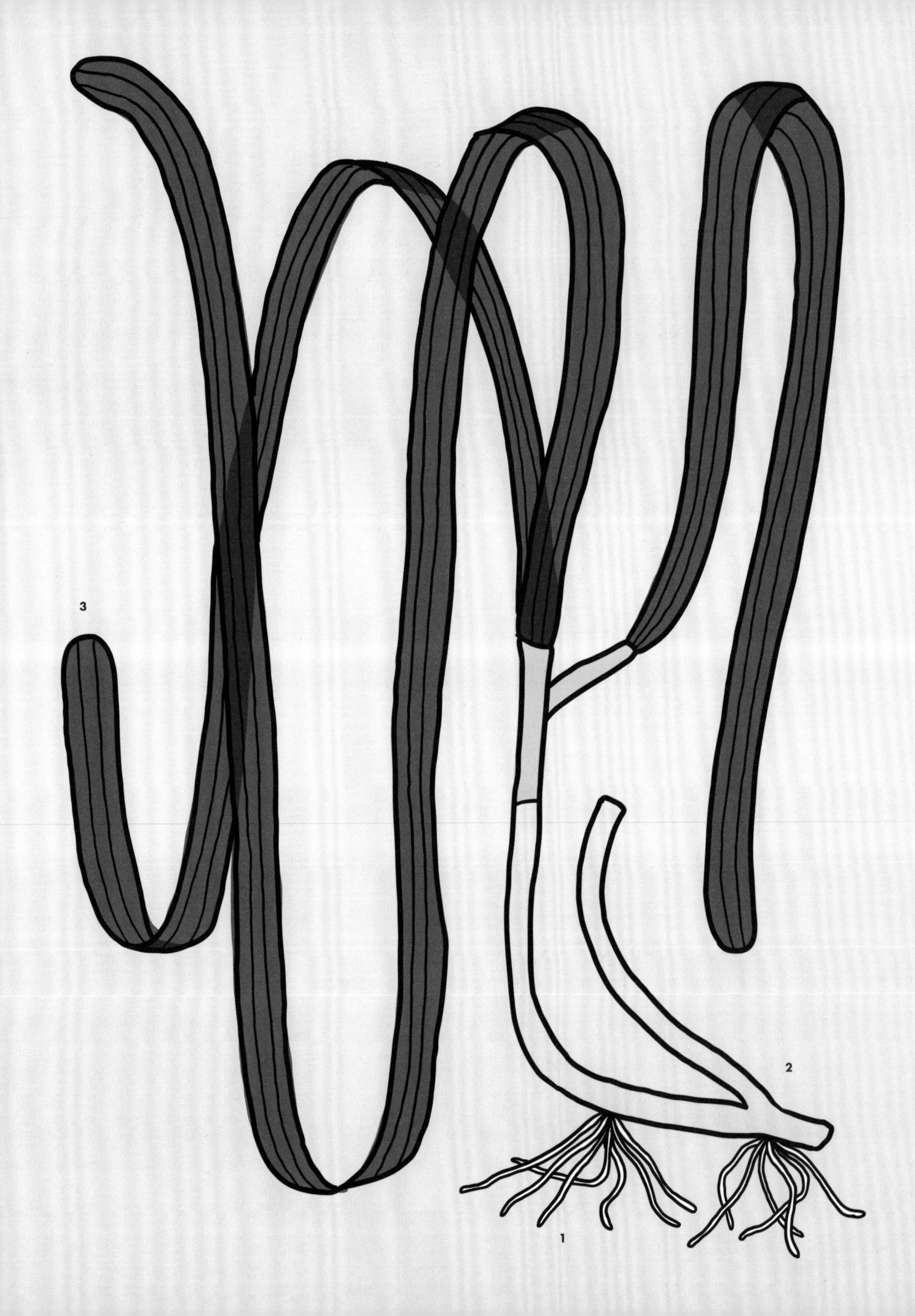
3
2
1

Gewöhnliches Seegras

Zostera marina (Zosteraceae)

Seegras, das entlang der Küsten jedes Kontinents, ausgenommen der Antarktis, wächst, bildet ausgedehnte Felder, die höchst produktive Ökosysteme formen, die ebenso bedeutend sind wie jene von Korallenriffen und Wäldern. Diese üppigen Seegraswiesen im flachen Salzwasser bieten Meereslebewesen Schutz und Nahrung, wirken der Küstenerosion entgegen und nehmen Kohlenstoffdioxid bis zu fünfunddreißig Mal schneller auf als tropische Regenwälder. Aktuelle Studien lassen darauf schließen, dass sie auch eine Rolle spielen bei der Reinigung der Ozeane von Plastikmüll, der sich zwischen ihren Blättern fängt und sich mit diesen zu natürlichen Faserbündeln zusammenballt, die als »Neptunbälle« oder »Meerbälle« bezeichnet werden. Seegras wird oft für Seetang gehalten, tatsächlich besitzt es jedoch Wurzeln (1), Stängel (2), Blätter (3) und samenproduzierende Blüten (4), da es vor etwa 100 Millionen Jahren vom Land zurück in den Ozean gewandert ist. Diese unglaubliche und meisterhafte Anpassungsfähigkeit umfasst, wie man heute weiß, eine symbiotische Beziehung mit stickstofffixierenden Bakterien, die – ein schönes Beispiel konvergenter Evolution – jener der Familie der Hülsenfrüchtler auf dem Land entspricht.

Von den vier Hauptgruppen und den etwa siebzig Arten von Seegras ist *Zostera marina*, das manchmal auch als »Meeresreis« bezeichnet wird (obwohl es eher Amaranth ähnelt), wegen seiner Samen auch von kulinarischem Interesse. Sie werden im Frühling geerntet und waren einst ein Grundnahrungsmittel für Generationen von Seri, die indigenen Jäger und Sammler,

Fortsetzung nächste Seite

AUCH BEKANNT ALS
Meeresreis, Meeresgetreide, Ålegras, Herbe à Bernaches, Da ye zao, Marine Rice, Marine Grain, Eelgrass, Grass Wrack, Sweet Seagrass

NATÜRLICHES VERBREITUNGSGEBIET
In der gemäßigten nördlichen Hemisphäre des Pazifiks und des Atlantiks

WACHSTUMSBEDINGUNGEN
In Gezeitenzonen und unterhalb des Gezeitenbereichs flacher Meeresgebiete, wo die Pflanze in sandigen, schlammigen und brackigen Küstengewässern in einer Tiefe von 0 bis 5 Metern von den Tropen bis in die Arktis wächst.

WO MAN SIE FINDET
Noch nicht in Handel erhältlich, kann jedoch wild gesammelt werden.

WIE MAN SIE ISST
Behandeln Sie die Körner genauso wie Reis. Die frischen Blätter können Sie in Salaten oder kurzgebratenen Pfannengerichten verwenden.

die entlang der Festlandküsten des Golfes von Mexiko lebten. Heute haben Meeresökologen wie auch Küchenchefs sein Potenzial als nachhaltig bewirtschaftbare Kulturpflanze in Mündungsgebieten erkannt. Es gilt jedoch, wild wachsende Populationen zu schützen, die durch den Klimawandel, Umweltverschmutzung und Baumaßnahmen entlang der Küsten bedroht sind. Der Anbau von Seegras und, in manchen Fällen, auch seine Wiedereinführung, erhöhen die Diversität in den Meeren und fördern das Einkommen lokaler Familien oder Betriebe durch die Ernte von Meeresgetreide.

Die Blätter kann man roh oder gekocht essen, während die Samen (5) gekocht oder zu Mehl vermahlen werden. Von ähnlicher Konsistenz und Geschmack wie Reis, mit einer leicht salzigen Note, lässt sich es sich fast ebenso wie andere Reissorten einsetzen. Für ein beliebtes Gericht der Seri, *xnois kóinim*, werden die Samen des Gewöhnlichen Seegrases von der Kleie befreit, geröstet und mit Kaktussamen zu Mehl vermahlen, das dann mit Wasser zu einer Grütze verkocht wird. Die Blätter besitzen eine knackige Konsistenz und eine leichte Süße, mit der sie sich in Salaten oder kurzgebratenen Pfannengerichten gut machen.

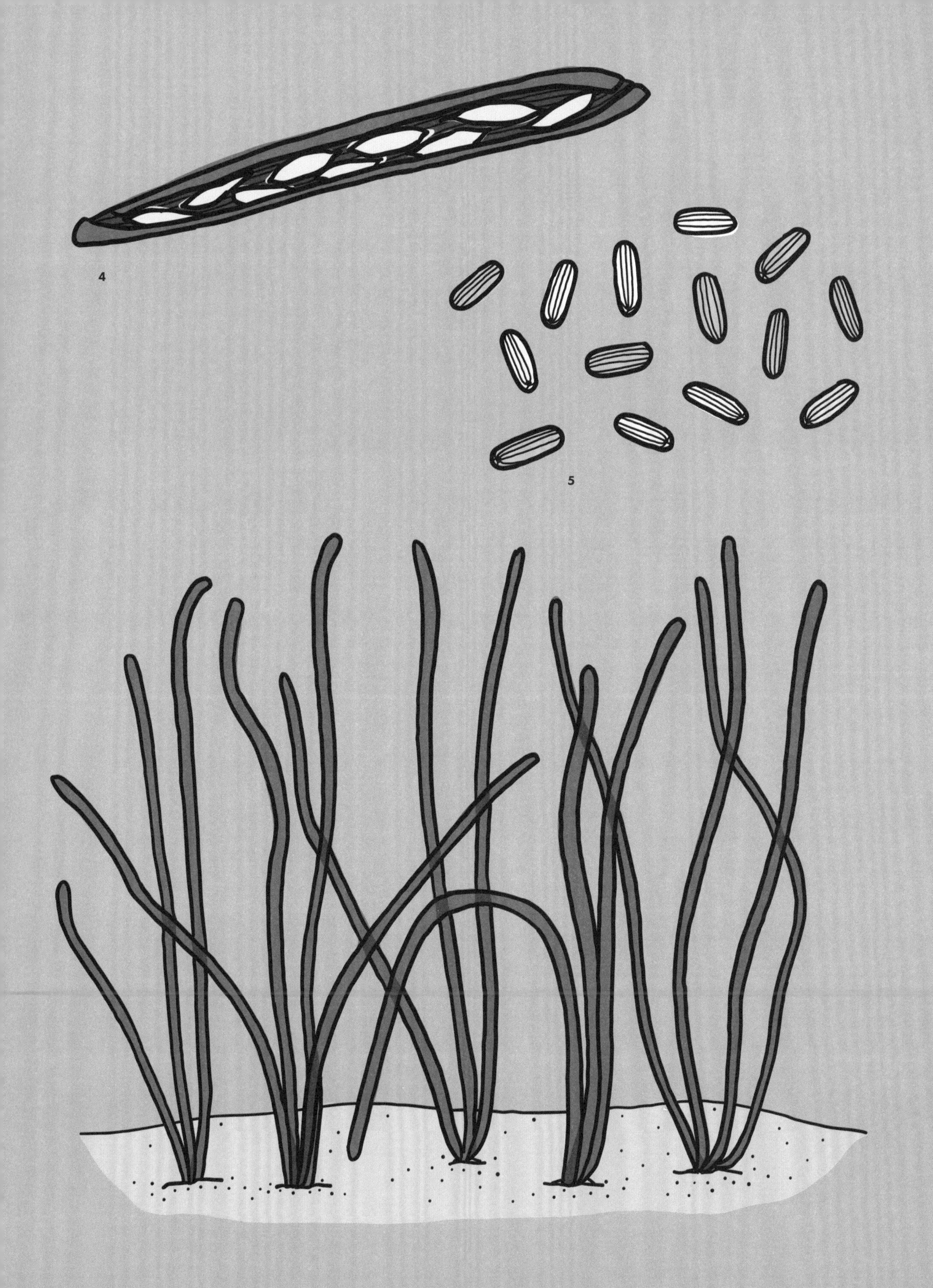
4
5

Glossar

ANGIOSPERMEN
Blühende Pflanzen (die Mehrheit der bekannten Pflanzenarten). Auch »Bedecktsamer« genannt.

AQUAKULTUR
Der Anbau von Wasserpflanzen, entweder in einem Becken oder im offenen Wasser.

AQUAPONIK
Die Kombination aus Fischhaltung (Aquakultur) und Pflanzenzucht in Wasser (Hydroponik), bei der durch die Doppelnutzung des Wassers ein Kreislauf entsteht.

ARILLUS
Der oft essbare Samenmantel, der den äußeren Teil eines Samens umschließt.

BLÜTENKELCH
Die Kelchblätter einer Blüte (siehe Kelchblätter). Auch Calyx genannt.

BLÜTENSTAND
Ansammlung von Blüten auf einem Zweig oder Stängel. Auch »Infloreszenz« genannt.

BRUTKNOSPE
Eine Knospe, die sich zwischen einem Stängel und einem Blatt oder anstelle von Blüten auf einigen Pflanzen ausbildet. Auch »Bulbille« genannt.

COPPICING
Eine Waldpflegetechnik, bei der unter anderem Bäume gefällt werden, um neue Triebe aus dem Stumpf zu fördern; Gehölze werden schon als Jungpflanzen regelmäßig ein Mal pro Jahr radikal zurückgeschnitten.

DOLDENBLÜTENGEWÄCHSE
Pflanzen der Gattung *Apiaceae* oder *Umbelliferae*, charakterisiert durch ihre schirmartigen Blüten.

EINJÄHRIGE PFLANZE
Eine Pflanze, die ihren Lebenszyklus in einer Vegetationsperiode abschließt.

EUTROPHIERUNG
Übermäßiges Pflanzen- und Algenwachstum im Wasser, ausgelöst durch eine Anreicherung von Nährstoffen (»Überdüngung« des Wassers).

FRUCHTKNOTEN
Die weiblichen Organe einer Blüte, die zu einer Frucht reifen.

HALM
Überirdischer Stängel eines Grases.

HYDROPONIK
Die Wissenschaft des Anbaus von Pflanzen ohne Erde.

HUTEWALD
Ein Wald, in dem das Weiden von Tieren und Foraging in einem gegenseitig nutzbringenden System vereint wird.

IMMERGRÜN
Eine Pflanze, die ihre Blätter länger als eine Vegetationsperiode behält.

KELCHBLATT
Der äußere Teil einer Blüte, der die Knospe während der Entwicklung umschließt. Auch »Sepalum« genannt.

KLONVERMEHRUNG
Die Erzeugung genetisch identer Kopien einer Pflanze durch ungeschlechtliche Fortpflanzung.

KNOLLE
Unterirdisches Speicherorgan einer Pflanze, das sich aus Stängel oder Wurzel ausbildet – zum Beispiel eine Kartoffel.

KONVERGENTE EVOLUTION
Wenn unterschiedliche Arten im Lauf der Evolution durch Anpassung an gleiche Umweltbedingungen (Klima, Beute, Lebensraum) oft erstaunlich ähnliche Merkmale entwickeln.

KULTURPFLANZE
Eine Pflanze, die von Menschen durch Zucht genetisch verändert wurde und die in der Wildnis nicht existiert.

LAUBABWERFEND
Ein Baum oder Strauch, der jedes Jahr seine Blätter verliert.

LEGUMINOSEN
Auch als Hülsenfrüchte bekannt, wie etwa Bohnen, Erdnüsse und Linsen.

MEHRJÄHRIGE PFLANZE
Eine Pflanze, die mehr als zwei Jahre lebt.

MICROGREENS/MIKROGRÜN
Die Keimlinge von Kräutern oder Gemüsepflanzen.

ORTSTEINSCHICHT
Eine harte, wasserundurchlässige Bodenschicht, die die Entwässerung erschwert.

STICKSTOFF- UND KOHLENSTOFFBINDUNG
Der Prozess der Umwandlung von Luftstickstoff oder anorganischem Kohlenstoff in Nährstoffe in der Erde.

VERMEHRUNG
Der Prozess der Anzucht neuer Pflanzen aus Samen oder Stecklingen.

Bezugsquellen und Fachhändler

Wir waren bemüht, sicherzugehen, dass die Pflanzen und Produkte in diesem Buch in ihren verschiedenen Regionen und darüber hinaus leicht erhältlich sind. Wir hoffen, dass wir zu einer häufigeren Nutzung dieser Pflanzen in unserer Ernährung anregen können und damit einen Beitrag zur zukünftigen Ernährungssicherheit, aber auch zur Vielfalt der angebotenen Aromen leisten. Wenn Sie in einer Umgebung leben, die reich an lebendigen lokalen Märkten, internationalen Lebensmittelläden, innovativen Gärtnern, Foragern und Sammlern, Züchtern, Restaurants oder landwirtschaftlichen Betrieben ist, dann stehen die Chancen gut, dass Sie einige dieser Pflanzen gleich um die Ecke probieren oder erwerben können. Erkunden Sie die Möglichkeiten vor Ort und ergreifen Sie die Gelegenheit, interessante neue Beziehungen zu knüpfen, Inspirationen zu bekommen und Einblicke zu erlangen und dabei den lokalen Handel zu unterstützen.

Wollen Sie noch mehr entdecken, dann gibt es immer noch das Internet. Indem Sie nachhaltig online einkaufen, etwa durch Sammelbestellungen mit Freunden und Familie, tragen Sie auch zur Unterstützung wichtiger weltweiter Initiativen und Gemeinschaften bei.

Unten finden Sie eine natürlich keineswegs vollständige Liste von Unternehmen und Organisationen auf der ganzen Welt, die sich pflanzenbasierten Produkten verschrieben haben.

Erzeugnisse und Erzeuger

EUROPA

Gebana
www.gebana.com

Herbathek
www.herbathek.com

Lofoten Seaweed
lofotenseaweed.no

Tampopo Foods
www.tampopofoods.com

Shea WaLe
shop.sheabutter-ghana.de

VGCaviar
www.vgcaviar.com

Connemara Seaweed Company
connemaraseaweedcompany.ie

Col Spirit
www.col-spirit.com

Famberry
famberry2020.com.ua

25 Grams Coffee
www.25grams.coffee

Sanddorn Christine Berger
sanddorn-christine-berger.de

Jara
jara.earth

Jurassic Fruit
www.jurassicfruit.com

Spicemountain
www.spicemountain.co.uk

Dúlra
www.dulra.ie

Abel & Cole
www.abelandcole.co.uk

NORD- UND SÜDAMERIKA

Kalustyan's
foodsofnations.com

The Spice House
www.thespicehouse.com

Gulf of Maine
gulfofme.com

Regalis
www.regalisfoods.com

Pacific Botanicals
www.pacificbotanicals.com

Canopy Bridge
canopybridge.com

Earthy Delights
www.earthy.com

Red Fox Spices
redfoxspices.com

Finca Palugo
fincapalugo.com

Diaspora Co.
www.diasporaco.com

Red de Guardianes de Semillas
redsemillas.org/english-seed-guardians-network/

AFRIKA

Essentially Natural
essentiallynatural.co.za

The Local Village
localvillage.africa

ASIEN

Organic Fields
www.organicfields.com.my

Hiuchi Tonburi Production Committee JA Akita (North)
ja-akitakita.jp/farming-and-life_products-tonburi

Forest Post
forestpost.in

Kimura Food Co
www.kimura-food.co.jp

Minamiboso Online Market
shop.mboso-etoko.jp

OOO Farms
ooofarms.com

Banyan Roots
www.banyanroots.in

Arena Organica
www.arenaorganica.in

Arya Sanskriti
www.aryasanskriti.com

Aazol
aazol.in

Moringa What
www.moringawhat.com

OZEANIEN

Footeside Farm
www.footesidefarm.com

Bush Food Shop
www.bushfoodshop.com.au

Pflanzen und Samen

EUROPA

Rein Saat
www.reinsaat.at

Arche Noah
shop.arche-noah.at

Rühlemann
www.kraeuter-und-duftpflanzen.de

Incredible Vegetables
www.incrediblevegetables.co.uk

Agroforestry Research Trust
www.agroforestry.co.uk

Kwekerij Bulk
kwekerijbulk.nl

Jurassic Plants
jurassicplants.co.uk

Franchi Seed
seedsofitaly.com

NORD- UND SÜDAMERIKA

Oikos Tree Crops
oikostreecrops.com

Trade Winds Fruit
www.tradewindsfruit.com

Trees of Joy
treesofjoy.com

AFRIKA

Seeds & Plants
seedsandplants.co.za

Seeds for Africa
www.seedsforafrica.co.za

ASIEN

Veliyath Gardens
veliyathgarden.com

OZEANIEN

Daleys Fruit Tree Nursery
www.daleysfruit.com.au

Tucker Bush
tuckerbush.com.au

Foraging: Wo gibt es was?

Wenn Sie Pflanzen aus diesem Buch zu sammeln wollen, dann können Sie die unten aufgeführte Liste nutzen, um nachzusehen, was in Ihrer Region wild wächst. Die jeder Pflanze zugeordnete Zeile gibt die Länder oder die Regionen an, in der diese Pflanze beheimatet ist oder eingebürgert wurde. Die Liste ist ein ausgezeichneter Ausgangspunkt für jedes Foraging-Abenteuer, bei dem Sie, unter Einhaltung der einfachen Regeln von Seite 54/55, die zukünftigen Hauptdarsteller eines nachhaltigen Lebensmittelsystems selbst kennenlernen können. Sie bietet auch einen guten Anhaltspunkt, um zu überprüfen, ob eine Pflanze sich zum Anbau in Ihrem Garten eignen könnte. Wie immer gilt für das Foraging: Fragen Sie Expert:innen um Rat, wenn Sie mit einer bestimmten Pflanze nicht vertraut sind, ehe Sie diese in der Wildnis pflücken, um sie zu verspeisen.

PLANZE	EUROPA	NORD- UND SÜDAMERIKA	AFRIKA	ASIEN	OZEANIEN
Gurganyan (*Acacia colei*), S. 16				Indien	Westaustralien
Afrikanischer Baobab (*Adansonia digitata*), S. 18			Tropische und subtropische Regionen	Arabische Halbinsel und weite Teile Asiens	
Paradieskörner, (*Aframomum melegueta*) S. 20		Französisch-Guyana, Guyana, Trinidad und Tobago, Inseln über dem Winde	Westliches tropisches Afrika bis Angola		
Flügeltang (*Alaria esculenta*), S. 23	Atlantikküste	Nordamerikanische Atlantikküste		Japanisches Meer	
Erdbirne (*Apios americana*), S. 24	Frankreich, Deutschland, Italien	Osten Nordamerikas		Japan, Südkorea	
Große Klette (*Arctium lappa*), S. 28	Ganz Europa	Gemäßigte Zonen Nordamerikas		Gemäßigte Zonen	
Brotfrucht (*Artocarpus altilis*), S. 30		Tropische Regionen Lateinamerikas und der Karibik	Tropische Regionen	Tropische Regionen	Tropische Regionen
Papau (*Asimina triloba*), S. 32		Südöstliches Kanada, Mitte und Osten der USA			

PLANZE	EUROPA	NORD- UND SÜDAMERIKA	AFRIKA	ASIEN	OZEANIEN
Strauchmelde (*Atriplex halimus*), S. 34	Belgien, Makaronesien, Mittelmeerraum, Niederlande, Sankt-Paul-Insel, Großbritannien		Tropisches Nordostafrika	Arabische Halbinsel, Iran, westlicher Irak	
Pfirsichpalme (*Bactris gasipaes*), S. 37		Tropisches und subtropisches Lateinamerika und Karibik			
Wüstendattel (*Balanites aegyptiaca var. aegyptiaca*), S. 40			Weite Teile Afrikas	Israel bis zur Arabischen Halbinsel	
Indischer Spinat (*Basella alba*), S. 42		Belize, Brasilien, Florida	Tropische und subtropische Regionen	Tropische und subtropische Regionen	
Besenradmelde (*Bassia scoparia*), S. 44	Kühle bis warmgemäßigte Zonen	Kühle bis warmgemäßigte Zonen Nordamerikas, Argentinien	Algerien, Libyen, Marokko, Südafrika	Kühle bis warmgemäßigte und subtropische Regionen	Neuseeland
Wachskürbis (*Benincasa hispida*), S. 47		Karibik, Venezuela		Tropische Regionen	Tropische Regionen
Palmyrapalme (*Borassus flabellifer*), S. 48			Mauretanien	Tropische Regionen	
Färberdistel (*Carthamus tinctorius*), S. 51	Ganz Europa	Westküste und gemäßigte bis trockene Zonen Nordamerikas, Mexiko, weite Teile Südamerikas, Kuba, El Salvador	Nordafrika, Mosambik, Simbabwe	Ganz Asien	Ganz Ozeanien
Meerestrauben (*Caulerpa lentillifera*), S. 52				Indopazifik-Küste	Indopazifik-Küste
Silber-Brandschopf (*Celosia argentea*), S. 57	Albanien, Bulgarien, Italien, Rumänien, Slowakei, Tschechische Republik	Florida	Jahreszeitlich trockene tropische Regionen		Jahreszeitlich trockene tropische Regionen
Johannisbrotbaum (*Ceratonia siliqua*), S. 58	Mittelmeerraum	Mexiko, Peru	Nordafrika, jahreszeitlich trockene tropische bis subtropische Regionen	Weite Teile des Nahen Ostens, Kaukasus, China, Indien, Pakistan	Australien
Knorpeltang (*Chondrus crispus*), S. 61	Atlantikküste	Nordamerikanische Atlantikküste			
Kaffeekirsche (*Coffea arabica & Coffea canephora*), S. 62		Tropische Regionen Lateinamerikas von Mexiko bis Brasilien	Äthiopien, Demokratische Republik Kongo, Guinea-Bissau, Kenia, Malawi, Ruanda, Sudan	Bangladesch, China, Indonesien, Myanmar, Vietnam	Melanesien

PLANZE	EUROPA	NORD- UND SÜDAMERIKA	AFRIKA	ASIEN	OZEANIEN
Kornelkirsche (*Cornus mas*), S. 64	Nördliches und kontinentales Westeuropa östlich bis zur Ukraine	Illinois, New York, Pennsylvania		Kaukasus, Libanon, Russland, Syrien, Türkei	
Erdmandel (*Cyperus esculentus*), S. 66	Ganz Europa	Ganz Amerika	Ganz Afrika	Weite Teile des Nahen Ostens, Afghanistan, China, Indien, Indonesien, Kambodscha, Kaukasus, Pakistan, Vietnam	Ganz Ozeanien
Foniohirse (*Digitaria exilis*), S. 68		Dominikanische Republik, Haiti	Tropisches Westafrika bis Kamerun		
Gemüsefarn (*Diplazium esculentum*), S. 72		Florida, Hawaii	Südafrika	Ost-, Südost- und Südasien	Australien, Neuseeland, Papua-Neuguinea
Mizu (*Elatostema involucratum*), S. 76				Bhutan, China, Teile Indiens, Japan, Korea	
Zierbanane (*Ensete ventricosum*), S. 79		Juan-Fernández-Inseln	Westliches, südwestliches und südliches Afrika, Inseln im Golf von Guinea	Indonesien	
Langer Koriander (*Eryngium foetidum*), S. 80		Mexiko bis Brasilien, subtropische Regionen Nordamerikas	Tropische Regionen	Südostasien	Pazifische Inseln
Bolivianische Fuchsie (*Fuchsia boliviana*), S. 82	Spanien, Réunion	Kalifornien, Hawaii, Jamaika, Mexiko, weite Teile von Mittel- und Südamerika		Indonesien	Neuseeland
Roselle (*Hibiscus sabdariffa*), S. 84		Belize, Brasilien, El Salvador, Guatemala, Kolumbien, Kuba, Mexiko, Peru, Venezuela	Westliches, zentrales bis südliches Afrika, Ägypten	Irak, Süd- und Südostasien	
Sanddorn (*Hippophae rhamnoides*), S. 89	Ganz Europa	Kanada		Russland bis westlicher Himalaya	
Funkie (*Hosta*), S. 90	Bulgarien, Rumänien, Slowakei, Tschechische Republik	Osten der USA		China, Japan, Korea, Usbekistan	
Süßkartoffelblätter (*Ipomoea batatas*), S. 92	Griechenland, Portugal, Spanien	Lateinamerika und Karibik, subtropische und warmgemäßigte Regionen Nordamerikas	Ganz Afrika	Süd- und Südostasien, Kaukasus, Turkmenistan, Tadschikistan, Kirgistan	Ganz Ozeanien
Wilder Mangobaum (*Irvingia gabonensis*), S. 95			Zentralafrika	Indien	

PLANZE	EUROPA	NORD- UND SÜDAMERIKA	AFRIKA	ASIEN	OZEANIEN
Indischer Butterbaum (*Madhuca longifolia* var. *longifolia* und *Madhuca longifolia* var. *latifolia*), S. 96				Bangladesch, Indien, Nepal, Sri Lanka	
Acerola (*Malpighia emarginata*), S. 98		Mexiko bis Peru, Inseln des Karibischen Meeres			Neukaledonien
Breiapfelbaum (*Manilkara zapota*), S. 101		Florida, Mexiko bis Kolumbien, Inseln des Karibischen Meeres		Bangladesch	
Mamoncillo (*Meliococcus bijugatus*), S. 104		Costa Rica, El Salvador, Florida, Inseln des Karibischen Meeres, Kolumbien, Venezuela			
Austernpflanze (*Mertensia maritima*), S. 107	Gemäßigte bis polare Regionen	Gemäßigte bis polare Regionen Nordamerikas		Gemäßigte bis polare Regionen	
Murnong (*Microseris walteri*), S. 108					Australien
Moringa (*Moringa oleifera*), S. 112		Arizona, Florida, Inseln des Karibischen Meeres, Kalifornien, Mittelamerika, Venezuela	West- und Zentralafrika bis Angola, Libyen, Madagaskar	Süd- und Südostasien	Australien
Rote Banane (*Musa acuminata*), S. 119	Spanien	Costa Rica, Ecuador, Florida, Juan-Fernández-Inseln, Trinidad und Tobago	Senegal, Tansania	Süd-und Südostasien, Türkei	Karolineninseln, Fidschi, Französisch-Polynesien, Nauru, Niue, Samoa, Tonga
Yangmei (*Myrica rubra*), S. 123				China, Japan, Korea, Philippinen	Marianen-Inseln
Muskatnussbaum (*Myristica fragrans*), S. 124	Réunion		Komoren, Inseln im Golf von Guinea, Mauritius	Bangladesch, China, Indien, Indonesien, Laos, Philippinen, Thailand, Vietnam	
Feigenkaktus (*Opuntia ficus-indica*), S. 127	Mittelmeerraum	Arizona, Florida, Kalifornien, New Mexico	Trockene tropische und subtropische Regionen	Trockene tropische und subtropische Regionen Süd- und Südostasiens	Trockene tropische und subtropische Regionen Australiens
Afrikanischer Reis (*Oryza glaberrima*), S. 129		Brasilien, Surinam	Benin, Burkina Faso, Elfenbeinküste, Gambia, Guinea, Guinea-Bissau, Kamerun, Mali, Niger, Senegal, Togo, Tschad	China	

PLANZE	EUROPA	NORD- UND SÜDAMERIKA	AFRIKA	ASIEN	OZEANIEN
Saphubaum (*Pachylobus edulis*), S. 134			Äquatorialguinea, Angola, Gabun, Inseln im Golf von Guinea, Kamerun, Kongo, Nigeria, Sambia, Zentralafrikanische Republik		
Yambohne (*Pachyrhizus erosus*), S. 137		Brasilien, Inseln des Karibischen Meeres, Mexiko, Mittelamerika, Venezuela	Kamerun, Gabun, Madagaskar, Tansania	Süd- und Südostasien	Australien, Papua-Neuguinea
Schwarzrohrbambus (*Phyllostachys nigra var. henonis*), S. 141		Hawaii		China, Japan, Korea, Philippinen, Vietnam	Neuseeland
Tomatillo (*Physalis philadelphica*), S. 142	Belgien, Griechenland, Portugal, Spanien sowie weite Teile Ost- und Südosteuropas	Arizona und Osten der USA, Haiti, Kuba, Mexiko, Mittelamerika	Angola, Kenia, Marokko, Sambia, Simbabwe, Südafrika, Sudan	China, Russland, Türkei	Australien
Vallonea-Eiche (*Quercus ithaburensis subsp. macrolepis*), S. 144	Griechenland, Italien und Südosteuropa			Libanon, Syrien, Türkei	
Schwarzer Rettich (*Raphanus raphanistrum* subsp. *sativus* (syn. *Raphanus sativus var. niger*)), S. 148	Frankreich, Griechenland, Italien, Portugal, Spanien und Südosteuropa	Nordamerika, weite Teile Mittel- und Südamerikas, Dominikanische Republik, Haiti, Kuba	Äthiopien, Angola, Eritrea, Kenia, Nordafrika, Simbabwe, Sudan, Südafrika, Tansania	Ganz Asien	Australien
Bittere Reichardie (*Reichardia picroides*), S. 150	Mittelmeerraum	Hawaii	Nordafrika	Syrien, Türkei, Vereinigte Arabische Emirate	Australien
Loquat (*Rhaphiolepis bibas*), S. 152	Frankreich, Griechenland, Italien, Portugal, Spanien	Subtropische und warmgemäßigte Zonen Nordamerikas, Mexiko bis Brasilien	Kenia, Südafrika	Weite Teile Asiens, Afghanistan, Indien, Kaukasus, Naher Osten, Pakistan, Thailand, Usbekistan, Vietnam	Australien, Neuseeland
Europäischer Queller (*Salicornia europaea*), S. 154	Nord- und Mitteleuropa				
Marula-Baum (*Sclerocarya birrea*), S. 159			West-, Zentral- bis südliches Afrika, Madagaskar		
Alte Kartoffelsorten (*Solanum tuberosum*), S. 160	Belgien, Frankreich, Irland, Großbritannien	Hawaii, Osten der USA, weite Teile Südamerikas, Dominikanische Republik, Haiti	Demokratische Republik Kongo	Bangladesch, Indien, Russland, Tadschikistan, Usbekistan, Vietnam	

PLANZE	EUROPA	NORD- UND SÜDAMERIKA	AFRIKA	ASIEN	OZEANIEN
Tamarinde (*Tamarindus indica*), S. 162		Weite Teile Mittel- und Südamerikas, Florida, Inseln des karibischen Meeres, Mexiko, Texas	West-, Zentral- bis südliches Afrika, Komoren, Ägypten, Libyen, Madagaskar	Arabische Halbinsel, Süd- und Südostasien	Australien, Melanesien
Gewöhnlicher Löwenzahn (*Taraxacum officinale*), S. 165	Ganz Europa	Ganz Nord- und Südamerika, ausgenommen das Amazonasbecken	Demokratische Republik Kongo, Kamerun, Madagaskar, Marokko, Namibia, Simbabwe Südafrika	Weite Teile Ostasiens, Indien, Indonesien, Malaysia, Philippinen	Australien, Neuseeland
Prekese (*Tetrapleura tetraptera*), S. 166			Weite Teile von West- und Zentralafrika, südlich bis Angola		
Chinesischer Surenbaum (*Toona sinensis*), S. 168		Maryland	Tansania, Uganda	Weite Teile von Ost- und Südostasien, Afghanistan, Nepal, Pakistan, Sri Lanka, Sumatra	
Wassernuss (*Trapa natans*), S. 174	Weite Teile Mittel-, Ost- und Südosteuropas	Ostküste Kanadas und der USA	Zentral- bis Südliches Afrika, Algerien, Burkina Faso, Tunesien	Ganz Asien	
Mattenbohne (*Vigna aconitifolia*), S. 177			Eritrea	Bangladesch, China, Indien, Jemen, Myanmar, Pakistan, Sri Lanka	
Bambara-Erdnuss (*Vigna subterranea*), S. 178		Dominikanische Republik	Weite Teile West- und Zentralafrikas, südlich bis Sambia und Eswatini, Madagaskar, Tansania	Indien, Indonesien	Papua-Neuguinea
Fuchsrebe (*Vitis labrusca*), S. 180	Albanien, Frankreich, Griechenland, Italien, Österreich, Portugal, Spanien, Ukraine, Ungarn	Weite Teile des Ostens der USA		Russland, Tadschikistan, Türkei, Turkmenistan, Usbekistan, Vietnam	
Gelbhornstrauch (*Xanthoceras sorbifolium*), S. 183				China, Korea, Mongolei, Usbekistan	
Sanshō (*Zanthoxylum piperitum*), S. 186				China, Japan, Korea	
Jujube (*Ziziphus jujuba*), S. 188	Südosteuropa, Frankreich, Mittelmeerraum, Spanien	Alabama, Arizona, Dominikanische Republik, Florida, Honduras, Jamaica, Kalifornien, Kuba, Louisiana, Texas, Utah, Venezuela	Algerien, Burkina Faso, Kamerun, Libyen, Marokko, Tunesien	Weite Teile des Nahen Ostens und Zentralasien, Afghanistan, China, Georgien, Indien, Japan, Korea, Laos, Mongolei, Pakistan	
Gewöhnliches Seegras (*Zostera marina*), S. 191	Gemäßigte Zonen der Atlantik- und Mittelmeerküste	Gemäßigte Zonen der Atlantikküste Nordamerikas, Belize, Mexiko	Nordafrikanische Atlantikküste und Mittelmeerküste	Gemäßigte Zonen der Pazifikküste	

Biografien

KEVIN HOBBS ist ein ausgewiesener Pflanzenkenner, Gärtner und Züchter mit mehr als fünfunddreißig Jahren Erfahrung. Mit einem Fuß steht er in der Welt der Botanik, mit dem anderen in der kommerziellen Produktion von Pflanzen; in den vergangenen Jahrzehnten beschäftigte er sich intensiv mit den Themen Nachhaltigkeit und Bekämpfung des Klimawandels.

Er liebt den Austausch mit gleichgesinnten Freund:innen und Kolleg:innen aus aller Welt; in seiner Rolle als New Product Director von Whetman Plants International bringt er neue Zierpflanzen und essbare Pflanzen auf den Markt. Er ist ein passionierter Anhänger von allem, was grünt und blüht, und teilt sein Wissen in Vorträgen, in den sozialen Medien und in Publikationen wie *Die Geschichte der Bäume und wie sie unsere Lebensweise verändert haben* (2020). Sie finden Kevin unter *@florafanatic* auf Instagram.

ARTUR CISAR-ERLACH ist Autor, Ökologe und Experte im Bereich Lebensmittelkommunikation; seine Arbeit umfasst die Bereiche Lebensmittel, Waldökologie und Videografie.

Er machte seinen Abschluss in Biologie mit dem Schwerpunkt Ökologie an der Universität Wien und einen Postgraduate-Abschluss in »Food Culture and Communications« an der University of Gastronomic Sciences in Pollenzo, Italien.

Fasziniert von der Bedeutung von Ernährung und Nahrungsmitteln erkundet er deren ungeheures Potenzial für die Lösung einiger der größten aktuellen Herausforderungen unserer Zeit. Eine Leidenschaft, die er in Workshops, Vorträgen und Publikationen teilt, wie seinem Buch *Der Geschmack von Holz* (2020). Sie finden ihn unter *@artur_cisar_erlach* auf Instagram, *@ArturCisarErlach* auf YouTube und unter *arturcisar-erlach.com.*

KATIE KULLA ist Illustratorin und Autorin. Sie ist in Oregon zu Hause, wo sie mit ihrer Familie lebt und eine Bio-Landwirtschaft betreibt. Die Themen Natur, Landwirtschaft und Familie stehen im Mittelpunkt ihrer Arbeiten, die in den Zeitschriften *Taproot, Growing for Market, Farmer-ish, GreenPrints* und *Geez* erschienen sind. Dies ist ihr erstes Buchprojekt. Sie finden Katie unter *KatieKulla.com* und auf Instagram: *@katiekulla.*

Danksagungen

KEVIN HOBBS: An meine Familie für ihre Unterstützung, Ermutigung und unendliche Geduld, wenn ich die Nacht wieder einmal zum Tag mache! Danke an Artur, Katie und das Team von Thames & Hudson dafür, dass ihr mich auf diese Reise in die botanische Speisekammer der Welt begleitet habt. Danke für die unermüdliche Arbeit und den Einsatz internationaler Kooperationsprogramme wie *Plants of the World Online* und *International Union for Conservation of Nature* und an alle meine Pflanzenfreundinnen und -freunde nah und fern, vor allem an die Pflanzenexperten und Botaniker Mikinori Ogisu, James Armitage, Philippe Bonduel und John Grimshaw.

Mir fällt ein Zitat des Komponisten Sergej Rachmaninow ein: »Musik ist genug für ein Leben, aber ein Leben ist nicht genug für die Musik«. Ein Gefühl, das ich kenne und auf die wunderbare, wenngleich verletzliche Vielfalt der Pflanzen, Farne, Algen und Pilze auf dieser Welt übertragen möchte.

ARTUR CISAR-ERLACH: Meine tiefe Dankbarkeit gilt meinen Eltern und meiner Partnerin, für ihre unerschütterliche Unterstützung, ihren Rat und ihre schier endlose Geduld, die Projekte wie dieses Buch überhaupt erst ermöglichen.

Ein großes Dankeschön auch an dich, Kevin, dass du mich zu diesem einzigartigen Projekt gebracht hast: Es war ein fantastisches Abenteuer! Danke, Katie, dass du die Hauptdarsteller unseres Buchs auf so anschauliche und farbenprächtige Art und Weise zum Leben erweckt hast. Ein Dankeschön an dich, Rosie, dass du unser Manuskript aus einem undurchdringlichen Dickicht in einen wunderschön gepflegten Garten verwandelt hast. Danke an euch, Lucas Dietrich, Fleur Jones und Helen Fanthorpe sowie an das gesamte Team von Thames & Hudson, dass ihr uns auf dem Weg zur Veröffentlichung so elegant durch das Labyrinth von Entscheidungen, Arbeitsschritten und Hindernissen geleitet habt.

Schließlich gilt mein großer Dank allen Foodies auf der ganzen Welt, die mit ihren Erkenntnissen, ihrer Detektivarbeit und ihrer unglaublichen Hilfsbereitschaft dazu beigetragen haben, das scheinbar Unmögliche möglich zu machen!

Unser gemeinsamer Dank gilt gleichgesinnten Pflanzen- und Food-Enthusiast:innen: John Fielding, Faten Zubair Filimban, Anna-Rose Ncube, Kumud Dadlani, Keith Kirsten, Felice Arena, Pei-Chen Lien, Cuauhtémoc Navarro, Rohit Jain, Naomi Beddoe, Gaurav Gurjar, Clarice Mojinum, Makiko Sato, Lukas Leitsberger, Udeshika Weerakkody, Nadeesha Lewke Bandara, Estefania Baldeon, Franklin Fok Lok, Petra Illig, Joshua Obaga, Laetitia Mouche-boeuf, Francesca Grazioli, Marc-Henri Doyon, Maria L. Cobo, Charles Valin, Anel van der Merwe und Ross Cameron.

KATIE KULLA: Danke an Fleur Jones, Ashlea O'Neill, Kevin Hobbs und Artur Cisar-Erlach für die fantastische gemeinsame Arbeit an diesem Buch. Und an meine Familie für euren Beifall und eure Unterstützung.

Register

TITELSEITE, VON LINKS NACH RECHTS: Moringasamen, Indischer Spinat und Wachskürbisblüte; **BUCHRÜCKEN:** Paradieskörner; **RÜCKENDECKEL, VON LINKS NACH RECHTS:** Tamarindensamen, Blatt der Roten Banane und Knorpeltang.

Die Originalausgabe erschien unter dem Titel *Edible. 70 Sustainable Plants That Are Changing How We Eat* bei Thames & Hudson Ltd, London 2023.
Druck und Bindung: C&C Offset Printing Co. Ltd, China
ISBN 978-3-95614-586-5